大江大海騙了你

——李敖祕密談話錄

周德偉。（見頁9）

「擁護石九齡為立法委員」。（見頁91）

太原五百完人招魂塚。（見頁101）

廖耀湘，這邊說一九四八年殉國；那邊二十年後開追悼會。（見頁105）

百姓夾跪道旁，成何體統！（見頁154）

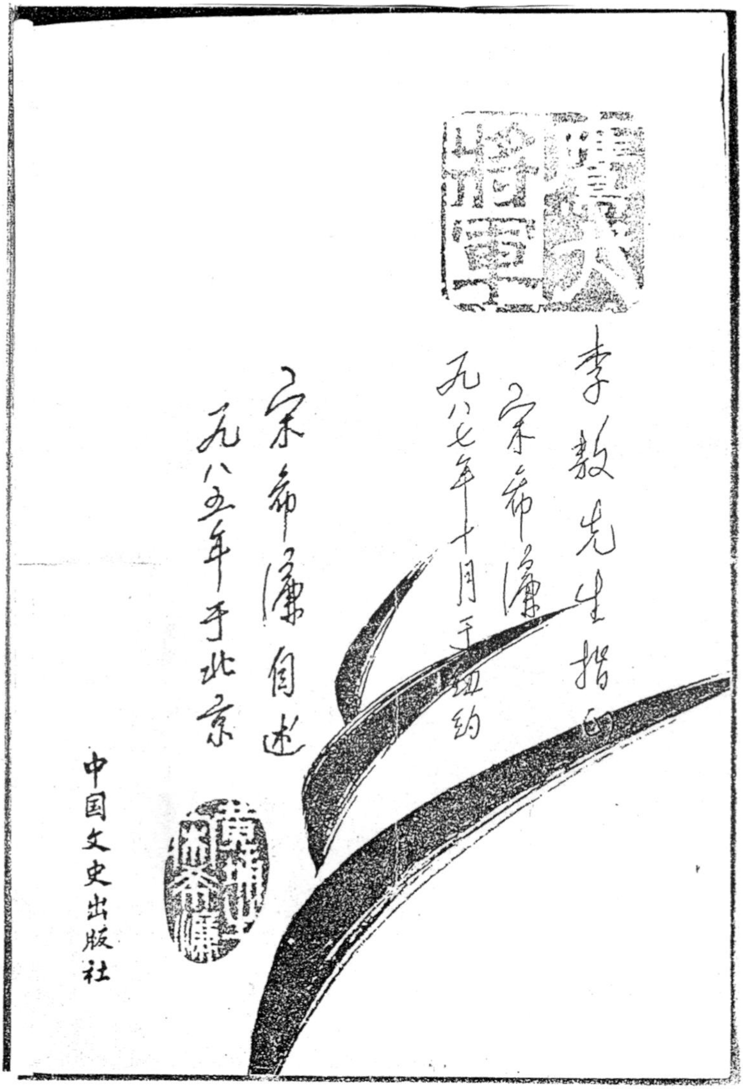

鷹犬將軍
李敖先生指正
宋希濂
一九八七年十月于纽约
宋希濂自述
一九八五年于北京
中国文史出版社

「鷹犬將軍」。（見頁194）

杜聿明全家福。（見頁199）

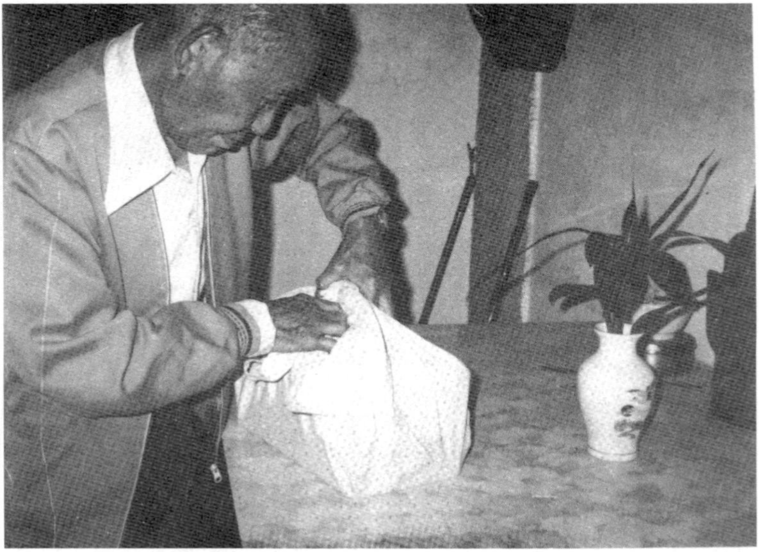

彭克立帶回曾長雲骨灰。（見頁211）

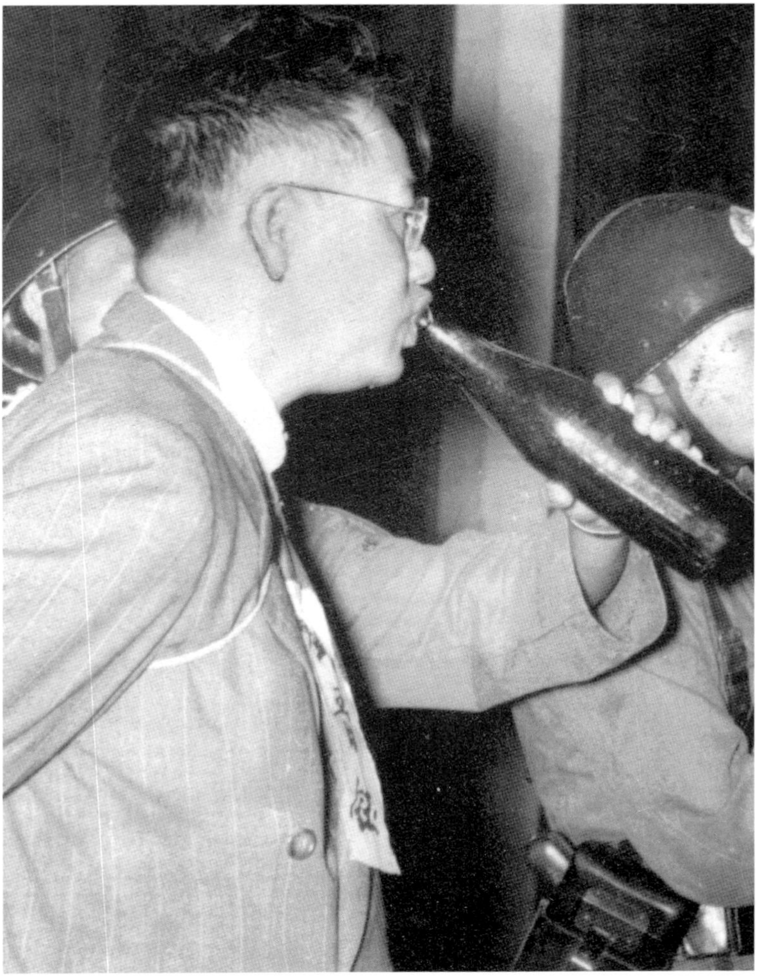

劉晉鈺被槍斃前。（見頁222）

楊虎城父子被殺後，臉上澆以鏹水，埋屍於此。（見頁236）

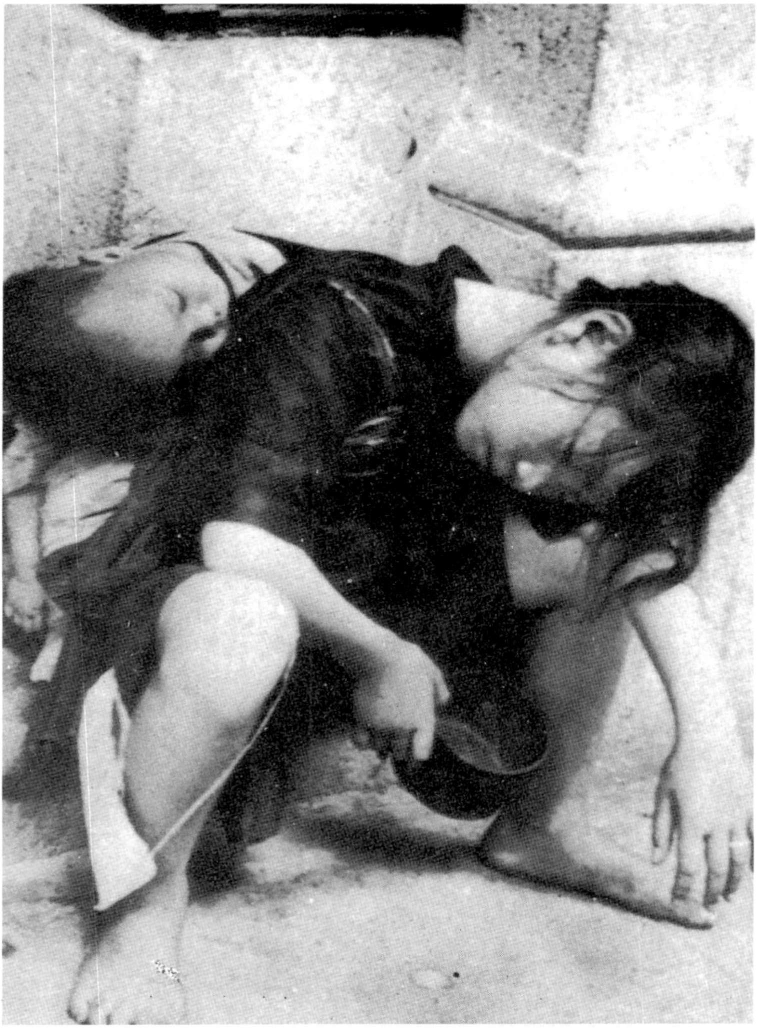

姊弟難童。（見頁250）

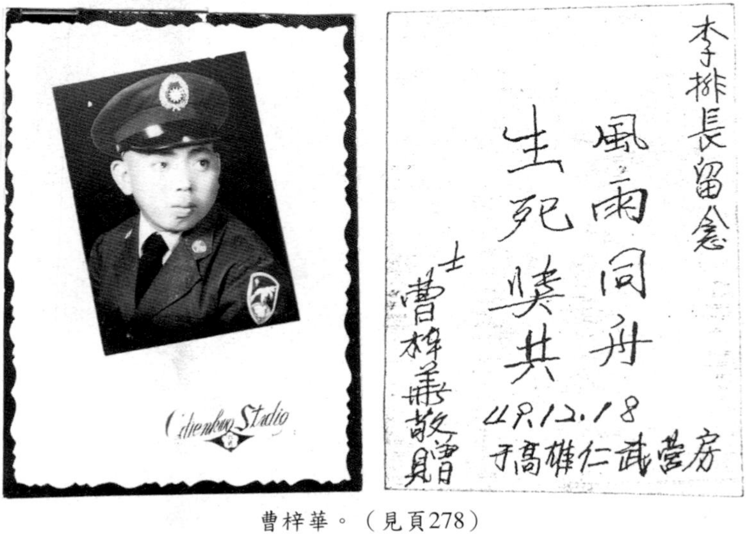
李排長留念
風雨同舟
生死與共
49.12.18
于高雄仁武營房
士 曹梓華敬贈

曹梓華。（見頁278）

變造徐錫麟髮型，卻忘了變造衣領。（見頁310）

（左起）司徒雷登、蔣介石、馬歇爾。（見頁315）

目錄

緣起

歌德（Goethe）有他的談話對象，康德（Kant）有他的談話對象，缺德的李敖沒有，大體上，李敖永遠在一個人談話，從年復一年一個人在牢房裡、到年復一年一個人在書房裡、到年復一年一個人在「一人轉」的電視節目冷房裡，他沒有談話，有的只是自說自話。

邱吉爾（Churchill）的僕人偷聽到主人在浴室的自說自話，透露說：邱吉爾洗澡時候自說自話是人類最可怕的聲音之一，因爲一半出自喉嚨、一半出自鼻孔。李敖一切自行料理，沒有僕人，所以無從偷聽喉嚨或鼻孔，結果呢？邱吉爾是英國首相，他自說自話完了，外面有太多的談話等著他，不愁沒對象，可是李敖呢？他在浴室照了鏡子，走出浴室，另一面鏡子在等他。

太可惜了！孤獨的李敖，失掉太多太多的聲音了。不但失去自言自語、失去自說自話、失去 thinking aloud、失去「群胡同笑、四座並歡」、也失去了發明錄音機的意義。白色恐怖時期，家裡被偷裝了竊聽器，但情治單位最後驗收，什麼也沒錄到，只錄到叫床與喘息。

太可惜了！總得記錄出李敖叫床與喘息以外的聲音才行。

但是李敖越老越彆扭了，他一心寫「大書」、寫「陽痿美國」這類「大書」、寫一部又一部的「大書」，他每天工作十六個小時，並且以世界爲對象，「威而剛世界」（「偉哥世界」），沒有時間談到世界以外的雞零狗碎了。

不過，李敖儘管全天工作，也會有間隙的時候，Even Homer sometimes nods. 荷馬也有打盹時、荷馬也會有一失。所以，抓住李敖「荷馬的時刻」，抓住他呵欠之下的一些雞零狗碎，也很有趣啊。杜甫就做過「拾遺」的官，「拾遺」就是抓住皇上的雞零狗碎，皇上是管大事的，但是也有雞零狗碎，也不無雞零狗碎可以撿到，所以大詩人杜甫又叫「杜拾遺」。現在，從這本書開始，就是「杜拾遺」的絕活了，不過是拾自己的遺，拾到一本算一本。讓世界除了李敖的「大書」外，偷窺到李敖的種種面相，原來皇上是根本不穿新衣的、皇上知道新衣是赤裸的。——皇上太屌了。

從「拾穗」到「拿鋤頭的人」

■你本是談笑風生的人，可是由於你經常「拒人千里之外」而「失風」了，多可惜啊！希望這部書，可以爲你「把風」，拾起許多你「滄海遺珠」。說「遺珠」，也許太狗腿了，至少這部書，使我想起米勒（Jean François Mellet）那幅「拾穗」（Gleaners）。

□好奇怪，爲什麼不想起米勒那幅「拿鋤頭的人」（Man with a Hoe）？

■「拿鋤頭的人」嗎？那幅畫可被指爲有「危險的社會主義傾向」(....was condemned as dangerously socialistic）的喲。

□看來一開始，就不打算問到我「危險的社會主義」那一面。是不是？「非其種者，鋤而去之」，拿鋤頭的人是危險的。

■能閃避得掉嗎？你的頭腦裡，漏掉了「危險的」三個字，別的也就不多了。

□我這麼單薄嗎？別忘了米勒那幅「播種者」(Sower)。

■「播種者」是一八五一年的、「拾穗」是一八五七年的。「拾穗」意味著在「播種」之後，拾到些什麼，有不同的感覺。這本「李敖秘密談話錄」就有這種感覺，那該多好。

□尤其加上「秘密談話」。

■尤其加上「秘密談話」。at ease 的時候，總會說出一些「秘密」吧？

□我對「秘密」的定義很寬，我曾說過：「凡是你沒讀過的書，就是新書。」凡是你沒聽到的事，就是「秘密」。關鍵在你能否學會用「秘密」的耳朵去傾聽。你學到這本領，聽風聲都可聽到「秘密」。

■說得太玄了，你是「務實的理想主義者」，別那麼玄吧？

□好，別那麼玄。讓我盡量說拾穗者的語言。

■「李敖秘密談話錄」該是總書名吧，每一本秘密談話，該有個副書名吧？

□說的是，這本書的副書名，就叫「大江大海騙了你」吧。

■是不是每次總書名不變，都叫「李敖秘密談話錄」，變的只是副書名？

□是的。

■「李敖秘密談話錄」，要出多少本呢？

□不知道。第一，要看我活多久；第二，要看我興之所至，拾遺到什麼地步。

■爲什麼第一本談話錄就好像鎖定龍應台呢？

□因爲她「横亙」在我眼前。

■你用「亙」字，多麼老去的一個字，它的意思是從這端到那端，横在你眼前。亙是什麼？攔路虎嗎？

□不是攔路虎，攔路虎是國民黨；也不是過街鼠，過街鼠是民進黨。龍應台只是一塊木頭、「殘山剩水」中横亙的一塊木頭。

■你的意思是她也攔過路、也過了街？

□她的問題是正在攔路、正在過街。她是現在進行式，是代表頭腦不清中國人的「文化現行犯」。並且這種「文化」，也是臥虎藏鼠的，洋溢著鼠疫。

龍應台提議與我擁抱

■我還是有點納悶，納悶你出這本書。你在「九一一」第九周年，寫了一部「大書」——「陽痿美國」，明顯把你的寫作方向，指向全世界了，爲什麼又有回頭的跡象，出這本「大江大海騙了你」，這書對你未免太小了吧？

□我一直躲著，最後還是忍不住了。心想海峽兩岸，只有我有本領徹底拆穿了，我好像責無旁貸，我跟龍應台毫無冤仇。以前，她寫過信給我，我沒回。她官迷，做台北市文化局長，還請我單獨吃過飯，在徐州路，飯後她提議要擁抱我一下，抱就抱吧。今天我挪用了寫「大書」的時間，快速扯這本回頭書，深愧不無浪費。下筆之際，頗有孔夫子作「春秋」的無奈，知我罪我，聽之他人，但眞情告訴你，我已經先罪自己了。我已志在寫一本本的「大書」，扯這本書，對我太小了。幸虧只用零星的時間扯它、幸虧書中還有一定的比重涉及美國、拆穿美國。

■功德所披之處，其實也不能用一個小字抹殺一切。主要原因是你老了，七十五歲了。「悟以往之不諫，知來者之可追」，你在文字上變小氣了，吝於花時間扯你不想扯的了。

□對，我限期在年底以前，完成「屠龍記」。這個「龍」，是多數。牽扯到許多人、許許多多頭腦不清的可憐蟲。「龍應台」毋寧是一個代號、一個通稱。哦，我老了，我有一點嘮叨。

■既然是談話性質的書，不怕嘮叨。嘮叨一點也別有趣味，至少增加了細膩感。

□你使我想起我在「李敖議壇哀思錄」中的那篇序：

知我者，其唯老太太乎？

汗牛也、充棟也、上網也、下載也，古今自傳多矣，但最好的，出自兩位老太太，一位是趙元任太太楊步偉，一位是胡適太太江冬秀。老太太式自傳的最大好處，在她隨意嘮叨。唯其隨意，故少弄假；唯其嘮叨，故無遺珠。……行雲流水，成此奇書。能解老嫗，方足以讀自傳，知我者，其唯老太太乎？

■你的意思是說，你要不避「隨意嘮叨」之譏，來一本本的「李敖秘密談話錄」，目前只是第一本，先從宰龍老太太開始？

□沒錯。龍應台還不算太夠格做老太太，只是她的思想先老掉牙了而已。

■面對「大江大海一九四九」，你一定有看呢還是不看呢的苦惱。

□我終於打開了「大江大海一九四九」，我支出了兩個小時，「解決」了這本三百六十頁的書。

■「解決」？

□「解決」，就是把它看過了、並且大卸八塊、用美工刀切割出一般人看不到的結論。它結構混亂、支離破碎，以許多個人的故事做基點，加以鋪陳，如果發揮得妥當，尚可補救結構混亂和支離破碎的毛病，但龍應台鋪陳的故事，卻發揮不出來，甚至出現嚴重的錯誤，這是該書的致命傷，也正是龍應台的毛病所在。

■這是「大江大海一九四九」一書的根本不妥之處嗎？

□沒有起碼清楚頭腦的人，最好不要談思想、談歷史。不要高談闊論「大江大海」，因爲一九四九年的局面明明只是「殘山剩水」，何來「大江大海」？何況，明明是「殘山剩水」，卻擺出「大江大海」的架構，這種架構，正是蔣介石留下來的思維。龍應台的根本錯誤在她總是做「虛擬演繹」（pseudo-deduction），「虛擬演繹」好比扣第一個扣子，第一個扣子沒扣對，下面的扣子全扣錯了。

龍應台的不幸

■看來龍應台有點不幸，她踩了你的線。她如果只寫寫什麼文藝批評，還算恰如其分。她不自量力，擴大來談「一九四九」的問題，恰恰那是你一步步踩過的線，她跑來亂踩，就鬧笑話了。你從十四歲起看「一九四九」長大，而龍應台呢？「一九四九」時她還沒穿上開襠褲，實際還沒出生。

□「一九四九」對我是目擊、是身歷、是焦距清楚的見聞、是文件累積的印證，但對龍應台都不是，龍應台只想對大題目速成，那是速成不來的，既不夠眞實，也容易鬧笑話，搞什麼大題目啊，連小細節都弄不清楚。像台北的紫藤廬，全不是那麼回事。

■龍應台書裡說：

我更喜歡在紫藤廬喝茶，會朋友。茶香繚繞裡，有人安靜地回憶在這裡聚集過的一代又一代風流人物以及風流人物所創造出來的歷史，有人慷慨激昂地策畫下一個社會改造運動：紫藤花閒閒地開著，它不急，它太清楚這個城市的身世。

又說：

台北市有五十八家 Starbucks，台北市只有一個紫藤廬。全世界有六千六百家 Starbucks，全世界只有一個紫藤廬。

她把紫藤廬說得好美。

□比起 Starbucks，紫藤廬的確有中國茶館的特色，但說「在這裡聚集過的一代又一代風流人物」卻是溢美了。紫藤廬是我大學時代好朋友周弘的家。周弘的爸爸是周德偉，當年是財政部關務署署長，家有汽車。周德偉是學官兩棲人物，寫的德國派文字，有深度但很晦澀。他在家裡請過他老師胡適來吃過飯，絕無人文薈萃可言，更沒有殷海光與自由主義可資號召。他做了長達十九年的署長，如果公然自由主義，官還能做嗎？由於周弘是我好友，我常出入其家，對紫藤廬太熟了。如果說「一代風流人物」出入此宅的，應該只有李敖才是，但李敖眼裡那有學官兩棲人物？周德偉罷官後，請我在家吃飯，站在趙夷午的對聯前。對聯是：

豈有文章覺天下

忍將功業苦蒼生

他說上聯寫的是他，下聯寫的是蔣介石，我在旁邊一直笑。心想此公文章太悶了，豈能覺天下？周德偉死後，他的小兒子周渝還把他老爸的回憶錄影本送給我，內容坦誠精采。周渝五十歲生日，我約他單獨吃了一次飯，那是我一生最後一次參與朋友的婚喪喜慶。我還挖苦周渝說：「你本來可以雄心大志做番事業的，結果紫藤廬的收入，使你安做小富翁了，你躭誤了一個天才洋溢的周渝。」周渝至今叫我「李哥」，他不以爲忤。我在獄中受難時，周渝關切我，俠風感人。總之，紫藤廬的前身絕對沒那麼偉大，說周德偉、殷海光在那兒啓蒙什麼自由主義，都是美麗的神話。至多周德偉的維也納學派視野，影響到殷海光，但周德偉絕對浪費了自己。紫藤廬的故事，告訴我們：自由主義者絕對不能從政，政治人物周德偉躭誤了大思想家周德偉。周德偉的長子周弘是我一生交過的最寬厚的朋友，我至今懷念他。至於紫藤廬這房子，龍應台說「紫藤花閒閒地開著，它不急，它太清楚這個城市的身世」。當然，它更清楚自己的身世。紫藤廬有知，會爲之竊笑。

■看來龍應台根本亂寫了一段神話，她眞不幸。

□不是她的不幸，是我們的不幸。

■「大江大海騙了你」，這是一個有趣的副書名，並且有張力，用「騙了你」作爲提醒，暗示有人是被騙的傻瓜。是個不錯的構想。

「大江大海」，屁！

□本來我的構想是「大江大海，屁」，用一個「屁」字蹦出一切，簡明扼要，也不錯，更有張力呢。

■在一本正經之士眼裡，有點不雅吧？

□毛澤東詞中有「放屁」字眼出現，孫中山「三民主義」中也大談「放屁」，屁來屁去的，在他們革命家眼中，都不發生字眼問題。

■「陽痿美國」一書，中國大陸朝中有人視「陽痿」兩字不雅，影響了出書。

□我想起我做預備軍官排長時候，排中有阿兵哥叫張中尾，讀「青春花朵」一類書，老兵班長鄭金海不准他看。理由是：書中有「月經」兩個字。

■「陽痿」、「月經」、「放屁」都是生理名詞啊，在醫學書裡還是學術名詞呢。

□「放屁」兩字還夠不上呢，該叫「排氣」。

■看來該查禁毛孫諸公的著作才安全。

□如果鄭金海班長升了官，做了中朝大員，他幹得出來的。

■但你還是沒用「屁」字做副書名。

□用「騙了你」更有親切感，因爲點出閣下即是被害人、被害人即是閣下。書名把讀者給屁進來了。

■你用「大江大海」，還把四個字括起來，顯然別有所指。你明明衝著龍應台那本「大江大海一九四九」來的。

□沒錯。

■你寫了一輩子的書，在書名上，你都沒有這麼強烈的針對性，這回怎麼這麼大火氣？

□太氣人了吧？多少年來，我們與蔣介石及其「文學侍從之臣」抗爭，最後把蔣介石鞭屍、把走狗打得哇哇叫，夾尾而逃。本來已經在清掃戰場了，不料又冒出一群「蔣介石超渡派」，在打招魂幡，這是我看不下去的。

■什麼「蔣介石超渡派」？

□超渡是佛門用語，是爲死者誦經咒，以佛力代死者消除前世罪業。儀式出自「佛說盂蘭盆經」中「目連救母」故事。

■你說「蔣介石超渡派」，顯然是指文化人來超渡死者蔣介石吧？龍應台是其中之一嗎？

□是其中之一，不過她是隱性的，並且滿有技巧，所以「肉麻度」比較低。龍應台在大前提上是肯定蔣介石的團隊的，這還得了！媚蔣媚到骨頭裡了。

■所以你認爲很嚴重，你要拆穿龍應台。

□拆穿龍應台的精確定義分兩方面，就人而言，是拆穿「龍應台之流」，不限於龍應台個人的，而是多數的；就事而言，是拆穿「龍應台式錯誤」，也不限於龍應台個人的，而是多數的。龍應台集「後蔣時代」錯誤思想的大成，似正而妖、言僞而辯，我們不能不聲討「龍應台之流」、拆穿「龍應台式錯誤」。

■幹拆穿這一行，你可是駕輕就熟呢。這方面的書，你寫了好多好多。

□六十多年來，我坐看打著國民黨旗號的一批壞人，在禍國殃民以後，退居海隅、竊中國一島以自娛。隨後，又坐看這批壞人，孵出打著民進黨旗號的一批混人，在有樣學樣以後，退居邊陲、恃中國一島以自毀。我生也雄奇，志不在一島，只緣陰錯陽差，不幸與彼輩同土，自不免於周旋、糾纏、與作弄；愛國情殷，亦不免於救溺、熱諷、與冷嘲。大體說來，對雄奇之人，未免浪費。但是，龍應台靠著與財團的勾結、靠著財團們提供的金錢與基金會，一路鬧得太囂張了，我實在不得不出手，教訓教訓他們了。

葉公超的切膚之痛

■談到教訓，先舉個例，做個示範吧。龍應台好像也有用功的一面，她跑到美國，去看蔣介石的日記呢，滿辛苦的。

□龍應台跑到美國史丹佛大學胡佛研究院看「蔣介石日記手稿」，又抄又引蔣介石日記。她的辛苦，發生了兩個問題，第一、蔣介石的日記，龍應台可以一網兜收嗎？第二、要兜收，就不能不對蔣的另一面，視若無睹吧？如蔣私下罵葉公超是秦檜、張邦昌賣國賊，但蔣自己幹的，不正是同一勾當嗎？蔣口口聲聲「漢賊不兩立」，結果是求在聯合國漢賊兩立而不可得，眞相不正如此嗎？別以爲那是以後的事，那才眞正是「一九四九」埋下的伏機呢。

■美國檔案後來公布了，原來蔣介石並沒有「漢賊不兩立」，他偷偷轉告美國人，我們贊成在聯合國兩個中國、兩立出兩個中國，當時由美國駐聯合國大使就是老布希（George Bush）操盤，可是沒有成功，蔣介石給趕出聯合國了。

□可是這「漢賊不兩立」的把戲還一直掛著，不但國民黨的笨蛋們相信，民進黨的笨蛋們也相信，笨蛋林濁水還抱怨因爲蔣介石堅守「漢賊不兩立」原則，害得台灣被趕出聯合國呢，這笨蛋。

■葉公超當然看不到蔣介石在日記中這樣誣蔑他，但是龍應台看到了。看到了卻逃避不寫，這是什麼意思？

□這就是龍應台的大問題。龍應台這種知識分子，沒有眞的切膚之痛，不像葉公超。四十多年前，在美國新聞處副處長司馬笑（John Alvin Bottorff）的家裡，葉公超就向我說，他加入國民黨，原希望他兩腳踩到泥裡，可以把國民黨救出來，結果呢？他不但沒把國民黨救出來，反倒把自己陷進去，言下不勝悔恨。他如看得到蔣介石日記裡這樣誣蔑他，他連頭都要埋在泥裡了。

■葉公超也可統稱「葉公超之流」吧？這些鳳毛麟角的知識分子，「一九四九」年靠錯了邊，最後被蔣介石耍、被蔣介石羞辱，多懊惱啊、多悔恨啊。龍應台寫了一大堆，卻不知道爲「葉公超之流」的懊惱與悔恨留點筆墨，她的均衡感一塌胡塗。

□一塌胡塗的不只寫不出「葉公超之流」，而在她竟寫出「錢穆之流」。她寫「冷眼素書樓」，就是叫人哭笑不得的一例。

龍局長的「素書樓」

■「冷眼素書樓」？這篇文章沒收在「大江大海一九四九」，你出這本「大江大海騙了你」，所讀的龍應台，不限於「大江大海一九四九」？

□當然連帶也看點別的。當你宰一隻豬，不能只宰豬頭。

■你講話，像是奔馳中的羅馬戰車，不但主將正面揮戈，戰車輪子中軸也裝上尖刀，隨時鑽人一下。好吧，「冷眼素書樓」怎麼說？

□馬英九的文化局長寫道：

將來研究台北史的人會在台北大事紀中讀到：民國九十一年三月二十九日，台北市長馬英九與錢穆夫人在素書樓共同植下一株松樹。植松之前，市長鄭重地說明了錢先生從未「占用市產」，並且爲錢先生晚年所受的侮辱正式代表政府向錢夫人道歉。

混蛋豈止馬英九呢，另一個混蛋陳水扁，當年做市長時，不正是索回公產的正犯嗎？陳水扁當上所謂總統，也向錢穆夫人道歉了。事實上，這兩個混蛋市長道什麼歉呢？更早的市長高玉樹「占用市產」不放，反說錢穆和我高玉樹一樣。錢穆「心有未甘」，投書自明。但自明了一大篇，我們看來看去，還是十足占公產不誤，唯一不同的是蔣介石幫他占的而已，但蔣介石幫他占，也是占啊！在「占用市產」上，錢穆其實不如高玉樹，高玉樹眞小人，占就占了；錢穆卻僞君子，占了還大談「委屈」、還要「以正社會人士之視聽」。但是僞君子的手法，卻比眞政客高呢！社會視聽中，「聯合報」公開說他有「狷介風範」、「中國時報」公開說他「讀書人的骨氣卻表露無遺」……這眞是笑話！錢穆住蔣介石假公濟私來的豪華別墅，二十二年來一塊錢都沒花，這是那一門子「狷介」？那一門子「讀書人的骨氣」？社會視聽被王惕吾、余紀忠這些混蛋顚倒如此，視聽眞亂了！

混蛋是有傳承性的，到了龍局長時代，卻傳承出生花妙筆了：

我們今天在草坡上致歉、獻花、植樹、洗刷錢先生的污名、發願光大錢先生的文化理念，並不能擦掉已經發生過的歷史：這個城市曾經把一個象徵文化傳承的大儒掃地出門……

事實上，錢穆發揮了什麼「文化理念」呢？錢穆「發願光大」了一輩子儒家大道，卻不懂「儒家所論士大夫出處進退辭受之道」，多丟人哪！這是那門子的「高風亮節」？

文化混蛋

由錢穆這把量尺，可得到四點結論：

一、錢穆是迂夫子、村學究，搞餖飣史學有成就，但不足以談文化哲學，更不足以稱教主。

二、錢穆眼裡的蔣介石是皇帝，他自己自然就是文學侍從之臣，蔣介石把他當「草山一皓」供出來，公私不分，代結「素書之廬」，結果鬧出弊案。

三、蔣介石供錢穆，意在樹立學統道統以給政統護盤，箝制自由主義者胡適。只比較胡適反對蔣介石三任總統，而錢穆不敢反對，反倒曲學阿蔣一點上，就可判出兩人高下。

四、「龍應台之流」拾蔣餘唾，也不知錢穆的「文化理念」多麼有損中國文化的全面性，拿香跟著亂拜，反證了她的無知。

■對錢穆，你的理解太透徹了。你在高中時，錢穆不就寫信給你、送書給你嗎？

□他對我的私誼，和我對他的公論，是兩回事。對他窄化中國文化與神化蔣介石上，我無法不公論論定他。

■龍應台說「在素書樓的草坡上重展錢先生舊作」如何如何，她看不到錢穆的致命傷嗎？

□龍應台看得到嗎？她這方面的分析能力太弱了。龍應台說：

素書樓所留給我們的卻是無窮的不安：那由於缺乏「歷史智識」而「蠻幹強爲」，而「鹵莽滅裂」的人，太多了。

多好笑啊，「蠻幹強爲」「鹵莽滅裂」的，其實正是他們、道貌岸然的他們、文化局長的他們、「忍將『文化』苦蒼生」的他們。唯一與流氓不同的，是他們幹完了還「高風亮節」呢。噢，我想起來了。在「素書樓」附近，我還看到另一場呢。劉顯叔拉我去參觀參觀張大千的故居——「摩耶精舍」，在外雙溪開衩處，我參觀了這一名宅。查詢之下，原來也有醜聞在內。那塊地皮本是禁建地區，張大千不管，先便宜買了下來，然後由蔣介石爲他變更地目，改成建築用地，大蓋特蓋起來。正庭外面，有蔣經國題字「亮節高風」，赫然招展。如此「亮節」、如此「高風」，龍應台當然更不懂了。

■錢穆是把量尺，龍應台不是量尺嗎？

□龍應台也是。從她身上，我們量出來，跟國民黨一脈相承下來的文化人，不管怎麼包裝，也是 nuts（混蛋）。

■她可是馬英九的文化局長呢。

□文化 nuts。

龍應台怎樣吃人肉？

■錢穆的文化好一點吧？他寫過「中國文化史導論」呢、寫過「文化學大義」呢。

□錢穆的頭腦是不及格的。只要一比對他的書，就會發現。一九三九年，錢穆寫「國史大綱」引論，他說：「未有民族文化已衰息斷絕，而其國家之生命猶得長存者。」可是隔了兩年，這位新時代的教主把他所說的話全忘了，他寫「中國文化史導論」，卻說若不解決「吸收融合西方文化而使中國傳統文化更光大與更充實」這一問題，那麼「中國國家民族雖得存在，而中國傳統文化則仍將失其存在」。看啊，兩年前，他說民族文化不存在國家就完蛋了；兩年後，他說民族文化不存在國家還可以不完蛋。民族文化與國家興亡在錢穆手裡竟變成了這麼好笑的一對寶，一會兒生死攸關、一會兒並不相干。這種推理，怎麼能教我們適從呢？錢穆爲了強調民族文化的重要，竟不惜拿「國家之生命」來開玩笑、來嚇人，這種作風，氣是滿壯的，可惜理不太直。夫子這樣亂變，「雖欲從之，末由也已！」「夫子聖者歟？何其多『變』也！」

■他的餖飣史學還好吧？

□如果沒有人「盜墓」，就還好。例如孫武，是春秋時代吳王闔廬的客卿、是兩千五百年前的軍事家。他的身世，一直遭到懷疑。其中最主要的有兩類：第一類是懷疑根本沒有他這個人；第二類是懷疑他和戰國時代的孫臏爲同一個人。像錢穆就是靠後一種說法成名的。不料一九七二年四月，山東臨沂銀雀山的古墓裡，出土了古代竹簡兵書，竹簡中赫然有「孫子」，也赫然有孫臏「兵法」，千古疑案，自此分明！證明了錢穆這種成名之作都是站不住的瞎扯淡。

■那怎麼辦？

□不怎麼辦，反正錢穆已經成名了，只能怪他媽的孫臏不夠朋友！不夠朋友的看來還不止孫臏呢。這批竹簡中，竟赫然還有古書「尉繚子」。「尉繚子」也是被錢穆判定是後代假造的書、是僞書，並且說得頭頭是道。但是這批竹簡一出土，證明了眞金不怕衆口鑠，大牌學者也者，不過大言欺人而已。

開放開放，但依我看來，縱使開放了，也要有慧眼去辨別才成，否則的話，往往適中其計。什麼計呢？原來檔案中的文字，有的並不代表歷史事實，只是專門用來騙人的，尤其用來騙後代之人和歷史家。這種居心，我最早就看出來了。

■蔣介石日記也有問題嗎？

□問題可多著呢。日記是檔案中第一線眞僞攙雜的，然後才衍生出別的。我在沈亦雲「亦雲回憶」中，發現蔣介石的把兄黃郛的一則秘密電報，是一九三三年五月二十四日發給義弟蔣介石的。那時黃郛正在北方與日本人談判，電報中有一段如下：

> 至尊電謂「應下最高無上之決心，以求得國人之諒解」一語，則兄（黃郛自稱）尤不能不辯。兩年以來，國事敗壞至此，其原因全在對內專欲求得國人之諒解，對外誤信能得國際之援助，如斯而已矣！最高無上之決心，兄在南昌承允北行時，早已下定，無待今日。兄至今迄未就職，弟（指蔣介石）如要兄依舊留平協贊時局者，希望今後彼此眞實的遵守「共嘗艱苦」之舊約，勿專爲表面激勵之詞，使後世之單閱電文者，疑愛國者爲弟，誤國者爲兄也。赤手空拳，蹈入危城，內擾外壓，感慨萬端，神經刺亂，急不擇言，惟吾弟其諒之！並盼電覆。郛感印。

黃郛與蔣介石拜過把子，在一九一一年。二十二年後，他打這樣的電報給蔣介石，內心之

■又怎麼辦？

□不怎麼辦，反正錢穆已經成名了。

■龍應台「在素書樓的草坡上重展錢先生舊作」，能知道這些眞相嗎？

□你說呢？

■龍應台跟著錢穆大談中國文化，她不像錢穆那麼「村」吧，她可是留學生呢、還在外國教過書呢。

□一個英國探險家，在探險中碰到一個有吃人肉風俗的蠻人，等到他發現這蠻人竟是一個英國大學裡出身的，大爲驚奇，問這個蠻人道：「你難道還吃人肉嗎？」這個蠻人的答話可妙了，他說：「我現在用西餐叉子來吃了。」(I us'um fork now.)

龍應台不懂老蔣日記

■不但在「素書樓」草坪上啃錢穆，還跑到史丹佛大學舐蔣介石呢。在她書裡，多次提到她去美國看「蔣介石日記手稿」，你認爲她上了蔣介石的當，因爲她被蔣介石弄胡塗了？

□文明國家的檔案，都有定時開放的年限，但是國民黨當國，它的檔案卻不肯開放。除了欽定的、御用的部分有意展示的檔案外，其他都扣在秘府，不肯示人。許多歷史工作者呼籲

沈痛可知。他顯然不滿蔣介石以白紙黑字來跟自己人演戲，使後世之人，看了電報內容，以爲愛國的是你、誤國的是我。這種沈痛之言，豈不正令我們了然於心麼？可見白紙黑字的，處處玄機，何況日記呢？

蔣介石的「專立文字」騙術

■這種專門以白紙黑字來作弄你的幹法，可說是「專立文字」而非「不立文字」。

□正因爲蔣介石「專立文字」是給人看的，所以，很多文字我們就不可認眞。詹特芳在「蔣介石盜取黃金銀元及外幣的經過」一文中，透露吳嵩慶怎麼演政治雙簧的事，頗爲有趣。詹特芳說：「撤退到廣州後，有一次蔣批給馬鴻逵二萬塊銀元，條子已經親筆批了，可是就在馬手下來領錢之前，蔣經國由黃埔來了一個電話，叫不要發。這眞是一副難吃的苦口藥，蔣親自批發的條子，怎能不給錢呢？又不敢明言，吳只好一個勁地說好話，準備挨罵，要知道這些人都是開口就罵、動手就打的反動軍人，而吳嵩慶又是個文人，眞有些對付不過來。又有一次，財政部長徐堪到蔣處說，廣東的金圓券實在對付不下去了，必須拋五萬兩黃金壓一壓漲風，蔣同意並親筆批發五萬兩黃金。可是也跟上次情況一樣，在財政部領錢人還未來時，黃埔俞濟時（他的侍從長）的電話已經來了，一句話，不要發。這一次更難對付了，徐堪是吳的恩人，吳之所以能當上財政署長，是當初徐做主計長時向蔣推薦的，怎麼辦呢？只好硬著頭皮頂。記得那天徐因未領到黃金在電話內罵吳時，吳急得滿頭大汗，眞不知如何是好，只好一個勁地喊『可公可公』（徐堪又名徐可亭，舊社會下屬對頂頭上司最尊敬的稱呼是公，故喊可公），要求可公原諒，然又說不出一個所以然來，更不敢說明得了蔣介石不發的電話。」這個有趣的回憶，清楚的告訴了我們：蔣介石筆下「批給」「批發」的錢，其實不一定拿得到，蔣介石只是「專立文字」給人看而已，你是不能認眞的。

當事人根本沒看到

■依此類推，其他的也一樣？

□依此類推，其他的也一樣。例如蔣介石關了蔣百里，一年以後，李根源、張仲仁等人跑去找蔣介石，說「外侮日亟，將才苦少」，希望當局爲國家保全人才。蔣介石當面批了「照准」字樣，下令放蔣百里，可是事實上卻仍舊關著，事見曹聚仁「蔣百里評傳」。可見這種「專立文字」，你是不能認眞的。又如史迪威（Joseph W. Stilwell）兵敗退卻，對蔣介石甩都不甩，只叫他在重慶的手下做間接報告，蔣介石在文件上批示：「史蒂華脫離我軍擅赴印度時，只來此電文，作爲通報，不知軍紀何在！」事見梁敬錞「史迪威事件」增訂版。但是，這種「專立文字」，史迪威（史蒂華）當事人卻根本沒看到。你若以爲蔣介石有種這樣責備他的洋參謀長，你就錯了。——蔣介石的威武，原來只是給「龍應台之流」看的啊！

蔣介石的「不立文字」騙術

■蔣介石的「專立文字」以外，還有什麼花樣？

□他還會玩「不立文字」。蔣介石的習慣是，口頭上可以答應許多事，但拒絕立成書面。當時沒有發明錄音機，空口無憑，只要不形諸文字，就沒有把柄在人手中，一切就好辦。蔣介石這一作風，表現在西安事變上，最爲高段。西安事變時，張學良等提出八條件，蔣介石口頭答應，可是「不立文字」；對張學良等不咎既往，蔣介石也口頭答應，可是也「不立文字」，口頭答應之承諾，且經宋美齡、宋子文、洋顧問「背書」，但事後或認帳或不認帳，全憑他高興。這種「不立文字」的禪門功夫，表現在對外關係上，也有一手。蔣介石跟日本人辦外交，怕賣國事洩，就盡量以「不立文字」偷關漏稅，縱立文字也避免條約或協定的形式，以掩人耳目。例如與滿洲國談判通郵，最後約定「雙方均用記錄，不簽字、不換文，以避免條約之形式」（一九三四年十二月二十九日外交部致各駐外使署電）；又如「何梅協定」，何應欽一直不承認有所謂協定存在，但是，這只能騙中國人，騙不了日本人的。胡適一九三六年十一月二十二日日記說：「所以不發表此項文件之故，他們說是『不願把此件做成外交文件』。然而日本人早已把此件認作『外交文件』了！」可見日本鬼子才不跟你一廂情願呢！有的時候，縱立了文字，也動手腳，達到「不立文字」的效果。例如「塘沽協定」，第四條第二項與日本人約定不予公開，並且在簽字之協定外，另有口頭約諾之日方希望事件四項，也沒公布。這種立如不立的絕技，更不是禪門人物想像所及了。

檔案裡根本找不到

■沈醉在「軍統內幕」，有這樣一段：「國民黨的檔案，特別是像軍統局這類特務機關的檔案，也不都是可信的。蔣介石叫戴笠殺害了那麼多革命人士和反蔣人員，我在為軍統局特訓班編寫『行動術』教材（專門搞逮捕、綁票、暗殺、破壞等特務活動的東西）時，曾調閱過不少有關暗殺等事件的檔案材料，就沒有看到那一件中有蔣介石的手令或批示，只有戴笠寫的『奉諭速辦』和『奉諭照辦』。究竟是『奉』了什麼人的『諭』，檔案裡完全找不到。」可見蔣介石的禪門功夫，眞不是蓋的。

□清朝皇帝在臣下奏摺上有硃批，上立文字，但規定臣下看過後須將原摺交還，那時沒照相機影印機，縱立文字，不虞外洩。蔣介石當科學昌明時代，「不立文字」，更形正本清源。看到他這些禪門功夫，誰還相信他是基督徒喲！

我只花十分之一的時間

■龍應台說她寫書時有朋友夫婦，有助理夜以繼日的幫她；有「所有的機構，從香港大學、胡佛研究院、總統府、國防部、空軍、海軍司令部到縣政府和地方文獻會，傾全力」來幫她；有「所有的個人，從身邊的好朋友到台灣中南部鄉下的台籍國軍和台籍日兵，從總統、副總統、國防部長到退輔會的公務員，從香港調景嶺出身的耆老、徐蚌會戰浴血作戰的老兵到東北長春的圍城倖存者，還有澳洲、英國、美國的戰俘親身經歷者，都慷慨地坐下來跟她談話，提供自己一輩子珍藏的資料和照片」來幫她。你呢？你有這些外來的幫助嗎？

□我沒有，我也不需要。龍應台有的，我全沒有，我是個體戶、單幹戶，全部自己來。龍應台太笨了，她寫「大江大海一九四九」，花了四百天；我太聰明了，我完成「大江大海騙了你」，只用了四十天。這四十天雖不無棒喝作用與施教作用，我還不免邊寫邊要快快脫身。三年前在「李敖議壇哀思錄」一書收尾時，我的玩世之情、情見乎詞，我寫道：

好像是個頑童，在最後一堂考試。他急著趕快考完、急著在陽光下，一邊走一邊慢慢吃蛋捲冰淇淋。於是，他決定繳卷，最後一題也懶得答了。他亂畫了一個圖案，乍看之下，什麼都不像，仔細看去，卻是一隻王八。

王八，再見；冰淇淋，我來了！

這種迫切的童心，如今又來了。

「龍應台式錯誤」

■用一本書來拆穿龍應台，你會不會後悔浪費了你的寶貴時間？

□龍應台的確是「小咖」，不值得我一寫，但這鬼島上，有幾個是「大咖」？一九九三年，我寫「李登輝的眞面目」，在序言中，我近乎無奈的說：「在思想家兼歷史家的眼中，李登輝根本是不值得一寫的小人物。但是，由於陰錯陽差、因緣際會，他竟不倫不類、沐猴而冠，並且多方面有了做樣板的趣味性。如因材施教、以觀猴戲，亦不無警世之資。因此我四年多來，寫了不少以猴戲爲主軸的文字。」今天我寫龍應台，正是心同此理。

■寫「李登輝眞面目」七年後，你和李慶元合寫「陳水扁的眞面目」，你在序裡說，你七年前的感覺又因書而生，你說你可以同樣的說，「陳水扁根本是不値得一寫的小人物」，但爲了「因材施教、以觀猴戲，亦不無警世之資」，因此你還是願意挪出一點時間來完成這本書，但願這是最後一次。

□我的確有這種感覺。

■現在寫陳水扁十年以後，又逼得你寫龍應台了，不是嗎？

□是。

■値得嗎？

□龍應台太特殊了，她不像李登輝、陳水扁那樣在政壇上狗屁倒灶，她在文化思想上乾坤挪移，禍害是另一型的。龍應台侈言「大江大海一九四九」，其實，對「一九四九」呈現的眞正問題、核心問題，她根本不敢碰、也沒有能力碰。她碰的，大都是她自己刻畫出來的「現象」，還稱不上是問題。更糟糕的是，她只談「現象」，不談「原因」，因此「現象」引發了盲目的同感與同情，眞相從此弄混了、是非也被顚倒了。龍應台的根本毛病就在這裡、她的禍害也在這裡。我把這種只談「現象」不談「原因」的手法，叫作「龍應台式錯誤」，我要拆穿的，也是這一手法。她在北大演講，一開始即談飛彈「現象」而不談「原因」，只談飛彈對著我而不談爲什麼對著你，就是這種手法。

■人們說龍應台的文筆很好。

□這話要相對說。龍應台竄起在國民黨污染下的文壇裡，因爲國民黨文壇的文筆太爛了，所以比這種文筆高明一點的，就被大家說好了。龍應台的毛病不在文筆好壞，而在她用一張銀紙，包了一顆臭皮蛋。

■你的意思是「金玉其外，敗絮其中」？

□可以這麼說。問題在「人們」弄不清「敗絮」，就被「金玉」給迷糊了。所謂龍應台的「金玉」，也沒什麼，文字流暢而已，但在國民黨文壇中，文字流暢已經是上選了，因爲國民黨文壇太爛了。

■你口口聲聲國民黨文壇，有特色嗎？

□國民黨文壇是「黨八股」加「鴛鴦蝴蝶派遺蛻」加「三十年代餘緒」加「戰鬥文藝」加「瓊瑤」加「無名氏」加「張愛玲月經棉」的綜合體，算是特色吧。

■與「鴛鴦蝴蝶派」有關嗎？

□別忘了早期爲國民黨主持宣傳的葉楚傖就是「鴛鴦蝴蝶派」。

■「三十年代」又表示什麼？

□表示佶屈聱牙、生硬不通，看看三十年代敗將胡秋原的「少作收殘集」吧，那種要命的「少作」文字，就是典型。

■「戰鬥文藝」？

□國民黨搞出的軍中文藝，統統屬之。軍人是打仗的，不是耍筆桿的，但國民黨軍人打仗不行卻好文墨，於是文墨苦矣。眞正好的軍人是不耍筆桿的，孫立人將軍耍過筆桿嗎？他絕不做什麼「儒將」。

張愛玲的月經棉

■他們捧張愛玲，表示了什麼？

□張愛玲代表的是「十里洋場的非漢奸文學」，十里洋場者，上海也；非漢奸者，嫁給漢奸但自己非漢奸也。張愛玲文筆累贅，但遠超「國民黨文壇」朋輩之上，人們都寫不過她，但心慕手追，所得只是月經棉而已，差得遠了。

■月經棉是屬於垃圾一類的啊。

□他們迷張愛玲，以致到美國張愛玲的住家外面偷她的垃圾袋檢查，回來寫文章津津樂道呢。

■你說在國民黨文壇下，冒出了龍應台。

□先得從這一縱深看，才懂得龍應台多麼淺，龍應台是個文筆通順卻頭腦不清的人。再說一遍，她的文章，是「用一張銀紙，包了一顆臭皮蛋」。結果呢，怎麼包都是徒勞無功，看看那本「龍應台評小說」吧，一篇篇所評，不出「國民黨文壇」的生張熟魏，本已不成格局，其中竟評到「無名氏的三本愛情小說」，就更不入流了。無名氏是多麼噁心的，你評他，就好像百靈鳥學貓叫，一貓叫，你就先完了。前面我提到方法學上的「虛擬演繹」，大前提錯了，你的推論就全錯了。「龍應台評小說」的大毛病，根本就在這裡。你能在雜碎卜少夫那種雜碎弟弟的雜碎「三本愛情小說」裡，看到什麼文學嗎？

龍應台的根本毛病在那裡？

■龍應台的根本毛病，當然不止這一項。

□龍應台的另一個根本毛病，在她沒資格談問題卻又喜歡談問題。結果書一本一本出、笑話一本一本鬧。談問題，要有訓練才成，尤其談歷史問題，更得先有「史學訓練」才成，並且這種訓練，也不能跟眼前這些學術班子接龍，因爲這些學術班子也不及格。儘管他們有中央研究院、各大學、「聯合報」、「中國時報」專欄報紙吹捧炒作，但這都屬於龍應台

「現象」的衍生部分。不管這批學閥如何巧立名目，美化自己、美化蔣介石，說什麼他們寫的是「大歷史」。那個歷史不大呀，蔣介石的御用學者黃仁宇眞臭狗屎。

■臭狗屎？

□看看給大漢奸舐痔之作——「陶希聖先生九秩榮慶祝壽論文集」「國史釋論」吧（執行編輯可有杜正勝呢），看看那篇黃仁宇馬屁的「蔣介石的歷史地位」，通篇肉麻已極，說它是臭狗屎，不是罵這票國民黨文人，而是據實陳述。

■你說吃臭狗屎，會不會太憤世嫉俗了？

□何必閃躲呢？我們一直在吃臭狗屎。幾十年前是老K牌臭狗屎，幾十年後在吃老K徒子徒孫牌臭狗屎。具體的說，幾十年前我們吃的是蔣介石臭狗屎，幾十年後我們吃的是換了精美包裝的，不論包裝紙上是「野火」，還是「大江大海」，都一樣。

■一般人看了龍應台的書，沒想到竟是這樣分級的。

□那是因爲一般人程度不夠。讀國民黨領導人的「遺教」「遺訓」，像吃臭狗屎；讀龍應台的「大江大海」，像吃從臭狗屎堆中撿起來的爛蘋果。爛蘋果的特色之一是，你無法吃下它，轉來轉去，你找不到下口的地方。它渾身不對勁，對了，毛病就出在它渾身不對勁，少了什麼又多了什麼。換句話說，龍應台即使寫「現象」，也出了問題，因爲她程度不夠，對

「現象」只是瞎子摸象，摸到了一條腿，就說象是那個樣子。

■你用「現象」的現象拆穿龍應台，看法眞是一針見血。

□談到「現象」，可有得瞧了。龍應台最拿手的是寫「現象」，龍應台最蹩腳的是只會寫「現象」——瞎子摸象式的「現象」。她不會解讀「原因」，也不會闡揚正義，她還喜歡說風涼話，怪「中國人你爲什麼不生氣」，其實有良知的中國人早被這個洋人棄婦氣死了。龍應台只會寫「現象」，不會寫「原因」，因爲她不知道「原因」。更嚴重的是，把「殘山剩水」看成「大江大海」，這就連「現象」都看走眼了。明明是「殘山剩水」，又何來「大江大海」？可見連「現象」她都觀察有誤。因爲她太盲目了，在瞎子摸象。

只會寫「現象」，不會寫「原因」

□南宋畫家「四大家」之一的馬遠，畫的特色多是「半邊一角」的構圖，小中見大、以偏概全，外號「馬一角」，雖然從畫法上，馬遠是從中軸線構圖、十分線構圖、演化到對角線構圖，但卻衍生出一種解讀，就是這位「馬一角」，用心深處，就在點出「殘山剩水」才是畫題所在。既然局面根本就是「殘山剩水」，你偏美化成「大江大海」，不是美化臭狗屎、加上新包裝嗎？你龍應台美化了假的「現象」、抹殺了眞的「現象」，豈不太可惡了嗎？還作爲書名呢，眞是其書可誅啊。但是絕對不可以查禁它，因爲它是一個好樣板，證明某年某月某一天，海峽兩岸的中國人多麼烏龍過，他們竟被「角隅法」騙了。

■你說她「只會寫『現象』，不會寫『原因』」，「大江大海一九四九」這本書如此嗎？

□她的著作談到史實的部分，不幸統統如此。她的歷史訓練太差了、思想訓練也太差了，好奇怪，這位女士卻最喜歡談歷史、談思想，眞要命。歷史何辜啊、思想何辜啊。龍應台大膽侈談「一九四九」，如果眞的對「一九四九」的「現象」有及格的了解，從而肆其偏見，我們可以原諒她，因爲她在「基本功」上面做過功課，糟糕的是，她在「一九四九」的「現象」上太不及格了，因此她的抽樣，既不能通過歷史學、也不能通過統計學，一塌胡塗。大都一知半解，比照「馬一角」的反諷，可叫「龍半截」，因爲對「現象」，龍應台只知道一半。並且，一半之中還有假的。

■莫非是少了眞的「現象」，多了假的「現象」？

□你搔到癢處了。

■從「現象」上檢定，龍應台寫「大江大海一九四九」，從書名上就大錯特錯了。

□並且，由於這本書，可以測量出它的讀者的水平程度。有什麼樣的作者，有什麼樣的讀者。

■她的書可賣了幾萬本呢。

□幾萬本又怎樣？美國恐怖小說家的書，賣了一億七千萬本呢，能證明讀者是一代聖賢或恐怖分子嗎？

龍苑長春之一

■你從理論上論定龍應台，已經很清楚了。舉個例吧。例如，龍應台用很大篇幅，寫國共內戰，寫到長春圍城：

長春圍城，應該從一九四八年四平街被解放軍攻下因而切斷了長春外援的三月十五日算起。到五月二十三日，連小飛機都無法在長春降落，一直被封鎖到十月十九日。這個半年中，長春餓死了多少人？

圍城開始時，長春市的市民人口說是有五十萬，但是城裡頭有無數外地湧進來的難民鄉親，總人數也可能是八十到一百二十萬。圍城結束時，共軍的統計說，剩下十七萬人。

你說那麼多「蒸發」的人，怎麼了？

餓死的人數，從十萬到六十五萬，取其中，就是三十萬人，剛好是南京大屠殺被引用的數字。

*

一百多公里的封鎖線，每五十米就有一個衛士拿槍守著，不讓難民出關卡。被國軍放出城的大批難民啊，卡在國軍守城線和解放軍的圍城線之間的腰帶地段上，進退不得。屍體橫七豎八地倒在野地裡，一望過去好幾千具。

*

十一月三日，中共中央發出對共軍前線官兵的賀電……在這場戰役「偉大勝利」的敘述中，長春圍城的慘烈死難，完全不被提及。「勝利」走進新中國的歷史教科書，代代傳授，被稱為「兵不血刃」的光榮解放。

事實這麼簡單嗎？龍應台提出笨問題，為什麼長春不像南京大屠殺那樣被關注？為什麼長春不像列寧格勒那樣被重視？龍應台仍是老套，她只寫「現象」，不找「原因」。你談談原因吧。

□這是根本不可以類比的。南京、列寧格勒是外國人侵略，長春是本國人因革命而內戰，「原因」根本不同。問共產黨為什麼圍城，為什麼不問國民黨為什麼造成被圍城的局面？

第一、你造成「反革命」的政府；第二、你造成「死守孤城」的兵家大忌；第三、你裹脅人民於先，又驅使人民於後，以「飢民戰」惡整敵人；第四、你最後還不是投降了，與其如此，何必當初？要投降早投啊，爲什麼餓死成千上萬的人民以後才投降？一方面投降了，他方面難道不是「光榮解放」嗎？一方面放下武器了，他方面難道不是「兵不血刃」嗎？

龍苑長春之二

龍應台完全不知道，最後的「現象」根本不是單純的飢民問題，而是國民黨蓄謀發起的「飢民戰」。我立刻亮證據給你看。根據「長春文史資料」一九八八年第二輯的調查：

> 長春守軍爲減輕城內糧食奇缺的壓力，還採取了殘忍的「殺民養兵」和「逐民出城」的政策。他們規定一個警察要趕走八人，一個保長要趕走八家，將市內飢民、乞丐和開釋之犯人，均大批地驅趕出城外。

在共產黨這邊，一下子冒出「飢民戰」，不得不妥爲應付，也需要時間解決。我們看看共產黨這邊當事人的回憶：

敵人驅使大量市民出城，造成十餘萬市民妻離子散，家破人亡。僅在我師正面就湧出數萬難民。兵團指示，立刻把難民收容，轉運到解放區就近安置。我師方向的卡哨是難民出口之一。我民運部門協同雙陽、伊通、懷德等縣委、縣政府，轉運疏散，經過十幾個晝夜，才把難民疏散安置下來。

從「殺民養軍」到「逐民出城」

可見情況是國民黨方面造的因，即「殺民養軍」、「逐民出城」，弄出個爛攤子讓你收。國民黨搶糧食，經過如下：

頒布了「戰時長春糧時管制辦法」，其中規定市民只准自留三個月的口糧，其餘的糧食按議價賣給市政府，「以供軍需」。居民中如有抗拒不交或隱匿不賣者，一經查獲，除沒收糧食外，還要按軍法懲處。於是，城內居民的糧食被「管制」起來，統一分配，搜括殆盡。

悲劇發生，總要找「原因」，據當時國民黨第一軍頭鄭洞國的回憶：

〔蔣介石〕在電報中除了用好言撫慰我們以外，仍是要我們無論如何要堅守住長春，等待他派大軍前來救援。在給我本人的電報中，蔣先生還特別命令我將長春城內人民的一切物資糧食完全收歸公有，不許私人買賣，然後由政府計口授糧，按人分配，以期渡過眼前難關。

結果呢？蔣介石一籌莫展，根本派不出救兵來。一旦「殺民養軍」的戲碼用到盡頭，「逐民出城」的戲碼就出來了，最後的悲劇證實了兩點：第一、你蔣介石根本不該守長春孤城；第二、你蔣介石根本無力救長春孤城。是你決策的錯誤，責任攸歸，一清二楚。「原因」在此，可是我們無知的龍應台不知道，她只會看「現象」。「現象」就是共產黨不對，這就是「大江大海一九四九」這部書的方法架構，這麼頭腦不清的人，居然還要寫書呢。

■長春非死守之地，根本不該守，結果造成圍城慘劇。

□這當然怪蔣介石的頭腦不清。死守孤城的作用只為了面子、一時的面子。

■國民黨文宣作品，有「蔣總統在軍事上的豐功偉業」這類主題呢。

□在軍事上，守長春是笑話，懂軍事的人都知道是戰史中的笑柄。並且，從戰史中，我們還可領教「飢民戰」的伎倆。凱撒（Caesar）書中記錄：公元前五十二年，蠻族守阿勒西亞（Alesia）城，即驅出城中老弱，到羅馬軍前，乞求一飽。凱撒拒絕收容飢民，因為他看出了這是敵人搞出來的「飢民戰」。

「一九四九」的兵敗山倒

■「李宗仁回憶錄」中指出蔣介石雖爲軍人，實不知兵，最後導致兵敗山倒。歌頌蔣介石豐功偉業的人，很難想像蔣介石在軍事上多麼外行。至於所謂北伐成功統一中原云云，成的並非軍功，而是收買之功、情報之功，實際上，蔣介石並不會打仗。

□黃埔六期的盛文將軍，他是胡宗南的參謀長，打下延安的就是他。他晚年在「盛文先生訪問紀錄」中回憶，就變相指出蔣介石不知兵，只會用死守耗盡兵力：

我可以大膽地說，徐蚌會戰是不應該打的，這是政略的錯誤。許多地方我們不應該打而打，應該放棄的地方到處死守。這樣攻占一個地方就多背一身的包袱，最後使自己一點氣力都沒有。關於這一點共黨就不一樣，他就不願背多餘無益的包袱，隨時保全著實力。到處都要死守，等於和敵人同歸於盡。成都最後是我守的，我當時就反對守成都，守它只有同歸於盡而已。

該看「蕭勁光回憶錄」

還有共產黨那邊的，也要看。據「蕭勁光回憶錄」，特別指出國民黨的難民戰術：

他們將骨瘦如柴的長春市民，成群結隊地驅趕出來。這對我部隊壓力很大。我們既要執行封鎖任務，又要維護人民群眾利益，既要粉碎敵人惡毒的陰謀，又不能讓成千上萬的百姓餓死。這是一個非常複雜的政策問題。

共產黨設立了一個「難民處理委員會」：

在前沿和後方設置了大大小小的難民收容所數十個，有計畫地收容難民、疏散難民。開始，我們工作缺乏經驗，給餓苦了的群眾吃飯沒有限制，結果有些群眾在久餓之後突然進食過多，胃腸負擔不了，脹死了。接受教訓，以後收容的難民就先吃兩天稀飯，逐漸增加飲食，避免了類似情況的發生。對收容的難民，及時的疏散到各地去，有的單位還利用難民回去做偵察或瓦解敵軍的工作。圍城期間，難民委員會共發放了四千噸救濟糧，六億元救濟金及五百斤食鹽。爲了救濟長春市的難民，減輕當地解放區群眾的負擔，我們的戰士迅速自覺地開展每人每月節約一斤糧的運動。

像蕭勁光這些資料，所在多有，龍應台一概不看或不知道看，不明眞相與原因、不知道共產黨怎樣搶救難民，就譴責起來了，這種落筆方式，又從何眞知「一九四九」呢？胡塗包龍圖龍包圖，把國民黨、共產黨各打五十大板，這叫公正嗎？龍應台的程度太差了，在文獻上，她看得太少太少、根本跟不上有關文獻，她談長春，談得太貧乏了。

東北人的苦難見證

■龍應台喜歡用人證，她做訪問「以實其說」呢。

□誰沒人證呢？我的三叔、我的六叔，都是那時死裡逃生的長春難民。我的老同學吳文立，也是一個。在台中一中，我同吳文立放學走在一起，他講述這一悲劇，他那時十二歲，同母親被趕出長春，國共雙方還在交火，流彈打中他母親，當場斃命。奇怪的是，母親身上都餓得乾扁了，都流不出什麼血來了。侈談「大江大海一九四九」的龍應台，你知道多少？

■吳文立是東北人？東北人見證歷史見證得最多？

□是，他爸爸吳廣懷是國民黨國大代表，是我父親學生。東北人見證中國本土上的苦難，早在一九〇四年日俄戰爭就開始了。兩個王八蛋國家打仗，戰場竟在中國領土上，多可惡啊。到了一九三一年「九一八事變」，東北人更首當其衝，開始抗日。可是，蔣介石的國民黨的歷史不這麼算，抗戰竟從「七七事變」算起，「九一八事變」後的六年都不算了。尤其在蔣介石的國民黨媚日的時候，不准你抗日。我爸爸因爲抗日抗得早、抗得拍子與國民黨不對，自然有被國民黨誣爲「漢奸」的危險。我爸爸的遭遇，畫出了一幅謔畫，就是：作爲一個國民黨統治下的中國人，不愛國當然不對，但是愛國不愛在嘴上，而要言行合一，可不是好玩的。——要愛國，必須得跟著國民黨永遠在一起才行，你要單獨去愛，不論你多少功勞、做多少「地下工作」，結果不用「漢奸」辦你，就是黨恩浩蕩了。我爸爸痛苦的得到這一教訓。因此，在日本走了、共產黨來了的時候，他學乖了，他知道這回一定得抓住國民黨、跟國民黨永不分離才成，再被國民黨所棄、再做國民黨的「棄民」，國民黨再回來，他一定又是「漢奸」了。於是，他決心搶登巴士，先期逃難，追隨國民黨到天涯、到海角，再也不分離。最後，天外有天、海外有海，他跟到了台灣，就這樣的，我們全家到了台灣。那時我十四歲，無決定之權，一切爸爸決定。我爸爸來台灣的目的，的確沒別人那麼雄壯，一切救國救民反共抗俄的大道理，他全都跟不上。他來台灣，只是怕國民黨又說他是「漢奸」而已。我爸爸的「漢奸恐懼症」，是我們一家來台灣的根本原因：別人都是怕共產黨而來台灣，我們卻是怕國民黨而來台灣，天下令人哭笑不得之事，無過於此了。龍應台侈談「大江大海一九四九」，好像遍訪民隱，她不該不訪到這個有特色的故事吧？漏掉這種有特色的小故事，又何以眞知「一九四九」呢？

■這個故事太特殊了。

李敖的爸爸

□當九一八事變以後，馬占山將軍的東北義勇軍，是中國第一個以行動抗日的團體。在這個團體以行動抗日的時候，其他團體還在親日、媚日或觀望之中，我爸爸當時就是馬占山將軍的秘密盟員。馬占山將軍是武人，他有一位替他拿主意的軍師，就是吳煥章。吳煥章是爸爸最好的朋友，他叫我爸爸做二哥。為人風趣、熱情而細心。吳煥章一九三五年起做立法委員、一九四四年做三民主義青年團黑龍江省支團代表、一九四五年做國大代表、興安省主席，到台灣後做光復大陸設計研究委員會台中研究區主任的閒職。九一八事變後，他和我爸爸展開抗日工作；盧溝橋事變後，我爸爸留在北京，吳煥章「同意由李同志參加敵偽組織內，做掩護與策動各工作」。由東北挺進軍總司令馬占山將軍秘密任命。所謂「同志」，是同馬占山將軍抗日志願的有志一同，並非國民黨。我爸爸在淪陷區背「漢奸」之名、做地下工作，抗戰勝利後，吳煥章簽署了一封他證明我爸爸清白的密件，是寫給當時國民黨特務頭子郭紫峻的，吳煥章這封密件，最後使我爸爸總算免掉了牢獄之災。至於抗日的功勞、做地下工作的功勞，當然是沒有獎勵的，不坐牢就是獎勵，——這就是國民黨的酬庸與寬大啊！

■吳煥章雖然一直跟國民黨有關係，到台灣後，也淪爲閒職了，東北人忠黨愛國下場，也不過乃爾。一九四九年後，大家流亡到台灣，他們這一代報銷了，有賴下一代了。

□下一代該算「大江大海一九四九」完結篇吧？龍應台也該抽樣式帶到吧？像吳煥章的兒子吳丁凱，學成回台，做了辜振甫公司的總教頭。吳丁凱最後婚姻破碎，太太改嫁給張忠謀。亂世的悲歡離合，有的也頗足醒世。古人寫「醒世姻緣」，「大江大海一九四九」帶來的，光從姻緣切入觀察、反向追蹤，就思過半矣。

■這種兩代故事，站在第一線的東北人，他們的故事，才眞能使人們知道「一九四九」吧？龍應台知道得太少了吧？她不訪問訪問嗎？

□選出訪問對象，也要眼光呢。

■談一九四九，六十多年前了，很多當事人都死光了吧？

□有沒死的，爲什麼不訪問訪問？

■東北人嗎？

□就東北人吧，像關中。

關中玩馬桶

其實啊，有文字資料可循的，不一定要訪問。關中對我敬而遠之，我們從不來往，只不巧吃過一次飯，但我很知道他，在餐桌上，我藐著他，想到他的玩馬桶故事。

根據一九九二年十一月號「中國男人」的報導：關中的父親是已故資深立委關大成，在抗戰時是地下工作人員。關中四歲那年，關大成被日本特務逮捕，全家人跟著入獄，當時關中年紀還小，但有些際遇片斷卻使他終生難忘。關中回憶說，他們原先住在平津一帶，爲了逃避日本人追緝，便搬到父親的老家安東暫住，安東是荒僻的地方，但日本人還是找到了。他們打他母親，由屋子這頭一巴掌打得滾到屋子那頭去，再一巴掌打回來，場面的慘烈，幾乎把年幼的關中嚇死了。關進監獄後，關中至今仍能回憶的景象就是冷冰冰的四壁，家人蜷縮在角落，耳邊聽到的，是犯人腳上鐵鍊的拖曳聲和被拷打時的哀嚎聲。當時他的玩具是囚房內每天拿進拿出的馬桶，那麼髒的東西，他卻常去把玩，因此總是被母親喝斥，甚至挨打。他與小他兩歲的妹妹同時在獄中出痲疹，妹妹未能熬過，死在獄中了，母親哭得死去活來的景象，至今仍是關中難以磨滅的回憶。抗戰勝利後，關中的父親由地下工作人員成爲東北的接收大員，但沒幾年東北局勢逆轉，全家又隨著軍隊撤退。關中說他記得軍車抵達四平街時，剛剛結束戰鬥，到處是死屍，嚇得直哭，連晚飯都不敢吃，總覺得家人分給他的饅頭可能是人肉做的，感到噁心。清除戰場的卡車停靠路邊，屍體一具一具往車上扔，水溝內全是血，關中終於見識到什麼是血流成河。

關中小我六歲，生在一九四〇，到台灣時才八歲。他在台灣長大，他走的，是國民黨當權派的路，留學歸來，歷任國民黨中央青工會副主任、政策會副秘書長、台北市黨部主任委員、台灣省黨部主任委員、行政院青輔會主任委員、國民黨中央組工會主任、副秘書長、中廣公司董事長、立法委員、銓敘部部長、考試院副院長、國家政策研究基金會內政組召集人、世界龍岡親義總會主席、國民黨國家發展研究院院長、國民黨副主席、考試院院長。他一輩子追隨國民黨，最後在殘山剩水的小朝廷裡做了大官。他一輩子對我敬而遠之，只是不幸與我同桌一次，我看他低頭吃飯，一定想不到我這樣近距離的觀察他遠距離的歷史。他很勤奮，做了大官，仍然不忘記研究和寫書，檢討國民黨的歷史。我遺憾他始終達不到檢討的深度——國民黨禍國殃民那一深度。但他比小他十二歲的乳臭龍應台可有深度得太多了，他見識過什麼是牢獄、酷刑、和戰亂。他在這方面有身歷與深度，而龍應台呢，只是一層皮。英諺說「美貌只是一層皮」(Beauty's but skin deep.)。龍應台長得像個不修邊幅的棄婦，沒有美貌可言，但她的歷史知識，的確只是一層皮，她不自量力，大談

「一九四九」，連關中都要「皮笑肉不笑了」。

可以這樣「二二八」嗎？

■我們可以從許多角度來看「大江大海一九四九」，在這個範疇下，「二二八」太重要了。龍應台明明在閃躲這個大題目。

□不止於閃躲，而在扭曲。龍應台不斷閃出一種氛圍，就是台灣的文化處處高於大陸的，搬出高高在上的學術名詞，要你說服她。她把「二二八」定位成「兩個文化的劇烈衝突」、「兩個現代化進程的劇烈衝突」，說得太玄了吧？「二二八」是多麼「一九四九」的題目，「二二八」後兩年就是「一九四九」，龍應台顯然閃躲了這個大題目，如果全部閃躲，也就罷了，她特別根據彭明敏的「記得」，來了彭爸的一段往事：

一九四七年二月二十八日，台灣全島動亂，爆發劇烈的流血衝突。彭清靠是高雄參議會的議長，自覺有義務去和負責「秩序」的國軍溝通，兩個文化的劇烈衝突——你要說兩個現代化進程的劇烈衝突，我想也可以，終於以悲劇上演。

彭清靠和其他仕紳代表踏進司令部後，就被五花大綁。其中一個叫涂光明的代表，脾氣耿直，立即破口大罵蔣介石和陳儀。他馬上被帶走隔離，「軍法審判」後，涂光明被槍殺。

彭明敏記得自己的父親，回到家裡，筋疲力盡，兩天吃不下飯。整個世界，都粉碎了，父親從此不參與政治，也不再理會任何公共事務：

……他所嘗到的是一個被出賣的理想主義者的悲痛。到了這個地步，他甚至揚言為身上的華人血統感到可恥，希望子孫與外國人通婚，直到後代再也不能宣稱自己是華人。

帶著「受傷」記憶的台灣人，不是只有彭明敏。

龍應台不畫龍，卻點出血淋淋的眼睛，是什麼意思呢，既然說是「流血衝突」，「衝突」總有雙方面吧，為什麼看來只是單方面的呢？

■這就是龍應台的手法，她只掏出一段血淋淋切片，別的都不管了，這叫什麼「文化」啊？這不是在惡意挑撥嗎？談「二二八」，只談外省人殺本省人，不談本省人殺外省人，單方面挑起本省人的仇恨，這是什麼意思呢？龍應台談「二二八」，只根據彭明敏的「文化」，談到的本省人暴行只是打了菸酒公賣局職員，「職員被痛打」、「幾個公賣局職員被毆打重傷而致死亡」。事實上，這麼簡單嗎？這麼仁慈嗎？

「台灣菁英」怎樣姦殺外省女人

□根據唐賢龍「台灣事變內幕記」（又名「台灣事變面面觀」）第九十一頁、九十二頁、九十五頁：

一、二十八日早上十一時許，在台北新公園中，除了打死十幾個外省人，毆傷二十幾個公務員外，更有一個年輕的少婦，攙了她底一個三歲的小孩子，正想由偏僻的小道中跑回家時，卻被幾個流氓們攔住了，他們對她盡情的調戲後，便一刀將她的嘴巴剖開，一直割裂到耳朵邊，後將她的衣服剝得精光，橫加毆打，打得半死半活時，便將她的手腳捆起來，拋到陰溼的水溝中，該婦人慘叫良久後即身死。當該小孩正在旁邊哭喊媽媽時，另一殘暴的台灣人，便用手抓住該小孩之頭，用力一扭，即將該小孩之頭倒轉背後，登時氣絕。

二、又在萬華附近，一小孩被民眾將雙腳捆起，將頭倒置地上，用力猛擊，直至腦漿流出時方將其拋於路旁。

三、又在台北橋附近有兩個小學生，路遇民眾，因逃跑不及，即被民眾捉住，民眾一手執一學生，將他們兩個人的頭猛力互撞，等到該兩小學生撞得腦血橫流時，旁觀之民眾猶拍手叫好。

四、又當天下午，在台北太平町，有一開旅館之孕婦，被民眾將其衣服剝光，迫令其赤裸裸地遊街示眾，該孕婦羞憤無已，堅不答允，便被一手持日本軍刀之台灣人，從頭部一刀下去，將該孕婦暨一即將臨盆之嬰孩，劈爲兩段，血流如注，當場身死。

五、又在台灣銀行門前，有一個小職員，當他剛從辦公室裡走出來，即被一個台灣人當頭一棒，打得他腦漿迸流，隨即殞命。

六、這時，適有一對青年夫婦路過此地，又被群眾圍住，吆喝喊打，嚇得他們跪在地上求饒，時有很多台灣的小學生擠進人叢中，一看原來是「阿山」，便連忙你一腳、他一腳，將他們兩人踢在地上滾成一團，這時民眾更拳腳交加，棍棒齊揮，不一會，他們便被打得血肉模糊，成了兩具破爛的孤魂。

七、在新竹縣政府的桃園，被羈囚於大廟、警察局官舍與忠烈祠後山三地之外省人，內有五個女眷被台灣一群流氓浪人強行姦污後，那五位女眷於羞辱之餘，均憤極自縊殉難。

八、而該縣大溪鎮國民小學女教員林兆熙被流氓呂春松等輪姦後，衣服盡被剝去，裸體徹夜，凍得要死，後被高山族女縣參議員李月嬌救護始脫險。

若說以上唐賢龍的書不可信，那麼李登輝主持的「『二二八事件』研究報告」爲何一再引證？該報告全書中，在這一章有註釋五百九十七個，其中光唐賢龍的書就引了十九個，可見倚之甚殷，只是姦殺外省人之事，一概不引，其他行兇，加上但書而已，如「打殺」「砍殺」就要給加上「據聞」並予以消音？這是什麼意思？什麼學術？把同一作者、同一書予以前言不對後語，這是什麼唐賢龍？

龍應台的姦殺文化論

■龍應台口口聲聲把「二二八」定位在台灣人與大陸人的文化高低上，有一條史料，倒跟龍應台不謀而合。據「台灣警察」第二卷第十、十一期轉載「台灣『二二八』事件」（一九四七年四月一日）：

當二十八日下午開始焚燬專賣局時，全市各街巷到處皆有暴徒集團尋找來自國內之外省人施以毆打，名之曰「阿山」，是以「阿山」若為彼輩所瞥見，皆不能逃過「打」的劫數，重時斃命，輕亦在殘廢之列，雖婦孺孕婦亦無一幸免，據記者所知：一數歲之兒童隨其母出街，途遇暴徒，用刀將其母之嘴割裂至耳，復將衣服剝光痛毆垂斃抛之於水溝，其子被用力扭轉面部倒置背後即時氣絕斃命；又一小孩被其雙足抆起倒吊，將頭部猛向地上碰擊，至頭破血流而甘心；又一將兩小孩之頭互為相碰，至腦血橫流，而引為快事；又一孕婦亦被暴徒用日本之武士刀對腹部插入，即時兩命嗚呼。此種狠毒手段，不勝枚舉，慘絕人寰之事，不意竟發生在此號為文化水準高於國內任何一省之台灣，聞者毛骨悚然，何況目睹其狀者。

這是唐賢龍「台灣事變內幕記」以外的另一報導，其中特別提到「文化水準高於國內任何一省之台灣」，不正是龍應台文化優劣論的先驅嗎？從殘殺小孩到姦殺婦女，重重暴行，豈能以「文化」一筆帶過嗎？有這些殘暴行徑的人，還有什麼「文化」？

台俄姦殺大比賽

□什麼例子能跟「二二八」時的「文化」高於外省人的「台灣菁英」相比？奇怪的是，居然在龍應台的書裡，可以找到「文化」的答案。「大江大海一九四九」書中絕口不提「台灣菁英」強姦、輪姦又殘殺外省婦女的事，但卻看見俄國大兵強姦、輪姦又殘殺中國婦女的事，在她書中，特別有這麼一大段：

那一年冬天，二十一歲的台北人許長卿到瀋陽火車站送別朋友，一轉身就看到了這一幕：

瀋陽車站前一個很大的廣場，和我們現在的（台北）總統府前面的廣場差不多。我要回去時，看見廣場上有一個婦女，手牽兩個孩子，背上再背一個，還有一個比較大的，拿一件草蓆，共五個人。有七、八個蘇聯兵把他們圍起來，不顧眾目睽睽之下，先將母親強暴，然後再對小孩施暴。那婦女背上的小孩被解下來，正在嚎啕大哭。蘇聯兵把他們欺負完後，叫他們躺整列，用機關槍掃射打死他們。

龍應台的視野，到了中國東北，但我奇怪，她爲什麼到不了台灣？就在「那一年冬天」後的兩三個月裡，「二二八」的場面豈不出現了俄國大兵的暴行，光天化日、強姦輪暴、殺死婦孺，試問那一樣少了？龍應台爲什麼提都不提？當然俄國人的暴行要振筆直書，可是，台灣人的呢？今天自李筱峰以次，都把「二二八」的台灣人供成「台灣菁英」，但怎麼掩飾那有俄國大兵行徑的「菁英」呢？他們不是「台灣人」嗎？

龍應台只寫俄國大兵在強姦

■他們當然是台灣人，尤其是手執武士刀的台灣人。但在「二二八」時候，與俄國人有什麼不同呢？

□俄國人是白種人、台灣人是黃種人。並且，俄國人暴行的對象是外國人，大陸人對台灣人說來，是外國人嗎？

■他們是台獨分子吧？當然把大陸人看成外國人。

□台獨分子嗎？先成立「台灣獨立國」再說吧。民進黨執政了八年，連個所謂「中華民國國歌」都不敢改，還吹牛什麼台灣獨立呢？

■他們說改國歌要修憲，有困難。

□他們胡扯。所謂「中華民國憲法」中，根本沒有國歌條款，改國歌，一道命令就改了。可是當政八年的民進黨政府命令都不敢下，誰相信他們眞搞台獨啊。

■別扯遠了吧，還是比較比較「台灣菁英」與俄國大兵吧。

□看了龍應台的文字，對照起「二二八」時「台灣菁英」輪姦外省人的記錄，一何酷似啊，我們能無驚心的對比嗎？「台灣菁英」姦殺中國人，與俄國大兵姦殺中國人，大同小異之處，該是俄國兵在殘忍上，恐怕甘拜下風呢！試看台灣省警備總司令部「台灣省『二二八』事變記事」（一九四七年）中記錄：「其最殘忍者，爲將婦女裸體毆打，甚至以刀刺其腹，以石塞其陰戶，令其行走，拒者即刺殺之。」看來俄國兵還幹不出「以石塞其陰戶」吧？再看曾今可「台灣別記」（一九四七年五月十六日）的記錄：「還有些婦孺是被暴徒把雙腳拉開拉死的！」看來俄國兵還幹不出把「婦孺雙腳拉開拉死」吧？

何須走一趟才知道

■結論呼之欲出了，「台俄姦殺大比賽」，裁判結果，台灣人勝了老毛子。龍應台去了一趟長春，回來寫出了俄國大兵，又引伸寫道：

你聽說過索忍尼辛這個人嗎？

沒聽過？沒關係，他是一九七〇年的諾貝爾文學獎得主，透過他，這個世界比較清楚地了解了蘇聯勞改營的內幕，可是在一九四五年一月，二十七歲的索忍尼辛是蘇聯紅軍一個砲兵連上尉，跟著部隊進軍攻打德軍控制的東普魯士。紅軍一路對德國平民的暴行，他寫在一首一千四百行的「普魯士之夜」裡：

小小女孩兒躺在床上，
多少人上過她——一個排？一個連？
小小女孩突然變成女人，
然後女人變成屍體……

這首詩其實寫得滿爛的，但是，它的價值在於，索忍尼辛是個現場目擊者。

可是你說，你從來就沒聽說過蘇聯紅軍對戰敗德國的「暴行」；學校裡不教，媒體上不談。你做出很「老江湖」的樣子，說，還是要回到德國人的「集體贖罪心理學」來理解啊，因爲施暴者自認沒權利談自己的被施暴。

我到長春，其實是想搞懂一件事。

我好奇怪，一比較就知道的事、一翻查就知道的事，對龍應台說來，為什麼要那麼麻煩？

□一九九〇年，呂秀蓮去了一趟大陸，回來說：她發現，大陸十一億人口對「台灣是我們的」的觀念，加上軍事力量，對台灣是相當大的威脅，而獨派人士若不能擺脫閉門造車的作法，非常可能刺激中共，若因此造成對我方人民利益的傷害，是非常不負責任的行為。呂秀蓮的覺悟，自然令人高興。不過，我總覺得，作為第一流的知識分子，了解一個地區，若一定得靠「走一趟」為必要條件，才知道什麼、才覺悟什麼、才猛醒什麼，似乎又未免太直接了、太浪費了、太遲鈍了。第一流的知識分子，應該有本領像中國大哲學家老子那樣「不出戶，知天下」，才算功夫。對大陸對台灣的態度、對台獨絕不可行的認知，還需要靠「走一趟」才清醒嗎？這樣子的求知方式，太笨了一點吧？

龍應台去了一趟長春，令我想起呂秀蓮。不過，龍應台還不如笨蛋呂秀蓮。龍應台說她「到長春其實是想搞懂一件事」，僕僕風塵的，她回來了，其實她連這件事也沒搞懂。哎呀，她還是做點文藝批評吧，國家大事、思想趨向，不是她搞得懂的。

是誰引來俄國大兵？

■龍應台大談俄國大兵在東方的暴行，並比照他們在西方的，同樣是只談「現象」，不談「原因」。記錄上說，一個俄國大兵強姦了德國女人，從女人身上爬起來，說：「你們的德國大兵在我們蘇聯，就這樣。」嫁到德國的龍應台，從來不談這一因果。不是說被強姦的是應該的，而是說「原因」也該同時攤出來，並且要區分出來。德國對蘇聯是侵略者、蘇聯對中國卻是加害者，中國還是戰勝國耶，戰勝國的女人還要被強姦、被姦殺，這是什麼道理？要問誰啊？

□要問蔣介石啊、要問蔣經國啊、要問王世杰啊。是誰引來俄國大兵，看看記錄吧。一般說法是「雅爾達會議」上美國總統羅斯福（FDR）逼中國承認外蒙古獨立。但從「顧維鈞回憶錄」裡，明明看到：不論從美國總統的回信裡，還是從英國外相、美國國務卿的談話裡，還是從中國老外交家的失望裡，都證實出在外蒙問題上，蔣介石及蔣經國、王世杰之流做了不該做出的讓步。——美國主子要你蔣介石賣國，沒有錯，但沒要你賣那麼多！事實上，可以不賣那麼多！可以不賣那麼多卻要賣那麼多，這就是怪事了。「要五毛，給一塊」式的加碼賣國，也是美國逼你的嗎？

在蔣經國的回憶中，我們得到了答案：

史大林問我：「你們對外蒙古爲什麼堅持不讓它『獨立』？」我說：「你應當諒解，我們中國七年抗戰，就是爲了要把失土收復回來，今天日本還沒有趕走，東北台灣還沒有收回，一切失地，都在敵人手中；反而把這樣大的一塊土地割讓出去，豈不失卻了抗戰的本意？我們的國民一定不會原諒我們，會說我們『出賣了國土』；在這樣情形之下，國民一定會起來反對政府，那我們就無法支持抗戰；所以，我們不能同意外蒙古歸併給俄國。」我說完了之後，史大林就接著說：「你這段話很有道理，我不是不知道。不過，你要曉得，今天並不是我要你來幫忙，而是你要我來幫忙；倘使你本國有力量，自己可以打日本，我自然不會提出要求。今天，你沒有這個力量，還要講這些話，就等於廢話！」

寫得多清楚啊，因爲是「你要我來幫忙」，所以我才要你的外蒙古。不過，所謂要蘇聯幫忙，不論人家盟國的目的也好、自己賣國的目的也罷，都在使蘇聯出兵、請蘇聯「來幫忙」。但是，八月八日蘇聯外長莫洛托夫（Molotov）向王世杰的宣布，證實中蘇關係尙未達成協議前，它已出兵了，那麼國還要不要賣，就該從長計議才是。但是，妙的是，這些賣國者，卻仍要照賣不誤，這不是賤種嗎？更妙的，八月十四日日本都投降了，八月十五日蔣介石以下賣國者還向蘇聯簽約大賣。王世杰八月十五日日記上說：

中俄文約稿書寫需時，簽字手續直至今晨六時始在克里姆林宮舉行。但蘇聯已於數小時前廣播，謂已簽字。蓋日本接受投降條件之答覆適於今晨二時到達此間也。

爲什麼蘇聯方面要捏造簽字時間，提前「數小時」呢？因爲日本已在「今晨二時」投降了，連蘇聯都不好意思在日本投降後向戰勝國要土地了，只好捏造說外蒙古是在日本還沒投降前就獨立了。多氣人啊！日本投了降，戰勝國的中國還要簽約賣國。蔣介石、蔣經國、王世杰之流多莫名其妙啊！

引來俄國大兵以後

按照賣國者與蘇聯訂的「中蘇友好條約」，明明是「在日本投降以後，蘇俄軍隊當於三星期內開始撤退」的、明明是「最多三個月足爲完全撤退之時期」的，但是，日本投降後三個月又三個月又三個月，老毛子猶在東北姦淫擄掠中。到了第二年（一九四六）三月六日，「王世杰日記」寫著：

中蘇交涉，如利用民眾反蘇遊行，及本黨公開之攻擊，縱能促使蘇聯早日撤兵，但不免阻（促）其與東北共產黨及其他反政府武力勾結，造成更不利於國家之形勢。予不主張與蘇聯公開決裂者，大半以此。今日午後予以外交部部長名義，致正式照會於蘇聯大使，促蘇聯即行撤兵。蔣先生尚擬緩發此照會。予因恐未來局勢或使我政府不能訴諸國際會議，故斷然決定發出，但仍未在報紙發表。晚間予面向蔣先生辭外交部長職，蔣先生不允。

看到了吧，俄國大兵不撤退，一方面固是蘇聯原因，另一方面，卻是蔣介石挽留，一九六六年八月十一日，「尚擬緩發」「照會」呢。

當時在東北第一線與蘇聯打交道的董彥平將軍，寫了一本「蘇俄據東北」送給我，一九六六年八月十一日，在他家裡，我與他長談，我彷彿知道了什麼，蔣介石被斯大林（Stalin）要成白癡，最後還要求俄國大兵幫他在東北防共產黨呢！

蔣介石引來俄國大兵，下面才是龍應台片段又斷片的故事。龍應台照舊只寫「現象」，她不寫「原因」、不寫俄國大兵姦殺中國女人的「原因」，她開脫了美國人羅斯福、開脫了中國人蔣介石、也開脫了蘇聯人斯大林，她的視野只是一根管子，管中窺見了豹斑。龍應台的讀者跟她窺見了豹斑：

一九四九年三月，「中山大街」又有了新的名字：「斯大林大街」。

長春人就在這「斯大林大街」上行走了將近半個世紀。

一九九六年，「斯大林大街」才改稱「人民大街」。

但是，對長春街上的「原因」，龍應台永遠閉目以窺豹斑。

蔣夫人還慰勞俄軍呢！

■龍應台在字裡行間，明示斯大林如何如何、感謝俄軍如何如何，在在均爲共產黨傑作，在她筆下，引狼入室的禍首國民黨是不見媚骨的。事實上，眞的如此嗎？

□看看劉毅夫少將的回憶吧。劉毅夫在「我親歷國軍拒絕收編僞軍的一幕——隨侍蔣夫人赴長春慰勞俄軍的回憶」（「傳記文學」第六十七卷第一期）中說：

> 蔣夫人到長春的第二天，就立即前往俄國軍營拜會馬林諾夫斯基。當時天寒地凍，遍地冰雪，蔣夫人仍然豪氣干雲的昂然進入俄國兵營，當時由會講俄語的經國先生在前領路，我與孔二小姐緊隨夫人身後，以防不測。當時看了蔣夫人的神情，心中無限欽佩，同時想到了歷史上郭子儀獨踏番營的英勇故事。
>
> 夫人進入俄國軍營時，首先檢閱了列隊歡迎的俄軍。當夫人走過之後，俄軍都對神采飛揚的蔣夫人，萬分欽仰，有些人小聲說：「馬達姆倭欽克拉細微」（俄語：夫人好漂亮），我聽了之後，立即回頭用俄語小聲說：「不要亂講！」當時我穿的是國軍將官制服，他們聽了我的話，便不再講了。

夫人見了馬林諾夫斯基時，曉以大義，俄軍乃於夫人離去之後，立即撤離長春。

事實上，這位女郭子儀不論「施以顏色」或「曉以大義」，都無助於蘇聯撤軍。對照一下董彥平書中寫的吧：

蘇俄軍部自一月十日美國馬歇爾特使來華調處共匪糾紛，成立軍事調處執行部，發布停戰命令以還，態度突轉惡化。對我方接收表示不能協力，二月一日第二次撤兵之約，顯亦無意履行。主席夫人適於此時冒惡劣天候，在零下二十度之嚴冬，萬里冰天中飛蒞長春，代表國家勞問蘇軍，存眷父老；並向蘇軍闡明中蘇友好同盟之眞諦，獲致熱烈反響。但蘇方並未因此改變其預定計畫。

龍應台爲什麼不想想呢？中央政府第一夫人蔣宋美齡可是「代表國家勞問蘇軍」呢，長春市政府一條「斯大林大街」又算老幾啊！「長春各界人士」的一座「戰機、坦克紀念碑」又算老幾啊！

被人強姦也是「國家利益」？

■看來龍應台談了半天「大江大海一九四九」，卻談不出大事。蔣介石賣國簽下「中蘇友好條約」是何等攸關「大江大海一九四九」的大事，龍應台侈談「大江大海」、侈談「一九四九」，卻對大事隻字不提。只提俄國大兵在瀋陽強姦中國女人，爲什麼不追究誰是引狼入室的禍首呢？

□從頭目言，是羅斯福與蔣介石，從細部作業言，是王世杰與蔣經國。最後，龍應台的「一九四九」到了，蔣介石王世杰之流給趕出大陸了，退守到只有外蒙古四十四分之一大的台灣島上了。一九五二年十月十三日，蔣介石在中國國民黨第七次全國代表大會第四次會議上，發表「對第七次全國代表大會政治報告」，秘密歸屬了責任所在。他說簽約是「我個人的決策」、「是我的責任，亦是我的罪愆」、要「負其全責」。他在簽約七年後，自己承認當年簽約放棄外蒙古，「實在是一個幼稚的幻想，絕非謀國之道。」但是，王世杰這邊呢，卻仍舊一言不發，但卻不斷放出風聲，他是「爲國家利益」，以致如此。我在「蔣介石研究四集」有「蔣介石、王世杰賣國」一文，收有張九如影印給我的一封王世杰一九六六年二月二十二日致他的信，談到「中蘇談判」之事，「惟爲國家利益，世杰守口如瓶已二十年於茲，即令會聚，弟我亦病不能自由發表耳。」

■什麼「國家利益」呢，讓人強姦也是嗎？

□「王世杰日記」在王世杰死後出版了，一九六五年十二月二十日如下：

有李敖者，日前在文星書店所刊「蔣廷黻選集」，對余被免總統府秘書長（民國四十二年十二月）與簽訂中蘇條約兩事，做侮辱性抨擊。中央黨部（秘書長）谷鳳翔等促余向法院控訴其誣毀。余殊不願給此等人以出鋒頭之機會。惟余對此兩事爲避免牽涉他人過失之故，迄未發布文字，抑或是余之過。

「他人之過」的「他人」是誰呢？龍應台到美國看蔣介石日記，忘了找這一段了吧？在日記裡，在「國家利益」之下，應該看到一個名字吧？

王世杰聽命於蔣介石，簽了「中蘇友好條約」，賣了國。一九四五年八月二十三日，他向黨中央報告，日記中說：

……外蒙，不能不承認其獨立，但戰爭結束後三個月內蘇聯依約不能不自東三省撤退！……東三省之主權可以收回……蔣先生請大家起立表決，結果全體一致起立。

「蒙古去，而中華民國亦隨之去矣！」

由此可見，國民黨不但主事者是賣國賊，它的團體也是賣國集團。在蔣介石面前，對賣國成果，無人敢於拒絕「起立通過」！

諷刺的對比是，一九一二年，戴傳賢主持上海「民權報」，就警告「蒙古去，而中華民國亦隨之去矣！」一九一九年，「軍閥」徐樹錚收回了動搖中的外蒙。誰想得到，二十六年後，外蒙卻在國民黨手中失去。一九四九年，在「中華民國」亡國前夜，戴傳賢自殺了，眞應了一九一二年的預言：「蒙古去，而中華民國亦隨之去矣！」

戴傳賢死在「一九四九」年二月十二日。他二十一歲辦「天鐸報」，惹出文字獄。二十二歲亡命日本，革起命來。二十三歲辛亥革命成功後，做孫文機要秘書。此後青雲直上，二十八歲做大元帥府法制委員會委員，又兼帥府秘書長、外交部次長。三十五歲做國民黨中央執行委員、政治委員、宣傳部長。三十七歲做中山大學委員長後改爲校長。三十九歲做考試院長，長達二十年。最後做的是國史館館長和國民黨中央常務委員。以這種顯赫的履歷，可知他在國民黨中的地位，是炙手可熱的。但這個炙手可熱的黨國元老，卻隨「中華民國」之將亡，自己先死了。

龍應台書中寫了一個小軍官的殉死，但那一死，只是鴻毛之輕，象徵的意義有限；戴傳賢卻不然，他的自殺，有太多象徵的意義。他的一生，隨「中華民國」而興、隨「中華民國」而亡。但他在國民黨中，是少有的頗有「純純的信仰」的一位，他關懷國民黨的前途，總是眞誠的、情見乎辭的。一九四四年，他在重慶曾家岩發豪語：「周朝的天下是八百年，國民黨至少要掌握政權一千年。」這種「純純的信仰」，在國民黨中，又有誰比得上呢？結果呢，「一九四九」到了，一千年的豪語，遭到挑戰，戴傳賢五十九歲，一死了之。象徵一個時代的結束、也象徵一個信仰的結束。多麼可愛的「一九四九」，賣國的「中華民國」統治者，使「中華民國」淪為死屍；而統治者呢，卻淪為守靈人，戴傳賢死了，他留下了一個孽種，「過繼」給蔣介石，孽種不是別人，就是「蔣緯國」。

龍應台只見一彭

■「原因」越來越大了、頭緒越來越多了。解答龍應台沒搞懂的一件事，好奇怪，答案原來不在東北，卻在台灣。還是回頭從「二二八」來追蹤吧。

□這叫環環相扣。一九四六在東北的事，竟從一九四七年的「二二八」得到索隱。還是回頭看看「二二八」。

■龍應台只引彭明敏的「二二八」，是不是犯了孤證的毛病？

□當然是。據「高雄市『二二八』事件報告書」：「……有案可據者，計傷公教人員三十一人，死八人，暴徒除拘獲正法者外，死亡七人，民眾傷五四人，死八六人，其餘不詳身分者，死二四人，合計死一二五人，傷八五人。」足證外省人有死亡；再據陳桐「殺戮起源蓄意煽動」（「自由時報」，一九九一年二月二十七日）：「……（暴徒流氓）甚至挾持外省人集體軟禁在高雄中學內，每天只供給一粒飯糰，境遇也相當淒慘……」足證外省人有被拘禁。可見彭明敏所述，是一面之詞，他置外省人在高雄被殺被關於不聞，只記彭孟緝怎樣怎樣，其實，照彭孟緝「台灣省『二二八』事件回憶錄」、「彭孟緝訪問紀錄」，是會議席上涂光明先掏槍。彭孟緝固非善類，但此彭非彼彭，也別有說詞，龍應台也該知道。至於龍應台引彭明敏「『軍法審判』後，涂光明被槍殺」云云，簡直替彭孟緝搽胭脂抹粉了，那來「審判」啊？兵荒馬亂之際，彭孟緝這種惡棍還給你「審判」嗎？

■看來龍應台扯出「二二八」，是上了彭明敏的當。

□她自己太不用功，才會上當；彭明敏他們太偏執，才會只看單方面的歷史。其實這是一種「弱者的偏執狂」。談「二二八」，眾口一聲，把悲劇定位在外省人的不是上，說破了就是「弱者的偏執狂」。人一變成「偏執狂」，則雖遭苦難，不能反省。「二二八」在本省人眼中，百分之百全怪外省人。但我懷疑，到底有沒有一個小數點——外省人中的一個小數點，本省人也不妨反省反省呢？例如事件之起，是緝私槍誤殺了一名看熱鬧者，這種緝私人員應予嚴辦，是對的，但群眾包圍警「就地正法」，這種不懂事的要求，任何官員都做不到。做不到就起

無辜者予以打、砸、搶、殺，婦女予以強姦、嬰兒予以
嗎？由這種暴民濫殺行爲招致來的暴君派部隊登陸濫殺，
絕對不是說國民黨政府惹起民變、處理民變是對的，但相
應，也不無反省之處。但是，直到六十四年後的今天，又
事件之起，陳儀答應「懲兇賠款」、「不秋後算帳」，本已
省人價碼節節升高，答應了三十二條，又來了四十二條，不
不到，最後只好兵戎相見，進一步造成悲劇。這種沒有底價
門前的學生，最後亂開價，逼得對方忍無可忍，只好動粗。
哭引發全島哭，說不該動粗，你看你把我打成這樣子，動粗的
麼做才能平息四處蜂起的暴亂呢？六十四年了，誰又假設假設，
想？如果你是二十一師的抗戰老兵，老子跟日本鬼子打了八年仗，光復了台灣
然戴起日本人軍帽、唱起日本人軍歌、拿起日本人軍刀軍槍，沿街打殺外省人，這種亡國奴習性，老子還不教訓教訓你嗎？——如果你是那種老兵，你會有更理性的表現嗎？

龍應台的爸爸殺台灣人？

■這番話引起我的假設。假設當時憲兵連長龍槐生、龍應台的爸爸在台灣，他是當年「殺敵無數」、殺日本人無數的「那種老兵」啊，他會客氣嗎？因爲在他眼中，台灣人絕非那麼無辜，他們可殘暴得像日本兵呢。

□外省人不設身處地替台灣人想，台灣人至今譴責；但台灣人有無也該設身處地想想外省人呢？想想無辜被打殺的外省人呢？想想仇日老兵的報復心態呢？想想龍爸爸的滿眼血絲呢？我絕不說外省人對，但我覺得，台灣人的眞正菁英，應該勇於站出來，矯正矯正自己人的方向，「障百川而東之，挽狂瀾於既倒。」而不是聽任暴民胡來。台灣人菁英林獻堂就是一例。在台中地區的外省人被暴民集中、要予以殺光的當口，林獻堂挺身而出，大聲說：外省人像螞蟻一樣多，我們今天殺光他們，他們明天就來殺光我們。暴民聽了，怕了，才沒一錯再錯。相對的，同是本省菁英的林茂生，以他那麼崇高的學術地位，照他兒子林宗義的回憶，卻是「他同意，加諸大陸人的暴力，以及對政府大樓與公務員的傷害，來表達極端的憤怒，乃是人民的幻滅與普遍而強烈的挫折感的一種合理表現」！林茂生明知「這種對財產與大陸人的普遍而不分皀白的暴力，用來作爲有效的政治行動，是沒有意義，也是沒有用的」；明知「後果會很嚴重，眞吃力（台語）！」但他無法像林獻堂那樣挺身而出，大聲引導自己人適可而止。作爲菁英，在百川狂瀾當前，他是不是少做了點什麼呢？尤其與林茂生的「文化」不對頭的，他竟相信「加諸大陸人的暴力」是「合理表現」，結果換來大陸人的暴力回敬了，要怪誰呢？

更嚴重的是，林茂生犯了大忌，他相信了美國人。他被殺的三個「罪跡」是，身爲台灣大學教授，卻「一、陰謀叛亂，鼓動該校學生暴亂；二、強力接收國立台灣大學；三、接近美國領事館，企圖由國際干涉，妄想台灣獨立」。

美國人害了台灣人

「二二八」時美國人的手法，太明顯了。據「陳儀致蔣主席一九四七年三月虞電」：「此次事件有美國人參與，反動分子時與美領事館往來，美領事已發表種種無理由的反對政府言論。」再據「陳儀報告『二二八』事件情形致吳鼎昌等電」：「（一九四七年三月二十四日）……事變中，弟派員赴美領館接洽，據報若干台灣野心分子適在內開會……」可見美國人介入「二二八」，官方早已得知。

再看一些史料：

一、林宗光「美國人眼中的二二八事件」：「……卡兒氏說，在二月中旬有一群台灣青年人的代表寫了一篇很長的請願書，給當時美國國務卿喬治・馬歇爾（George Marshall），要求聯合國免陳儀之職，讓台灣受聯合國託管……」

二、唐賢龍「台灣事變內幕記」（頁一〇八）：「……另有台灣大學學生八人，曾向美國領事館請求聲援，謂台灣人因不堪中國人之壓迫，乃有此次改革政治之運動發生。希望美國能予以精神上及物質上之援助……」

三、「新生報」（一九四七年三月三日）：「……關於本案，需要周知全世界及國府之動議即刻成立，即選出林宗賢、林詩黨、呂伯雄、駱水源、李萬居五人爲委員，擬託美國領事館善爲辦理……」

以上抽樣，絕非蛛絲馬跡，而是美國領事葛超智（George Kerr）總提調的傑作。葛超智最後演出撤僑戲，意圖火上加油。報到南京美國大使館。美國駐華大使司徒雷登（John Leighton Stuart）一面壓住撤僑陰謀，一面密告蔣介石，蔣介石再密令陳儀防範。結論是，台灣人被美國人擺了一道，領事搧風、大使放水。台灣人信美國人，不知美國人出賣了他們。林茂生被槍決了，「接近美國領事館」竟成「罪跡」，多不值得啊。

■當時美國高層對台灣不感興趣嗎？

□一九四七年時候，氛圍的確如此。林宗光「美國人眼中的二二八事件」有一段：「……國務院的官員卻自始不願意使美國捲入台灣問題的漩渦之中……事變之後，卡兒氏被召回美國，與當時國務院主管遠東事務的約翰．文森（John Carter Vincent）談起台灣人對美國、聯合國以及台灣將來地位的意願時，文森曾以堅定的口氣告訴卡兒氏：『沒有一位聯合國人員——華盛頓的官員不用說——對台灣有任何興趣。』……」美國人是大陸丟了的前夜，才打台灣主意。「二二八」時候，還不成氣候，相信美國人的台灣菁英，無異是台灣傻瓜。

馬英九請我吃飯

■龍應台扯出「二二八」，那樣草率的「彭明敏」一下，彷彿點燃引信，就不管了，不是嗎？

□當然是。這叫什麼「大江大海一九四九」呢，點了火就跑，留下一大團錯誤與荒謬，這叫什麼著作呢？

■龍應台點到「二二八」，表示什麼，是正義感嗎？是顯示外省人同情台灣人嗎？

□即使是，也太遲了吧？何況她根本扭曲了正義。今天，人人會談「二二八」了，這是一個好現象。不過，窮本溯源，大家這麼勇敢，原來是有更勇敢的外省人帶頭的。外省人孟絕子早在國民黨不准談「二二八」時就談「二二八」了。他先在幾次演講中提出，應該把

「二二八」這一天定爲「台灣苦難反省日」，後來他寫成「台灣苦難反省日——化解台灣的隱痛『二二八』」一文，登在外省人李敖辦的刊物上。孟絕子提出的「台灣苦難反省日」構想，比後來跟進的鄭南榕、陳永興、李勝雄發起的「二二八和平日」來，顯得高明而深刻。把「和平」跟二二八連接在一起，本來就怪怪的。耶穌（Jesus Christ）有言他不是帶來和平，是帶來刀兵，所謂和平運動，往往是挑起刀兵的。因爲倡言和平的，總未免捨末逐本——先攪起本已癒合的舊傷，再倡言撫平，這不太奇怪了嗎？他們口口聲聲希望二二八的陰影盡快結束，但卻勇往直前，遮住陽光，這樣下去，陰影反倒越難結束了。今天二二八問題所以治絲益棼、越炒越不能結束，就在人們搞錯了方向。我看遍了今天所有的「二二八」談話與作品，他們的哀呼、他們的悲慟，都是令人同情的。我個人早在他們哀呼與悲慟之前多年，就刊出更勇敢的台灣人劉峰松爲「二二八」受難者張七郎平反的文字，從哀呼與悲慟著眼，我與我的台灣人朋友早就先人著鞭，力斥外省人的兇殘無情。我爲義助台灣人而受刑受難受苦坐牢，記錄俱在、路人皆知，我無須澄清我早就同情台灣人的立場。六十四年來，外省人爲同情台灣人而被國民黨迫害既深且久者，無出李敖之右，這不是我說的，這是台灣抗暴的先行者異口同聲說的。

■提到爲「二二八受難者」張七郎平反的事，馬英九不是幹過嗎？

□是幹過，可是卻在李敖刊出劉峰松平反文字一二十年以後了。馬英九請我吃飯那次，我拿出證據，給馬英九看，並且當面提醒他，我和劉峰松是在「白色恐怖『時』」爲張七郎平反的，不是「白色恐怖『後』」爲張七郎平反的。馬英九知道我在當面反諷什麼，他臉紅了。英國首相格萊斯頓（Gladstone）說：Justice delayed is justice denied.（遲來的正義不算正義。）他該再補一句：遲來的正義是投機的正義。馬英九是投機的正義，他的文化局局長連機都不會投呢，她在亂投機。

龍局長亂投機

■亂投機？你指龍應台做馬英九的文化局局長時的德政嗎？

□最大的德政之一是，龍應台帶頭捧大漢奸李春生。李春生，台灣大買辦出身，一八六六年，幹到英商台北的寶順洋行（Dodd & Co.）的總辦。最後成爲台灣第二大富翁，僅次於板橋林家。甲午割台後，他投靠日本，中西牛郎寫的「泰東哲學家李公小傳」裡登錄他的名言，說：

獨我日本維新以來。三十餘年。微特不妨教。且縱民奉教。無何上帝既助。終至享有台灣全島。是可鑑也。

眞是馬屁十足。中西牛郎寫道：

明治二十八年。五月十日。朝廷以海軍大將樺山伯爵任台灣總督……全台騷動鼎沸。官民忽分三派。甲則歸順帝國。爲其臣民。以保生命財產者。乙則退去台灣。以歸清國者。丙則倡台灣之獨立。抗於帝國者。甲居大半焉。乙居少半焉。丙亦不少焉。且丙未就剿戮之先。甲乙亦多觀望成敗。向背未定。若夫自初投誠歸順。歡迎王師者。亦非無其人。如我李公固其一也……嗚呼向背之決。明白如此。此豈非文明人民之態度哉。

多妙啊，一開始就對日本侵略者「投誠歸順，歡迎王師」的大漢奸，歸爲「文明人民之態度」，這不正與口口聲聲「以文明來說服我」的龍應台若合符節嗎？馬英九的文化局長，最後文明的投機到大漢奸身上，豈不太荒唐了嗎？中西牛郎又寫道：

二十九年二月樺山爵帥歸京。告厥成功。文武從者甚眾。李公亦忝後車之榮。滯於帝都者。凡數十日。以台灣新附之民。觀光母國。與朝野名士交者。蓋自李公始。

這樣一個大漢奸，馬英九的文化局長卻大捧特捧，以投機本土掛帥，這種投機投過頭了吧？

龍應台不是媚日派嗎？

■龍應台做台北市文化局長時，除了捧媚日大漢奸外，她自己呢？她的馬英九市長呢？這對寶貝，一個台北市長、一個台北市文化局長，他們一起去見日本排華大將石原愼太郎那次，可丟了不少人呢。

□說來有點話長。我喜歡收集好的漫畫，我收有早年「花花公子」（PLAYBOY）雜誌刊出的一張，畫面上小兩口兒上床做愛，爲了變花樣，男方手拿性交之書以爲指南，但因一時弄不清姿勢，以致兩人扭在一起，不知如何是好。男的一邊查書一邊說：「一定在什麼地方弄錯了。」（We must have made a mistake somewhere...）後來我每想到這張漫畫，就聯想到馬英九。馬英九在處理日本鬼子石原愼太郎來台一事上，就犯了「一定在什麼地方弄錯了」的毛病。馬英九競選市長時，有一天秘密來我書房拜訪我，問我秘笈，當選後，未曾再來了。有一天，我順手翻到他選舉時的一本小冊子，題爲「二十一世紀台北」，其中有一段是：「去年，北一女校慶，班聯會邀我去演講，演講對我本是家常便飯，但是那場講得患得患失，因爲我的女兒提醒我，北一女學生對不精采的演講是何種反應，當天她也坐在台下。會後，雖然現場反應熱烈，我也覺得講得不錯，卻一直等待女兒的反應，女兒那天回家，第一句話說：『爸，I'm proud of you!（我以你為傲！）』這句話像天籟，讓我快樂了好幾天。記得鼓勵別人，即使是你家人也不例外，你想像不到他們多麼需要這些鼓勵。」我看了，爲之一笑，我笑的是，即使哈佛大學博士頭銜的馬英九，竟也在英文中譯上不小心弄出烏龍。因爲 I'm proud of you 不該譯成「我以你爲傲」，這樣譯是錯誤的。正確的譯法是「我以你爲榮」，馬英九的英文當然有基本水平，但他一旦發生短路，也會「一定在什麼地方弄錯了」。

■說了半天，錯在那裡呢？

□我還是要說來話長一點的說。

馬英九打電話來

一九九九年，李登輝勾引日本鬼子「東京市長」石原愼太郎來台灣，十一月十三日清早報上出消息，下午，新黨黨主席李慶華就約我召開了臨時記者會，我在會上「警告」了台北市長馬英九，我說你是「保釣健將」，而石原卻說釣魚台是日本領土，又否認南京大屠殺與慰安婦，你不可以見他，否則我跟你沒完沒了。晚上十點二十分，馬英九電話打到我家，向我解釋，談了半小時，我勸他注目在最高層次，我說客人不是你請來的，並且是李登輝秘密作業直接請來的，你何苦爲他背書、蹚這渾水？何況，「行客拜坐客」，這是起碼的規矩，現在變成石原在他住的國賓飯店等你，你去拜訪他，說得過去嗎？馬英九說我不到國賓飯店石原住的房間，而在國賓飯店中另一間房見面好嗎？我說又有何不同？馬英九說他盡量改在國賓飯店以外的第三地見面。我說我根本反對你見他。十四日晚上，我在高雄演講後北返，路上接到我太太來電說，馬英九又來電話了，解釋他總算不在國賓飯店跟石原見面了，改在第三地晶華酒店見面了。意味接受我的建議，做到「個人不失身分、團體不失立場」了。十五日見「台灣時報」報導：「馬英九昨天傍晚以首都市長身分，在晶華酒店設宴歡迎石原愼太郎，不過，因飛機誤點，會面時間比原訂晚了三十分鐘，又因石原晚間六時與李登輝總統有約，馬英九與石原的會面時間只得縮短。」縮短結果，只談了二十分鐘。馬英九最後還是被擺了一道！馬英九十三日告訴我四點半見石原，我說爲什麼時間這麼緊湊，他說要遷就石原在台灣忙。我說石原來台灣有三天行程，再忙也不會只跟你從四點半見到六點見李登輝這麼短的時間吧？現在報上登出了，原來石原不但叫馬英九白等他三十分鐘，並且只花二十分鐘就談完了。前天晚上我特別叮嚀注意別被日本人在程序上占了你便宜，果然不出我所料，這小白臉太天眞了！

龍局長陪同見日本大人

十五日「中央日報」報導馬英九見石原愼太郎後的「成績」如下：「台北市長馬英九昨日趁著與日本東京都知事石原愼太郎會面的機會，主動進行城市外交，表達雙方締結姊妹市的意願，不過在中共可能出現的壓力及東京與北京已結爲姊妹市的情況下，石原並不願正面答覆，只表示，透過文化經濟等方面的實質交流比形式上的姊妹市更有意義。爲盡地主之誼，馬英九昨日下午四時三十分在晶華酒店安排茶會，歡迎東京都知事石原愼太郎，不過，因行程延誤，石原愼太郎遲至五時十分左右，才在行政院經建會主委江丙坤的陪同下，抵達茶會會場。在近二十分鐘的會談中，雙方分別就文化、建立救災體系及推動公害防治等議題交換意見，並未談及外界關注的保釣及慰安婦等敏感話題，隨同的人士包括台北市政府副市長歐晉德、文化局長龍應台、新聞處長金溥聰、消防局長張博卿及律師王清峰等人。馬英九主動表達台北與東京締結姊妹市的意願，他說，台灣和日本每周飛機往返五十九個班次，每年旅客各有七十至八十萬人次，來往相當頻繁，他建議雙方進行更深度的往來及實質交流。不過，石原愼太郎並未正面回應，只表示，他贊同首都之間進行城市與城市經貿及文化各方面的交流，而與其進行形式上的交流，不如在文化、經貿層面展開實質交流。」我「警告」馬英九會得不償失，證明了我又一次是先知。如今馬英九陳（陳水扁）規馬隨，也把「城市外交」當成了牌來打了，我認爲對外交部而言，又犯了越俎代庖的錯誤。更何況這一外交，根本涉及內交，因爲王八蛋石原愼太郎所象徵的，明明不是「東京市」與「台北市」市與市間的層次，而是「日本」與「中國」（包括台灣）國與國間的層次，馬英九此時不知深明大義，反倒斤斤以「城市外交」做著眼點，浩浩蕩蕩，帶領包括龍應台在內的市府大員去貼日本鬼子的冷屁股，眞可說又賤又蠢了。

潘毓剛斥責龍應台無恥

■還沒完呢。美國波士頓學院（BOSTON COLLEGE）化學系的資深教授潘毓剛，他是全美華人協會的領袖，看不過去了，有信給你，向你抗起議來。潘毓剛說：

頃由媒體上得悉，你對馬英九之流會見石原愼太郎，只輕描淡寫地「認爲」「相當不智，有損個人政治形象」。我卻認爲他們相當無恥，不但有損個人人格，還有損中華民族形象！對石原這類喪盡天良、不知悔改的日本軍國主義餘孽，竟和他談友誼、談人道、談交流，還要接待他，豈不顯得我們的民族太沒氣節、骨氣？被他侮辱之後，不但不給他點顏色，竟還要和他友好交流？更無恥的是龍應台還把她的著作送給石原，把書中批評李登輝的部分勾畫出來，以爲這樣就可以掩蓋她怕丟官（不敢不會見李登輝邀請的「貴賓」），和想藉機會出鋒頭的僞君子無恥行爲。（你不是最恨僞君子嗎？）何況龍應台批評李登輝的部分，可能是石原最欣賞李登輝的地方。你能說服狂傲和偏執的石原？她無非想藉機宣傳一下她的著作，（要不是看到媒體報導，我還不知她有那本著作呢！）並藉書中批李登輝的內容，以洗脫她怕丟官和出鋒頭而去會見石原的無恥行爲罷了，她還說與石原會談只談文化和人道援助台灣地震而不談政治。作爲台北市「政府」部門的「文化局長」，竟不知她掌管的文化與政治是分不開的？她不是無知得沒資格當文化局長，就是無恥得故意混淆視聽，以掩飾她與沒有人性的混蛋談人道、談文化交流的無恥行爲！不知李總統候選人以爲然否？

你怎麼答覆的？

□我說：

施寄青曾告訴我說：龍應台是媚白種人主義者，她媚西洋人，且嫁給西洋人。但這次她對日本人的態度，證明了施寄青說得還不夠，龍應台其實還是媚東洋人（日本人）主義者，大概她採取南非政府的認定標準，不以日本人是黃種人吧？日本人種中的確有一種白種人，叫蝦夷人（Aino），他們住在北海道與庫頁島，可惜石原慎太郎不是蝦夷人，未免美中不足，不然龍應台媚起來就更起勁了。

上面所說的，都是一九九九年的事，十幾年過去了，龍應台簡直越來越囂張了，我只好出這本書，好好教訓她一次。我實在不得不這樣下結論：龍應台不但是媚美派、媚德派、也是媚日派。馬英九用到這種貨色大談「文化」，該怎麼歸類馬英九，我們也就恍然了。

龍應台不寫美國大兵在強姦

■還好，至少龍應台不是媚俄派，她談到俄國大兵在強姦中國女人。

□我國人的暴行固然該揭發，美國人就是好東西嗎？俄國人一九四五年的暴行，龍應台都不放過，爲什麼卻放過美國人一九四六年的暴行呢？一九四六比一九四五更接近「一九四九」吧？

■美國人在馬路上強姦中國女人，你指「沈崇事件」？

□「沈崇事件」不是單一事件，是蔣介石勾結美國人一連串在中國作惡的一件。按說第二次世界大戰打完了，你們美國大兵不回美國，盤據在中國幹什麼，很清楚，就是要干涉你們內政啊。美國大兵不回國，反倒開到北京（當時叫北平）、天津、秦皇島、青島、上海、南京等地。驕橫跋扈，犯罪事件不斷發生，甚至大殺中國人，光在上海，從一九四五年八月至一九四六年七月，就死傷達一千五百餘人。美國軍艦在黃浦江上橫衝直撞，民船被撞翻，落水而死的群眾達六百六十人。自一九四五年十月至一九四七年九月，駐天津美軍共發生車禍、槍殺、搶劫、搗毀、強姦等案件，達三百六十五起，受害死傷的中國人近兩千名。其中美軍汽車肇禍事件竟占全市交通事故的百分之七十。一九四六年九月三日，在北平火車西站，三個美國大兵比試槍法，竟以正在調車的鐵路工人王恩弟的人頭做靶子，當場將其槍殺。一九四六年十二月二十四日晚，北京大學先修班女學生沈崇，行至東單，被兩名美國大兵擁至操場，予以強姦。這下子事情鬧大了，各地抗議美軍暴行。蔣介石政府乃揑造事實，說北大女學生是共產黨，故意勾引美國大兵犯案的。幾十年後，這一說法發酵到高希均、陳長文夥同出版的「錢復回憶錄」，更加油加醬了。

錢復替美國人「緩生殖器」

錢復寫道：

大約同一時間，發生了所謂「沈崇事件」（一九四六年）。沈是北大外文系的女學生，據說在公園中被美國士兵「強姦」了，當時北大親共職業學生乘機發動罷課，風潮席捲了全國，各地大學紛紛罷課，口號是「反飢餓、反迫害」。很諷刺的是，當時國民政府雖然財政異常拮据，全國的大學生不分公私立，卻可以一律享受政府公費，也就是說連三餐都由國家供應，這些受惠的職業學生竟大喊「反飢餓」。這次罷課持續很久，對政府造成極大困擾，引起社會重大動盪。多年過後，中共當局公布沈崇是主動誘惑美軍，而非被「強姦」，其主要目的是喚起全國民眾反美情緒，減低美國對國民政府的支持。這件我親身經歷的事，使我徹底認清共產黨的面目，數十年來未有絲毫改變。

「沈崇事件」中的美國大兵暴行，被國民黨官僚錢復嫁禍遮醜後，又怎樣呢？美國大兵的強姦暴行又來了，並且來到了台灣。這回賴不到共產黨頭上了、也無法揑造「中共當局」來規畫了。「錢復回憶錄」只好寫下：

正在中美爲「地位協定」積極進行談判，一九六四年十一月初，又發生琉球美軍來華參加「中美天兵六號演習」，數名黑人士兵在彰化縣埤頭鄉和豐村集體強暴並毆傷我農村女子的嚴重案件。外交部在事發第三天才由美國大使館獲悉，同仁均認爲事態嚴重，除與國內主管機關聯繫、充分掌握資訊外，積極向美方交涉將嫌犯留置台灣（其餘美軍在演習結束，均須返回琉球駐地）。

但是美國主子才不甩你，把被告三人，運回琉球。開庭時，卻要求錢復他們退席：

二月九日上午辯方傳訊七名證人，五名爲被告同僚，另兩位爲台北美軍憲兵組長及路長宏。在後二名被詢問時，辯方律師又要求我們退席，庭長裁示同意，我們因不宜阻撓庭訊進行即離席，但是我立即請聯絡官通知一七三旅軍法組長雷農（Daniel A. Lemon）上校來晤。我說明剛才的離席是使庭訊能順利進行，但是當初沈部長向賴特大使所要求的是政府觀察員應能觀察一切審訊的進行，現在美方作法與當初協議是牴觸的。雷農上校一再致歉並表示這是美國法律的規定，他也無能為力。我即提出雖然我們為配合軍事法庭的運作離席，美方有責任提供我國全部庭訊的記錄，我當場寫了一封信給他，正式要求全部記錄。

多妙啊，原來是這樣配合美國主子的。

■歷史教科書上，不是早就說蔣介石廢除了不平等條約了嗎？怎麼美國人又來了「領事裁判權」？並且裁判到要你離席以利「庭訊能順利進行」了？

□我也奇怪啊！廢除不平等條約奇門遁甲，又回來啦。還有更妙的呢，一派漢奸口氣的錢復在回憶錄裡竟還讚美：「美方審理公正嚴明使我們印象深刻」！多賤骨頭啊！

■錢復眞賤骨頭。古人說「緩頰」，錢復可是「緩生殖器」了。

錢復從「外交」到「性交」

□還有更賤的呢！三名大兵中有一個叫英格瑞（Engram），錢復寫道：「英格瑞在犯案時，因緊張未深入，亦無高潮，且犯案後即在台中找軍中牧師懺悔，因此處刑最輕。」多妙啊，承辦「外交」的，最後美化起「性交」來了，替美國大兵開脫，我說蔣介石集團是親美集團、媚美集團，我說錯了嗎？

■龍應台總該看過「錢復回憶錄」吧？總該有點美國大兵強姦「中國人」「台灣人」的常識吧？

□錢復的書是高希均、陳長文那一掛人出版的，龍應台的書是殷允芃那種貨色出版的，他們都是天下書系，顛倒黑白，是一窩的。

■殷允芃的「天下雜誌」，自己選二百個影響台灣的人，有瓊瑤、有柏楊，可沒李敖，公道嗎？

□這是高希均、殷允芃式的公道。我從不向國民黨的天下要公道，在那種天下裡，這世界沒有李敖。

■但美國人眼裡有你啊，你的照片，又上了「紐約時報」啊。

□他們美國主子很識貨。我第一次出獄時，「紐約時報」派它的特派員到我家訪問我，其中之一，跟著洋人來的，就叫「殷允芃」什麼的。

■國民黨天下裡，由陳奇祿主持的行政院文化建設委員會，印出所謂「中華民國作家作品目錄」，全書七百零三個作家，竟沒有「李敖」呢。你看，七百零三個作家，都輪不到你，你多麼小咖呀！

□小得不足道了，我眞感謝他們放過我。

■在那七百零三個名作家裡，可有你明星前妻「胡茵夢」呢。

□看來我只好在報紙影藝版裡找我「李敖」了。

是誰引來美國大兵？

■多麼熟悉的標題，「是誰引來了美國大兵」，前面不是有過「是誰引來了俄國大兵」嗎？問題是，引來俄國大兵，還可說是爲了打走侵略者日本；引來美國大兵，要打走誰呢？那時候二次大戰打贏了，中國變成了戰勝國，戰勝國的美國大兵，還在戰勝國中國不走幹什麼呢？

□幹什麼？答案不是在干涉中國內政嗎？國民黨老立委王兆民跟我說：「誰說美國人不幫國

民黨啊，冰天雪地裡，在錦州替我們守橋的，不是美國兵嗎？」原來美國兵留在中國，是幫助蔣介石的軍隊打共產黨。杜聿明在「遼瀋戰役概述」中透露：

蔣見沒人附和他的意見，急得頭脹眼紅，從沙發上起來拍桌瞪眼大罵衛一頓，然後又舉起拳頭說：「馬歇爾害了我們的國家。原來在抗戰勝利後，我決定軍隊進到錦州後再不向前推進。以後馬歇爾一定要接收東北，把我們所有的精銳部隊都調到東北。弄得現在連守南京的部隊也沒有了。眞害死人！」蔣介石堅持收復錦州之謎由此揭穿了……這時我反問蔣介石說：「校長（這是我對蔣介石親切的稱呼）看收復錦州有幾成把握？」蔣說：「六成把握總有。」我覺得蔣介石似乎老胡塗了，有六成把握就想同解放軍決戰。爲了竭忠盡力維護蔣家王朝苟延殘喘的局面，這時我心裡還有一種熱氣，覺得不能不對蔣介石講明勝敗之道。於是引「孫子兵法」說：「孫子說，夫未戰而廟算勝者，得算多也；未戰而廟算不勝者，得算少也。多算勝，少算不勝（下面還有『而況於無算乎』這句話，我怕觸怒了蔣介石未敢說出）。現在我們算到六成，只會失敗，不會勝利。」這時蔣介石有些窘態。停了好久才說：「你看如何才可以收復錦州？錦州是我們東北的生命線。我這次來時，已經同美國顧問團商量好，只要我們保全錦州，美國就可以大量援助我們。現在應研究如何把錦州的敵人打退，將瀋陽的主力移到錦州，保全錦州。以後我們一切都有辦法。」這是蔣介石必須收復錦州的又一個謎底的揭開。

正因爲蔣介石有這種「錦上添花」的錦州好夢，所以，照廖耀湘的參謀長楊焜「遼西戰役補述」的回憶：「十月十五日錦州解放了，蔣介石還是一再催逼廖迅速向錦州前進，還夢想與東進的國民黨軍會師恢復錦州呢！」楊焜問廖耀湘：「我們爲什麼不趕快前進？」廖耀湘說：「我判斷不會出幾天，錦州就會被解決，那時我們就不要前進了。」殊不知錦州縱已丟了，蔣介石的大夢猶未先覺，直逼得廖耀湘兵敗被俘，不得罷休呢！蔣介石引來了美國大兵，聽美國將軍馬歇爾的話，越過錦州還要向前打；又同美國顧問商量好了，保全錦州，一切都有辦法。結果錦上還沒添花，就先開了花。共產黨打進錦州之日，錦州城門上還掛著國民黨立法委員選舉的招貼，「擁護石九齡爲立法委員」。「石九齡」當選了，卻在台灣幹了代表錦州的老賊立法委員，一幹幾十年，他的兒子就叫「石錦」，後來成了我的三姊夫。

龍應台不是親美派嗎？

■也許龍應台會說，我不止各打五十板。我沒有只怪國民黨共產黨，我還筆桿朝外，描寫了蘇聯軍隊強姦中國女人，也諷刺出「斯大林大街」的不當，中國的城市裡怎會有以外國元首爲名的大街？

□「斯大林大街」最後被共產黨作廢了，可是台北市的「羅斯福路」呢？今天還在那兒。在雅爾達會議出賣了中國的羅斯福，還在羅斯福路上納福呢。

■羅斯福以外，還有麥克阿瑟（MacArthur）公路呢。

□我忍不住要問的是，蘇聯軍人強姦中國女人固然該譴責，同一個龍應台，為什麼對美國軍人強姦北京大學女學生隻字不提？北大女學生不是中國女人嗎？何況，美國軍人強姦中國女人，時間離「一九四九」更近，地點就在北京名城裡，又怎麼說呢？又何況，還不止在北京呢，在武漢，美國軍人還搞集體強姦名媛呢，龍應台為何默不吭聲，因為他們是美國人嗎？你龍應台的公正的大板呢？

■龍應台是親美派嗎？

□她當然是。她留學美國。

■留學美國一定是親美派嗎？

□理論上不一定，事實上卻難看到不親美的，至多只是親的程度不同而已。照道德標準來衡量，你不積極拆穿美國，你含蓄，你就是外交辭令的親美派。看一段我在立法院時與駐美地下大使李大維的對話吧：

李委員敖：請問我們買的武器，如果對岸攻打台灣，我們可以支持多久？

李代表大維：我坦白報告李委員，牽涉因素很多而且複雜，也得視情況而定，例如那種情況下挑起武力衝突，這是很重大的因素。

李委員敖：你回答得太含蓄、太外交辭令了。如果我們買了武器，可以抵抗對岸攻打，國防部長有明確告知我們時間，請你告訴我可以支持多久？

李代表大維：我不是國防部的官員。

李委員敖：請你告訴我，你到底知不知道？

李代表大維：不知道。

李委員敖：我告訴你，國防部李傑部長告訴我們，買了武器之後，我們可以抵抗兩個星期，我問李部長，兩個星期之後會有什麼結果？他說等美國人來救援。請問美國人會來救援我們嗎？

李代表大維：就我的報告所提，台灣關係法裡的安全條款，當台灣受到外力威脅時，美國總統應該立即通知國會，共同依據憲法程序決定採取適當的行動，這裡面有許多前提，第一挑釁是北京方面要負完全責任或是……

李委員敖：你講的都是外交辭令。

李代表大維：因為我是外交官。

李委員敖：我可以仔細閱讀你的書，不用聽這麼多的話。書裡第二〇三到二〇四頁，台灣關係法所談，如果對岸攻打台灣，美國表達不是立刻出兵而是嚴重關切，對吧。你在書裡舉四個例子，雖然美國說了嚴重關切，但屆時不會出兵，你記得四個例子嗎？

李代表大維：那是我二十幾年前的博士論文。

李委員敖：記得嗎？你講話太繞彎子，我沒有那麼多時間。

李代表大維：我不記得。

李委員敖：第一，一九五六年蘇聯出兵攻打匈牙利，美國表達嚴重關切，結果沒有任何動作；第二，一九七五年蘇聯軍援安哥拉，古巴出現了，美國也表示嚴重關切，但沒有動作；第三，一九七六年北韓殺了美國兵，美國表示嚴重關切，但沒有下文；第四，一九七九年二月九日美國說中國攻打越南，美國嚴重關切，但是八天後中國攻打越南，美國沒有動作。美國參議員裴西（Percy）舉例，依台灣關係法，如果大陸攻打台灣，美國表示嚴重關切，照國防部李傑的說法，我們可以抵抗兩個星期，如果美國嚴重關切，比照參議員裴西的說法，如果美國沒有救援動作，怎麼辦？有這種可能性嗎？

李代表大維：當然有可能。

在我引蛇出洞，逼出美國不來的可能性後，我進一步的逼親美派露出原形：

李委員敖：可是在假設對方打過來的情況下，國防部長告訴我們，如果我們不買武器，我們就會完蛋，但買武器也只能抵抗兩個星期，兩個星期以後，你辦外交的責任就出現了。老美如果不來救我們，到時台灣將成爲一片廢墟和火海。如果比照本席剛才所說的，美國參議員評估，有四次退票的記錄，導致他們不再來的時候，屆時我們該怎麼辦？你現在根本沒有答覆本席這個問題，你只是告訴本席，美國可能來，也可能不來。你的報告裡面提到，該法雖未規定美國必須以武力回應，當然也未排除任何可能之作法。今天請你明確的告訴本席，美國可能不會來，是不是？這是 yes or no 的問題。

李代表大維：這個問題不能用 yes or no 來回答。

李委員敖：這只有來和不來兩種情況，難道還有來了一半還跑回去的情形嗎？

李代表大維：這也不無可能。美國用兵的原則是如果他們決定要來，就必須做有把握的事情。如果他們發覺台灣已成爲一片廢墟，軍事就派不上用場了。

李委員敖：你今天讓本席明確的得到一個結論，就國防部長的說法，我們買了武器之後可以抵抗兩個星期，並等待美國來救援。但你今天告訴我們一個訊息，就是美國可能不會來，本席在此謝謝你。

李代表大維：報告主席，我能否再補充一點？

李委員敖（在席位上）：這違反議事規則。

以上質詢是二〇〇五年十二月十四日的事，由於我的犀利和慧黠，我終於從馬嘴裡（from the horse's mouth）掏到親美派的眞話。乍看起來，這跟龍應台好像沒關係，實際上，與美國問題是「大江大海一九四九」的關鍵問題。親美派的龍應台一直閃躲這個關鍵問題，甚至連「現象」都閃躲，「蟬曳殘聲到別枝」，這是不可以的，我必須指出來，指出「大江大海一九四九」這本書在逃避什麼。逃避於先就會蒙混於後，龍應台引導讀者，都以爲「大江大海一九四九」就是那些問題，其實還多著哪！她帶著她的笨蛋讀者都溜走了。

■你出版這本「大江大海騙了你」，就是要扭轉這一龍應台現象？

□的確如此。

■這樣扭轉夠嗎？親美派，兩岸的親美派就不親美了嗎？

□親美現象是根深柢固的、日積月累的，需要大規模的掃蕩戰才行。

■寫「陽痿美國」這本書，四十萬字、六百五十二頁，就是大規模掃蕩戰吧？

□是一個起點而已。

■掃蕩戰有篇廣告詞，倒像一篇檄文呢。你親口念一遍吧。

我寫「陽痿美國」

□閹割美國太不幽默了，讓我們陽痿它。

對美國，我們不是「治療陽痿」，我們是「陽痿治療」。是用使美國陽痿的方法，治療美國「強陽不倒」的絕症（「強陽不倒」的學名是「陰莖異常勃起」，priapism）。

美國的絕症很邪門兒，它得了「政治上的強陽不倒」（political priapism），禍害世界和它自己。

美國得天獨厚，變得強大，卻不知以其強大，與世修好；反自恃強大，與世爲仇，惹來人恨，又不知自己多麼可恨，其驕縱狂妄，亦復可知。美國以拳頭威脅世界，它的「拳頭開支」（軍費），占世界一半，它不但自己伸出大拳頭，還賣小拳頭給四方，激發軍備競賽、製造世界緊張。全世界六十六億人口，平均每人要花二百零二美元玩拳頭，聽任全世界窮死、餓死，這是什麼對比？美國宣傳說它愛好和平，現在查出來了，它花在殺人的錢與救人的錢的比例是三十比一；美國宣傳說它慷慨，給歐洲多少錢，現在查出來了，原來美國人每人只花了六點七美分的錢，相當於一塊糖的錢，給了歐洲；美國宣傳說它對世界捐助最多，並且有八成一的美國人如此相信，現在查出來了，比例上，它是全世界最小氣的國家，「聯合國世界衛生組織」公布：只要拿出美國所得百分之零點一的錢救人，相當於每個美國人出一毛錢，即可救出成千上萬條人命，可是美國人卻一毛都不拔！

如果錢是美國大富翁自己的，它小氣，倒也罷了。眞相是，這大富翁越來越是假的，它外場的珠光寶氣，卻建築在「以鄰爲壑」的內場上。

美國曾經安分過、曾經有錢過，但是今天它變了，它變得鴨霸四海、狂吃八方，債台高築之下，它的政府，每花一美元，其中四角一分是借來的；它的人民呢，一美元當十美元大花特花、虛擲浪費。在美國境外流通的美金總數，比在美國本土還多得多，這就是說，美國在用印鈔機吃世界，一張百元美鈔的印刷費只要兩分錢，一張張印出來，全世界都被它偷吃了。

美國變了，美國是他國的禍害、是人類的噩夢、是世界的猙獰。

美國動用排山倒海的「柔性力量」(soft power) 載歌載舞，在歡樂中使我們嚮往它，淡化它的惡形惡狀。我們曾經嚮往過，但是，我們必須覺悟了。我們用這本書，舉證歷歷，表達我們的不安與憤怒，我們決心不再受騙了。

閹割美國太不幽默了，讓我們陽痿它。

龍應台只會訪問一些小人物

■龍應台寫書搞訪問，有方法學上的缺失嗎？

□訪問是好的，但龍應台犯了一個大毛病，她只會訪問到一些小人物，也就是低層人物。其實要弄清眞相，要從高層人物下手才行。高層人物掌握動態與動向，從他們身上，才能看到全局。一九四九的故事，常常不是個人的、片段的，而是斷續的、一組的、一代兩代三代的相沿發展的。以蔣介石身邊第一文膽陳布雷爲例，愛國者陳布雷第一代是國民黨、愛國者陳璉第二代是共產黨、叛國者陳師孟第三代是民進黨。三代故事的高潮是陳布雷爲國民黨而自殺、陳璉爲共產黨而自殺、陳師孟爲民進黨而殺了國家。爲了親切，聽聽陳璉在北京貝滿女中的一個學生的回憶吧：

另一次是清早到學校就聽說教語文的田先生和教歷史的陳璉先生被捕了，學生組織罷課，我立即參加，因爲我喜歡陳璉先生，抓那麼好的老師太不公平！……

解放後一次全校聯歡會在風雨操場舉行，這種不在大禮堂舉行的全校聚會，表面看似乎不那麼正式。但陳璉先生突然穿著解放軍的灰色棉軍裝出現在台上，引起全場沸騰般地歡迎！陳先生的樣子依舊羞答答，與軍裝那麼不協調。顯然那套軍裝對嬌小的她是太大了點，她舉手敬軍禮又那麼不習慣不自然，但是台下長久持續的歡呼聲和掌聲，說明她多受同學的歡迎和敬愛！陳先生用平靜的微笑等待台下能聽她講述自己被捕後的經歷。

與陳璉先生一同被捕的還有她的丈夫。因爲她是陳布雷的女兒，專門打電話到南京請示陳布雷「他的女兒有叛逆行爲怎麼辦？」陳布雷回答：「依法查辦！」就因爲這句話不是求情，才更不敢動她，將她押送到南京開始在家被軟禁。她只有從國民黨的報紙上，推測局勢的實際變化情況，也意識到國民黨在南京撐不下去了。陳璉說自己始終沒屈服過，並對陳布雷宣布：「你走你國民黨的路，我走我共產黨的路！」最後國民黨往台灣撤退的時候陳布雷自殺，陳璉重獲自由參加了解放軍。陳璉的丈夫解放後曾在報社工作，反右的時候被劃爲右派。陳璉在華東局工作很多年，文革期間跳樓自殺身亡。

可嘆陳璉先生本以爲自己與父親走的是「幽明異路」，想不到最終竟然是父女「殊途同歸」！陳布雷、陳璉死而有知，絕對想不到陳家的第三代竟是這種「幽明雖異路」「殊途不同歸」的怪胎。多麼有代表性的「一九四九」故事啊，可惜龍應台不會寫。龍應台的年份太輕了，她踮著腳也搆不上「一九四九」。要躬逢其盛的人才行，才寫得眞切，像上面寫陳璉的，就是陳璉的學生李珣。李珣不是別人，是我的二姊。

小心他們在集體說謊

■理解「一九四九」，有特別要當心的嗎？

□當心說謊，尤其集體在說謊。

■爲什麼要集體說謊？

□因爲有了集體挫敗，別忘了「一九四九」給打到台灣來的蔣介石人馬，都是失敗者。失敗的人、失敗的馬。馬的好處是不會失敗後說謊，人卻會。集體說謊的最大案例，就是所謂「太原五百完人」。這一謊話不是一陣風，吹過就算了，它還有古蹟呢，就在台北圓山大飯店前面的叢林裡，有所謂「太原五百完人招魂塚」，有碑有廟，雖然有點荒煙蔓草了，但還健在，五百完人的集體謊話，正在琉璃瓦的鉤心鬥角間。

■那個地方有好幾條高速路交叉，又得不太容易被發現。虧得你特別注意到它。

□因爲我小時候去過太原。「太原五百完人」招魂塚在圓山，圓山雖然一點也不高，但是看起台北夜景來，倒也有氣象一新的迥異。這種迥異，一上山就立刻顯出來了，它使你立刻感到你已不在台北，雖然事實上，你還在台北，我滿喜歡這種立刻脫離台北的一股錯覺。尤其上山前經過「太原五百完人」招魂塚，宮殿式建築的陰影，更增加了你立刻墜入

「時光隧道」的氣氛。「太原五百完人」是國民黨在大陸撤退前的一批死難者，但他們不是國民黨嫡系，而是「山西王」閻錫山的人，他們在山西太原，在城陷以前，自知逃不掉，共產黨也不會饒過他們，乃在太原城中最高的山頭死守，其中有的還強擄城中美女一起世紀末，最後一起死了。國民黨嫡系精於逃難，死難非其所長，以致烈士缺貨，缺貨之下，就只好挖閻錫山的死人來充數，一網兜收，喚作「太原五百完人」。我小時候，曾在太原這山頭玩過，如今他們魂兮歸來，從太原最高山頭到台北最高山頭了，我也幸逢其會，也從太原而台北，恍惚之間，我好像是一個大歷史的小證人，冷眼看盡國民黨的洋相。我每次路過圓山，在墜入「時光隧道」之餘，常常渾忘台北，反倒想起太原，爲之在生死線外，別有所思一番。

■如果眞的是五百人一齊殉死，倒眞是「一九四九」一件大事。

□那天正好是那年四月二十四日，倒是典型的「一九四九」呢，如果是眞的話。

所謂「太原五百完人」

■你的意思是不是眞的？

□至少數目灌了水，灌了十倍多。根據一九五〇年九月十三日的所謂總統令，明說：「故山西省政府委員梁敦厚，前於民國三十八年四月太原被共匪攻陷之際，率屬集體自戕……偕同僚五百餘人，從容就義。」這是「五百餘人」的官方說法。但照閻錫山「太原五百完人成仁紀念碑」，則說：「是役也，除戰死及軍民殉難者無算外，我文武人員義不反顧，集體自殺以報國家者，舉今所知已五六百人。」兩者說法，死難人數在五百到六百之間，至為明確。不過，照「山西文史資料」第六十輯公布的調查報告，事實上，死難者「全部只有四十六人」而已！的確有人死了，但沒死那麼多。號稱五百，是串連並比美古代田橫五百義士殉死的故事，於是就吹起牛屄來。

■這種集體謊話，太荒唐了吧？

□誰說不呢？據調查報告，台灣這邊所捏造的五百完人「題名錄」，就是所謂名單，只有二十個人是眞的，調查報告說：「太原四十六人自殺，『題名錄』列出其名的不到二十人，除此之外，都是捏造的。其中，有的名字確有其人，但不是仰藥成仁，他們有的還健在人世；有的是戰死或病死的；有的是被閻錫山或其軍政機關處死的；而有相當一部分名字，是並無其人的；而這些人的職務百分之九十以上又是虛構的。」以上所根據的，是文證，就是調查報告，無獨有偶的，也有人證，就是台灣這邊的前情報局督察室主任谷正文將軍。他是山西人，對他家鄉的內幕，了解獨多。他告訴我，「太原五百完人」中，有人活到台灣來了，不過都改了名字了。龍應台不是喜歡拈出「一九四九」嗎？她怎麼面對所謂「太原五百完人」呢？如果眞的，她不能不寫；如果假的，她不該逃避。五百完人太特殊了，他們是飄洋過海而來的五百個死鬼，比起逃到台灣的殘兵敗將，他們太「大江大海」了。龍應台聽好啊。

■聽說所謂五百完人中，有十八九歲的少女在內，她們跟共產黨有什麼仇，死個什麼？

□她們是被裹脅的，例如特警處代處長徐端的小老婆劉建德，就是其中之一，她是山西徐溝人，死時才十九歲。特警處副處長蘭風霸占的晉劇女演員王桂燕也陪做「完人」了，她本要逃走，被蘭風當場擊斃了，死時才十八歲。龍應台喜歡向失敗者致敬，請致敬吧。

說你是烈士，你就是烈士

■這叫什麼，叫強迫做烈士嗎？還是烈士缺額，強迫你補空缺？

□就算強迫你做烈士吧。不過，有一種比較仁道的，就是明知你生前非烈士，但硬說你是烈士，大家聽了高興。

■有例證嗎？

□當然有。以遼西戰役被俘的國民黨軍頭廖耀湘爲例。廖耀湘由於蔣介石胡亂指揮，以致兵敗被俘。一九六一年，共產黨放他出獄。一九六八年死去，活了六十三歲。廖耀湘死後，他的部下親友出了一本「廖耀湘將軍逝世十周年紀念專輯」（一九七八年編印），在台灣出版，算是「私史」。在書中刻意謊言他的下場，如謝冰瑩、黃振華、陳維綸，都說他「殉國」了。舒適存說他「被俘不屈死」、劉建章說他「終以不屈死」、何福祥說他「以不屈死」，這都是錯誤的。事實上，廖耀湘不但沒「殉國」，並且在出獄後，出任政協文史資料研究委員會專員、四屆政協全國委員會委員。可見他前半生是「中華民國」的軍人，後半生卻是中華人民共和國的循吏！所謂「殉國」與不屈而死，都是假的。這種刻意的謊言，在三年後，於一九八一年國防部史政局出版的顧祝同「墨三九十自述」中，也一直延續著。顧祝同說「其後被共軍包圍猛擊，廖耀湘不幸殉國」，可見這種廖耀湘殉國的謊話，已由國防部史政局列為「正史」了。多微妙啊，「一九四九」後的一件公案的歷史，從「私史」到「正史」，可以這樣公然揑造。硬把一個活生生的降漢扮演成血淋淋的烈士，多微妙啊。這是一幅奇異的「一九四九」忠烈圖，可惜龍應台不知道。五百完人中的假烈士只是「遠景」，因為他們不能上比「近景」的廖耀湘，共產黨最後還為廖耀湘開了追悼會呢，所有廖先烈的所謂殉國謊話，都給拆穿了。向失敗者致敬吧，可憐的「大江大海」派！

■明明是「殘山剩水」，卻擺出「大江大海」的架構，這種架構，正是蔣介石留下來的思維。

省得了省嗎？

□蔣介石流亡到小島上，一開始是中央政府架構的流亡，後來「一年準備、兩年反攻、三年掃蕩、五年成功」的吹牛都變成吹泡泡了，蔣介石有一天自己也撐不住了，在流亡到小島十七年後，蔣介石在一九六六年十二月十九日有了在台北陽明山做「行政革新的要旨」秘密談話，透露他早就有一個「直覺的想法」，他說：「既然政府暫時只轄有台灣一省和澎湖、金門、馬祖以及東沙、南沙群島等幾百個島嶼，雖說在制度上要有中央和地方的區別，但是在工作業務上，實可以化繁爲簡。我當時的意思，行政院長就可以兼任台灣省政府的主席，內政、財政、教育、經濟各部部長，也就可以兼任台灣省政府的民政、財政、教育、建設各廳廳長，如此中央和地方業務，統一集中，其指揮運用或將更爲靈活有效，這是我在當時對於行政組織改革的構想。」蔣介石這一構想倒是承認現實的，但是，他爲什麼不這樣做呢？他的理由是：「由於形勢改變，對外關係發展以後，自不能這樣來做，無論對外即使對敵也不能這樣來做。」蔣介石透露了他不能這樣務實的原因，說穿了，是他還需要所謂「中華民國」的大架構，有所謂一國在手的大戲台，比較好演戲，雖然台下只有一群狗，沒有聽眾了。蔣介石死後，政權延續到兒子的手裡；兒子死了，又延續到兒子的奴才手裡。蔣介石用人，把人才當奴才；他兒子用人，把奴才當人才，結果第一號大奴才被當成人才使喚，一旦沐猴而冠，竟嫡傳起蔣介石當年那中央地方政府二合一論，不過，這奴才更徹底，他攔腰一斬，從下面切斷了，蔣介石希望行政院長兼台灣省主席，這回可眞做到了，因爲根本連省都廢了，根本沒有了台灣省主席！整個所謂「中華民國」，變成了頭大腳輕的怪物。當時廢省的第一大理由是說，你共產黨不是說台灣是你的一個省嗎？好了，我們今天把省給廢了，沒有省了，看你怎麼說是你的一個省！多妙啊，這不是掩耳盜鈴嗎？你說沒有省了，共產黨就會跟著你一起廢掉嗎？

「中華水螅國」

■由此看來，蔣介石兒子的奴才，可眞是蔣介石的忠實信徒呢。

□不但從行政院長以下一通到底，把所謂「中華民國」這個怪物，通成了「腔腸動物」，並且不是水母型的腔腸動物，水母型的至少還能游泳到外面世界競爭，而是水螅型的，並且是「群體水螅體」，擠在一起。台灣小島正是他們「水螅型群體附著基」(polypary)，困在那裡叫什麼「中華民國」，其實該叫「中華水螅國」，才更傳神呢。由蔣介石兒子的奴才傳下來的蔣介石思路，陰魂不散在政治人物身上，倒不稀奇，這一道陰魂，其實廣被群生，還散在許多莫名其妙的人身上，其中老朽的不必說了，說個時髦的，是個女的，她的名字，就叫龍應台。從歷史的規格講，龍應台沒有什麼好提，因爲她是一個蔣介石逃到台灣後的產品、一個蔣介石輻射下的小人物，但她有代表性，不同於直接做蔣介石政治鷹犬的李登輝之流、或文化鷹犬的錢穆之流，龍應台跟蔣介石沒有直接淵源，蔣介石逃到台灣第三年，在台灣南部的鄉下，她才出生，外省人的家庭背景，卻生在鳥不生蛋的地方，可見沒什麼顯赫可言，跟蔣介石有淵源的，不會那麼寒酸。龍應台在漁村中長大，在南部念了大學、在美國留學九年、在歐洲嫁洋人十三年、三十一歲回到台灣，蔣介石已死了八年了，龍應台一回來就在大學教了書，三十五歲，她以「野火集」專欄成名，她的文筆不錯，能夠把小寫字母放大，她在蔣介石兒子統治下敢小聲罵人，只小聲罵到警察總監而已，罵警察總監自不是罵封疆大吏，所以，極爲安全，但卻聲名竄起。這一點，跟一個國民黨文人太像了，那文人就是柏楊。柏楊也是靠罵警察起家的。只是擦玩具槍出水，被抓起來，抓他那天報上，還有他拍蔣介石老婆的馬屁文章呢。柏楊坐了十年牢出來，又回復到國民黨作家身分，只是連警察也不敢碰了，他寫了一本「醜陋的中國人」，他把醜陋加諸所有的中國人身上，引起魯迅徒子徒孫和洋記者的喝采。事實上，他要罵的是蔣氏父子，可是不敢罵，就把全部中國人包裹起來一發斬掉，害得中國人一起倒楣，相對的，他還捧蔣氏父子是他「孺慕」（叫爸爸）的對象，歌頌他們「熱情忠厚」、「一代英雄」呢。

龍應台的柏楊路線

■柏楊的作風還有他軌跡可尋，因爲他畢竟是國民黨文人，龍應台就莫名其妙了。

□她走柏楊路線，也罵起中國人來。她的招牌文章是「中國人，你爲什麼不生氣」，所舉的例子都是日常生活的雞毛蒜皮。她譴責商人偷殺老虎，但卻絕口不提「苛政猛於虎」；她要求立法保護老虎，但卻絕口不提保護「法中之法」的憲法，她寫道：「我愛台灣，無可救藥的愛著這片我痛恨的土地」，但她不敢恨土地上的蔣介石，就把中國人給品頭論足個夠。一如柏楊的怯懦。柏楊明明想罵關了他的元兇，但他不敢明指，就拖全體中國人下水，都諡以「醜陋的中國人」了。有一點，要特別一提的是，柏楊在國民黨「中國青年反共救國團」僞組織裡做大將，是非常「得君行道」的顯赫人物：在横貫公路完成時，國民黨「層峰」「巡視」，他曾「隨侍」在側，爲「横貫公路十二景」題名，他的顯赫，由此可見；他的「文學侍從之臣」地位，也由此可證！後來，因爲辦救國團活動，假公濟私，誘姦女學生，罷官下台。嚴格說來，柏楊還沒做到國民黨僞政府中的官，只做到黨官團官。

但龍應台卻不一樣，她一做官，就做到大官，當了馬英九市長下的文化局局長。這任局長幹得妙，因爲使龍應台不但坐而言，並且有了起而行的機會，糟糕的是，文化局長幹下來，卻不文化已極，她要捧這塊土地的所謂文化人物，卻大捧特捧起漢奸來，並在日本反華大員面前，展示軟功。

說龍應台沒什麼好提，卻又提到她，基本原因是直接與蔣氏父子有關的奴才們媚蔣，還不奇怪；龍應台太年輕了，得不到「聖眷」，卻一脈相承起媚蔣大業來，就太奇怪了。正因爲這個女人有樣板作用，所以檢查她的一貫言論，便成了必要。大體說來，她前期的著作，是在這一基調上反思中國人的，但她不敢反思蔣介石和蔣介石的僞組織、不敢擒賊擒王。所以千言萬語，不過假「野火」悶燒，都是避重就輕。龍應台做過德國人的太太，嫁給洋人不算錯，但處處指著被她背離的中國人，以德國腔說三道四，就偏差不妥了。龍應台如果只是以她的身分，限於「德國人太太思維」，問題尚小。不可收拾的是，她又擴大大談思想問題、歷史問題，但她的頭腦跟訓練，實在不能談這些問題，所以一談就露了餡、漏了氣，並且陷於「蔣介石思維」而不自知，這就麻煩來了。

蔣介石思維

她的著作，前期尚屬「德國人太太的思維」，十年二十年過後，她越來越「蔣介石思維」了。什麼是「蔣介石思維」？「蔣介石思維」是一群人，他們篡了革命，禍國殃民，「一九四九」年後，逃到中國東方的一個小島上，年復一年，說中國是他們的。事實上，他們只霸占了中國千分之三的領土，號稱反攻大陸。但蔣介石死時，已經拖了二十六年回不去了，但教科書上的首都還說是南京，說得過去嗎？你成功的只是禍國殃民，但你最後被趕出中國大陸了，太久了，你連「偏安政權」「流亡政府」都稱不上了，你只是鼠竊狗偷，在中國的叛亂一省上張牙舞爪。蔣介石在這一省上霸占了二十六年，他死了。他兒子又拖了十三年，近四十年過去了。他兒子的奴才又拖了十二年、他派生的另一個黨又拖了八年、再換回他嫡傳的黨又兩年，如今足足六十年了，你還敢叫建國一百年的什麼「中華民國」嗎？有這樣在千分之三領土上「遙領」的國家嗎？

國民黨文人

■「蔣介石思維」都是由國民黨文人推動的，談談國民黨文人吧。

□從國民黨文人說起。實際上是指國民黨的知識分子，爲了語含貶意，就統稱國民黨文人了。文人是舞文弄墨的，國民黨總理號召發揮「筆墨之權威」，但國民黨的筆墨實在不怎麼樣。它早期的文膽是葉楚傖之流，本是海上「鴛鴦蝴蝶派」那種貨色，文字惡劣，一路是共產黨的手下敗將。後來拾點左派餘唾，但文字一出手，就不脫傳統國民黨文人那一套。傳統的國民黨文人太老派了、太迂腐了、太教條了，黨性太強了、文字太笨了、臭招牌太明顯了。他們這些人，表現在「黨八股」上、「戰鬥文藝」上、「軍中文藝」上、「復興崗學報」上、「中央日報」上，到處痾屎、臭氣薰天，他們的作品是集體失敗的，但他們「肉麻當有趣」，寫個不停。他們之中有一股流派，以「闡揚主義，反共抗俄」號召，其中任卓宣（葉青）、胡秋原屬之，文章又臭又長又無趣。本來還有人信什麼三民主義的，被任卓宣一本又一本大闡揚特闡揚後，大家都怕死主義了。胡秋原是另一寶。抗俄抗了千言萬語，被人問道：「你說你抗俄，可是我們感覺不到啊。」他的答覆竟是：「我一路罵的是日本，日本即是俄國！」這樣子亂七八糟，難怪國民黨在開除他一次後，多年後又開除了他。以上所說的，都是傳統的國民黨文人，這些人寫文章，總評八個大字：「暴殄文字，亂七八糟！」這樣子搞宣傳，當然沒人信，甚至適得其反。最後，傳統的國民黨文人沒指望了，只好冒出有點花稍的，可叫花稍的國民黨文人。

■花稍？你指章回小說「兒女英雄傳」所說「進場這天，打扮上花稍花稍」？

龍應台比國民黨還國民黨

□正是如此。花稍的國民黨文人，在這個被國民黨盤據的島上，蔚爲特色，有三種形態：

第一種——原生型的國民黨文人（如柏楊之流）
第二種——派生型的國民黨文人（如余光中之流）
第三種——衍發型的國民黨文人（如龍應台之流）

三種形態的共同特色是：乍看起來，他們不怎麼國民黨，甚至不是或不再是國民黨黨員，但他們的基因，卻是國民黨，並且是十足的國民黨，甚至比國民黨還國民黨。

■比國民黨還國民黨？

□當國民黨自己，都說不出口的「大道理」，有人代他說出，這不正是比國民黨還國民黨嗎？

■誰？

□從余光中到龍應台皆是也。龍應台尤其見首又見尾。試看「大江大海一九四九」，她的主軸就是「逃亡有理，禍國無罪」，不但有理無罪，還要我們向「失敗者」致敬呢。這種不要臉的主軸，今天的國民黨都沒臉這樣說了，但由龍應台將「大道理」發揚光大，這不正是比國民黨還國民黨嗎？

■你用「國民黨」這個詞彙時，是廣義的嗎？

□是廣義的，但也有貶意。

■「蔣介石」三個字呢？也有廣義和貶意嗎？

□也有。在廣義方面，包含蔣介石的走狗，和蔣介石引發的種種思維，所以範圍比較寬，寬到了「大江大海」呢。

■「大江大海」跟蔣介石等號嗎？

□蔣介石弄成的「殘山剩水」，竟被「目光如炬」的龍應台看成「大江大海」，並且寫書發揚，害得傻瓜們視爲「優良讀物」，這種局面，都是蔣介石作俑的，當然要算在蔣介石頭上。孔夫子說：「始作俑者，其無後乎？」蔣介石眞會作俑，因爲他自己就變成了俑。結果他有了後了，後就是一群「蔣介石超渡派」，從德國棄婦、到大陸學人……統統都是。這派人士的賤處，在他們並非蔣介石嫡系的孤臣孽子或直接受益人，既非郝家也非連家、馬家、吳家……而是八竿子打不到的「甘爲人後」之家，這些人，甘爲蔣介石超渡，太賤了吧？

■因此，你忍不住了，提出了質疑。

□是的。

■我們對這種賤，有了好題目，可以談談了。

□有時候，正面談它們太乏味了，我們要來一點反問。

孔夫子在質疑啊

■孔夫子「入太廟，每事問」，孔夫子只是問問問，他反問嗎？

□「入太廟，每事問」就不是問，而是反問。在「論語」中的原文是孔夫子進太廟，問東問西，大家就奇怪，誰說這老先生是禮的專家啊，他怎麼什麼都不知道、什麼都問。其實，眞相是，孔夫子的語氣是一件一件的在反問、以反問代替反諷，間接證明你們在太廟中逾越了禮的規範。我們背背「論語」的原文吧：

子入太廟，每事問。或曰：「孰謂鄹人之子知禮乎？入太廟，每事問。」子聞之，曰：「是禮也？」

市面上的孔子專家們把這段話翻成：

孔子做魯國大夫的時候，初次進入周公廟助祭，每件事情都去問人。有人便譏笑他說：「誰說這個鄹邑的年輕人知禮呢？進入周公廟，每件事都要問人。」孔子聽到了，便說：「凡事謹慎，不懂得的便問，這就是禮啊！」

事實上，孔子專家們都翻譯錯了。「論語」中「是禮也」中的「也」字是「耶」字的意思，「是禮也」乃是「是禮耶」的反問語氣，意思是反問：這是禮嗎？在周公廟裡竟用到天子之禮，這是逾越禮的規範的，禮該這樣嗎？我剛才說了一大堆，就在點出孔夫子不是在問，而是在反問。是「大江大海」嗎？

當頭一棒，大喝一聲

■你的答覆很「當頭棒喝」。「當頭棒喝」，你贊成嗎？

□禪宗和尚教導徒弟的方式，或當頭一棒、或大喝一聲，前者德山、後者臨濟，都是用粗線條的開門見山，很痛快，我贊成當頭棒喝的痛快態度，當然不贊成又吼又叫又動棒子，雖然孔夫子有時也動粗，「以杖叩其脛」，那是他生氣了，痛罵原壤這小子的無禮，張開大腿等本夫子到來。

■別人問你問題，你喜歡天南地北聊天式的問法嗎？

□那要看問問題的人是不是笨蛋。天南地北是好的，但對象若是笨蛋，就非天南地北了，而是天昏地暗。

■你怎樣面對笨蛋？

□誰要面對他？而是背對他，快快逃掉。

■面對笨蛋，你不選擇教育他，而選擇逃掉？

□一點沒錯，先逃掉再說。

■如果逃不掉呢？比如說大家一起吃飯時候。

□吃飯也可以小便啊，「鴻門宴」中劉邦就是「尿遁」的。何況，人總有一點選擇權，爲什麼要跟笨蛋吃飯？

■飯局中有美女，你不選擇與美女吃飯嗎？雖然美女旁邊有笨蛋，你面臨了痛苦的選擇。會不會你的痛苦是尿急了，卻不願「尿遁」？

□可以約美女出來一起小便。

■你在中國台灣一住六十一年，碰到的笨蛋一定不少，你都能快快逃掉嗎？

□當然有技術困難。我承認，六十一年來，我不得不支出太多太多的時間，去應付笨蛋、與大大小小笨蛋周旋。周旋到第五十八年(二〇〇七)，我諷刺性的組織一個「中國智慧黨」，嚴格說來，黨員只有我兒子李戡一個人。

「中國智慧黨」的反諷

■台灣僞政府不准你成立吧？

□我不理它，並且不准也好，正中我下懷，我毋寧要的，正是一個「礙難照准」的記錄啊。我在「中國智慧黨灌頂宣言」中強調：「我中國，所以我智慧；我智慧，所以我中國。我怕變成『台灣笨蛋黨』，所以我標籤『中國智慧黨』。」我在「中國智慧黨章程」第二條中特別指出：「本黨為政治學理上英美式柔性政黨，其宗旨，顧名思義、非『台灣笨蛋黨』、非剛性政黨。」兩度提出「台灣笨蛋黨」以為對比，反諷意味，已躍然紙上。

■你的黨，顯然不志在贏得選舉。

□誰要贏得選舉呢？政治學裡有常常被忽略的一章，就是「使命政黨」(missionary party)。成立「使命政黨」的人們，他們知道無法贏得選舉，但卻因此散播了理想跟理念。美國的社會主義勞工黨（Socialist Workers Party, SWP）就是顯例。它在一九八八年總統選舉中，拿下一萬三千三百三十八張選票，是所有選票的千分之一。它顯示了：美國人不全是大黨芻狗、美國人還有骨氣和正義、美國還有千分之一的星火。這一星火，到了二〇〇〇年和二〇〇四年，由美國消費者保護英雄納達（Ralph Nader）出面，分別以綠黨（Green）和獨立參選人身分下海爭雄，在二〇〇〇年，還得到千分之三十的選票。一般市井小民不能理解「使命政黨」和「使命人物」的懷抱，長夜漫漫，這需要時間。

■如果龍應台要加入「中國智慧黨」，你收她嗎？

□龍應台其實是笨蛋、不可救藥的笨蛋。

■有人跟著她跑。

□是一群笨蛋、一群不可救藥的笨蛋。

■也許你太狷介，太不「與人爲善」了。

□我太不「與人爲笨」。看看龍應台，和跟著著她跑的畫面，你會想起凱塞琳・波特（Katherine Anne Porter）那本「愚人船」（Ship of Fools），全船跟著一個智者猶太跑，結果智者猶太原來最笨。但龍應台很會包裝，會用銀紙包個臭皮蛋，其實，作法和「演藝人員」沒有兩樣，但龍應台不會歌舞、不會跑跳、也不會賽車，姿色平平，人又老大，但她會「文化蘇珊大嬸」，這是她得售的地方。

龍應台是「文化蘇珊大嬸」

■從孔子的入太廟式的反諷，到你的「中國智慧黨」的反諷，處處機鋒，都顯出高人的幽默。這種幽默，凡夫俗子太缺乏了，一般自恃不凡不俗的知識分子，也好不到那裡去。龍應台呢？龍應台有這種幽默感嗎？

□除部分冗濫外，龍應台有流利的文筆，但是缺少幽默感。

■「大江大海一九四九」有嗎？

□一點都沒有。

■「大江大海」全書欠缺幽默、也欠缺解決問題的幽默，這是很枯燥的，對問題，我們總不要失掉幽默感才好。即使你提出近乎荒謬的主意，也比一籌莫展好。例如人們抱怨邦交國太少了，要「突破外交困境」，你有什麼高見嗎？

□一九八七年，我的朋友石之鑑在我辦的刊物上提議：「台灣獨立爲台東國、台西國、台北國、台中國、台南國、澎湖國……仿俄國加盟共和國方式，分別爭取與國，互相建交（至少可增加五個以上邦交國），並加入聯合國。台灣組中華民國『邦聯』或『國協』。自得其樂，意淫夢遺。」石之鑑這些提議，看來極爲有趣。現在全世界承認台灣的，只剩二十三國，此議若成，「至少可增加五個以上邦交國」，對自己「自得其樂，意淫夢遺」而言，有裨身心。爲了計畫細節，我建議我們可以大舉師法動物。由台東國、台西國、台北國、台中國、台南國、澎湖國……的「互相建交」，使我最先想起蚯蚓。蚯蚓每條都是陰陽人、雌雄同體，牠可以用身體第十五節射出精液，然後用第九節和第十節受精，此猶台南國派出大使，而由台北國大使接受「互相建交」也。我繼而思之，蚯蚓不夠看，似不如蝸牛。蝸牛也是陰陽人、雌雄同體，牠的陰性器官有個囊，其中充滿愛之箭，一發情就亂射。兩隻蝸牛交配時，就彼此發射。此猶台南國大使壓在台北國大使身上，「互相建交」也。我再而思之，蝸牛也不夠看，似不如歐洲扁牡蠣（European flat oyster, Ostrea edulis）。歐洲扁牡蠣不同時陰陽人、不同時雌雄同體，而是每隻都分別扮演兩性的角色，先扮雄的、後扮雌的。用牠具有的兩性器官，做規律性的兩性變化。在較寒冷的大不列顚水域，每幾年爲一變化周期；在較溫暖的地中海水域，每一季爲一變化周期；在台灣水域更溫暖，理當每個月即可爲一變化周期，如此台南國大使和台北國大使自可隔月爲雄、「互相建交」也。我又而思之，歐洲扁牡蠣也不夠看，似不如海兔（sea hare）。海兔是群交專家，因爲無法藉一對一的交配來互相受精。在群體交配時，第一隻海兔臥底，第二隻爬到第一隻身上，第三隻又爬到第二隻身上，如此疊羅漢式的紛議其後，一次群交，可疊成十二隻之多，足夠台灣各獨立小國「互相建交」之用，當然最下面的仍是台北國大使，總被別的大使壓在身上也。

■哈哈！聽來極爲幽默，只是諸家動物太辛苦了一點。不知有否群交局面少一點的法子？可以直接加入聯合國。

□也有一個。我在立法院時候，辦公室斜對面是國民黨外交官謝文政委員，他出身外交部秘書，爲人風趣友善，見面笑嘻嘻的。有一次，他在院會發言說：「本席開個玩笑，院長聽聽即可，本席認爲我們有錢，院長只要到南太平洋買個小島，有二萬或三萬人就可宣布獨立，稱爲台灣國，然後申請加入聯合國的會籍，接著再將中華民國跟台灣國合併，這樣台灣國就正正當當的在聯合國，這是加入聯合國最簡便的方式。」謝文政這番話，眞有道理。問題是二十三個所謂邦交國中，南太平洋地區就有六個，地球暖化，都要滅頂，人心火熱，人身水深，他媽的去買那一個島呀？哈哈！龍應台缺少幽默感，她永遠搞不出這麼多的蚯蚓、牡蠣、海兔、和謝文政，龍應台的知識太單薄了。

吳相湘的「國民黨史觀」

■談談「一九四九」以後的男蘇珊吧，他們竄功不如龍應台，但爬功顯赫，你的老師吳相湘就是其中之一，他寫過「孫逸仙博士傳」。

□吳老師的書名在瞞天過海。因爲孫中山只是「醫生」，不是「博士」。事實上，醫生身分也不無爭議，他在澳門行醫，記錄一塌胡塗，呈密醫相。只是後來變成大人物，記錄也跟著美化起來了。

■吳相湘跟你的交情不錯啊。

□不但不錯，甚至滿深呢。我念研究所時，第一個臨時職業，每月賺一千塊錢，就是他介紹的，我一直感念他。但他一輩子的努力，都陷於「國民黨史觀」的框框裡，不能自拔。在他晚年的時候，我曾勸他拋掉「國民黨史觀」，重新改寫或翻作他一生的著作，我甚至願意提供協助，可惜他無此魄力。他得享高壽，活了九十三，最後寫「三生有幸」大陸版結局，他始終沒有「反正」。一生勤奮，卻寫錯了歷史。

■吳相湘從三十五歲起，就活在台灣，攪在「國民黨史觀」中，其實所有在台灣的歷史工作者，又有誰例外呢？有誰能例外呢？

□我李敖就例外！

■儘管你寫了那麼多禁書，好像各行各業，都不承認你是他們那一行，沒人承認你是歷史家。你算什麼，至多是所謂「民間學者」。

□什麼「民間學者」、什麼「公共知識分子」，跟著美國的名詞瞎跑，其實欠通。爲什麼要假貨承認你呢？並且，又何必做歷史家呢？歷史家對我太小了。

■你也根本看不起「國民黨史觀」下的歷史工作者。

□根本看不起他們每一個。

■有看不起的名單嗎？

□就是那本「中國歷史學會」會員名冊吧。

■有所謂中央研究院的院士嗎？

□像張玉法之流，有的。你看這種貨色寫的「中國現代史」、「中華民國史綱」，一派「國民黨史觀」，作爲歷史，可惡極了；作爲院士，可恥極了。

張玉法那些人的心態

■張玉法那些人什麼心態呢？

□那種心態，該叫國民黨式的「斯德哥爾摩症候群」(Stockholm syndrome)，本來是被裹脅的受害人，結果卻反過來討好裹脅他的，不論是合作、寬容、附逆、或代爲開脫，都算。張玉法當年做流亡學生，在澎湖被國民黨「刺刀從軍」——在刺刀下強迫學生從軍，反對者當場用刺刀扎過去，人人自危。張玉法因爲年紀小、個子矮，沒被挑中當兵，但他親歷了國民黨的殘暴與迫害，卻終身追隨國民黨，曲學阿世，太莫名其妙了。

■也許被裹脅得太久了，不是幾天而是幾十年，只有認同國民黨了。

□幾十年下來，這種認同者變成國民黨的一分子了，會有戲劇性的結局呢！張玉法變成了國民黨學閥了，還有變成國民黨軍閥的呢。像李楨林，他當年是「刺刀從軍」下的強迫入伍者，幾十年後，他從小兵混到了將軍，並且搖身一變，成爲國民黨的陸軍總司令，多不可思議呀。他還寫過一封信給我，說他多佩服我呢。

■你怎麼解釋李楨林呢？

□李楨林下台後、退伍後，他跟許歷農他們，一群國民黨的老將軍，跑到北京，促成兩岸軍事互信了。他們因爲附逆，一輩子人生都走錯了路，可是垂老之年，卻奮其餘勇，在兩岸之間多少做一點矯正工作了，也算可圈可點。比起張玉法之流來，高明多多矣。張玉法之流只會抱國民黨大腿，可見國民黨文人還不如國民黨武人。

■你贊許李楨林他們？

□他們一生無奈，但老有所終，是個好故事。龍應台「大江大海」了半天，她能參透李楨林的悲慘故事嗎？她的「大江大海」，太偏頗、太皮毛了吧？她的「大江大海」，收了許多屁故事，整本書都看不到「傷心人別有懷抱」的眞正「懷抱」，整本書中沒有一個英雄，在龍應台眼中和文化水平中，看不到一個英雄，這是什麼視力呢？什麼視野呢？此外，另一些「一九四九」的劫遺，像陽明大學校長張心湜，他七八歲就跟在兵工廠服務的親人流亡出來，飽受艱辛。功成名就以後，爲兩岸醫學教育努力，至今不懈。他是「一九四九」浩劫下的前衛人物，龍應台不去訪問，這是什麼視力呢？什麼視野呢？

龍應台與「刺刀從軍」

■剛才你談到張玉法，龍應台以專章寫這個人：

十四歲的張玉法和八千多個中學生，全部來自山東各個中學，組成聯合中學，跟著校長和老師們，離開山東的家鄉，已經走了一千多公里的路。搭火車時，車廂裡塞滿了人，車頂上趴滿了人，孩子們用繩子把自己的身體想方設法固定在車頂上，還是不免在車的震動中被摔下來。火車每經過山洞，大家都緊張地趴下，出了山洞，就少了幾個人。慌亂的時候，從車頂掉下來摔死的人，屍體夾在車門口，爭相上車的人，就會把屍體當作踏板上下。

我眞不明白，一個十四歲的少年人，這麼艱苦的離鄉背井幹什麼？十四歲就反共嗎？龍應台總該探索一下答案吧？可是她沒有，只有一幅學生流亡圖，這樣子寫書，太偷懶了吧？

□我想，以龍應台的程度，不偷懶也未必找得出答案。其實答案早在我的書裡。我那本「李敖生死書」中公布當年當事人（當然不是張玉法）給我的信，提出當時「出山東記」帶隊的領導者，「可能是中統的人」。換句話說，他們可能有國民黨特務的身分，以致要帶八千個學生逃亡，用心是良苦的，但是，非常明顯的，這種大隊出走的行動，是可疑的。「一九四九」逃難時候，談何容易，何況是八千人成隊，從火車山洞摔下斃命，都在所不辭，對十四歲的小孩子說來，有必要嗎？可是龍應台只有「現象」，沒有「原因」，這是她寫作的故技，只要你動容，不要你問爲什麼。八千人最後減少到五千人，千辛萬苦，到了澎湖，自然引發了覬覦。一九四九年七月十三日，事件發生了。龍應台寫道：

年齡稍長但也不滿二十歲的學生，以耳語通知所有的同學，「他們」要強迫我們當兵，我們今天要「走出司令部」，同學們很有默契地開始收拾行囊，背著背包走出來，卻發現，四面都是機關槍，對準了他們。

所有的男生，不管你幾歲，都在機關槍的包圍下集中到操場中心。司令官李振清站在司令台上，全體鴉雀無聲，孩子們沒見過這種陣仗。張玉法說，這時，有一個勇敢的同學，在隊伍中大聲說，「報告司令官我們有話說！」然後就往司令台走去，李振清對一旁的衛兵使了個眼色，衛兵一步上前，舉起刺刀對著這個學生刺下，學生的血噴出來，當場倒在地上。

張玉法個子矮，站在前排，看得清清楚楚刺刀如何刺進同學的身體。看見流血，中學生嚇得哭出了聲。

不管你滿不滿十七歲，只要夠一個高度，全部當兵去。士兵拿著一根竹竿，站到學生隊伍裡，手一伸，竹竿放下，就是高矮分界線。張玉法才十四歲，也不懂得躲，還是一個堂哥在那關鍵時刻，用力把他推到後面去，這懵懵懂懂的張玉法才沒變成少年兵。

龍應台寫到這裡，照例「現象」畢陳，「原因」不見。她用感性的濫套、用不高明的中文，下了結論：

為了能夠平平順順長大、安安靜靜讀書而萬里輾轉的五千個師生，那裡知道，他們闖進了一個如何不安、如何殘酷的歷史鐵閘門裡呢？

沒有前因後果，這叫什麼著作呢？「刺刀從軍」，誰是元兇呢？

龍應台開脫蔣介石

■照龍應台原文，元兇不是站在司令台上的司令官李振清嗎？

□精於搜索史料的人，不相信這麼單純。蔣介石的侍衛長、黃埔一期的俞濟時將軍老去後，託周之鳴邀我一見，我婉拒了，俞濟時送我一些書，其中一本是「八十虛度回憶」，在一九四八年七月條下，有這樣一段：

> 蔣公命余赴南京中央醫院探望第×集團軍總司令李振清將軍，並轉達數事：……㈡部隊……到達青島後速換船直運澎湖駐防……㈢軍眷均隨部隊行動，沿途並收容流亡青年學生偕行。

可見沿途「收容流亡青年學生偕行」，本是蔣介石的正式指示。再看秦德純「青島于役前後」（「傳記文學」第一卷第七期）所述：「同時接受軍事訓練」的作業，本出自上級的指令，並不是李振清的一己之見；而「思想動搖確認爲有問題者，必須設法除去」的作業，也早在設計之中，也不是李振清的一己之見。再據「李振清將軍行述」，在第二十二章「防衛澎湖」內，曾將「十八歲以上的男女學生編入部隊，接受軍事教育，充實部隊戰力」，並承認「由於少數幹部思想之偏差，假借肅奸之名，瞞著我做了許多失當的措施，犧牲了許多可愛的青年」。這些話，都透露了爲推動「刺刀從軍」，不無冤獄存在。總結起來，李振清是蔣介石強迫學生從軍秘密作業的執行者，在執行之時，用盡恐怖手段以遂上意，禍首總歸戶，不是別人，就是蔣介石。龍應台程度不夠又心態可議，無法掌握上述幾件重要史料，所以寫了半天張玉法，卻寫不出眞相來。張玉法是所謂「民國史的專家」，又躬與其役，理應有以告白，可是他不敢。龍應台寫「大江大海一九四九」，如果來眞的，就該夥同張玉法寫出眞相。但是，眞相已被「斯德哥爾摩症候群」患者給丟到海底了。結論是：光是「刺刀從軍」一個例子，就可反證「大江大海一九四九」是本不及格的書。

蔣介石是一張試紙

■可見眞要了解「大江大海一九四九」，必須先弄清楚你對蔣介石的態度。擴大的說，了解現代史、民國史，必須先過這一關。這一關你閃躲、你含糊，你就被看穿了，思過半矣、不足論矣，是不是？

□正是。這是檢驗歷史的第一標準。由一個人對蔣介石的態度，可以檢驗出你有沒有是非觀念、正義觀念、方法訓練、史學程度、對眞相了解的程度，還有，你是不是冷血、包括你的國家觀念、對美國對日本的觀念等等等等，都可從蔣介石這張試紙上檢驗出來，說來既奇妙又有趣。

■龍應台敢反蔣介石嗎？

□一點也不敢，還曲予維護呢。

■從龍應台的作品中，字裡行間，好像她也是白色恐怖中反抗威權政治的一員？

□龍應台是冒充的。附帶要說一句，冒充的不止她一個人。從李登輝以下，有太多人是這樣插隊的。

■你說對美國、對日本的觀念，也由蔣介石開端嗎？

□遠的先不說，蔣介石在台灣，二十六年，搞美、日、台「三角架構」，做盡了媚美媚日的事，那是眞正的「大江大海一九四九」傑作，龍應台卻給「漏」了，不拆穿蔣介石，談什麼「大江大海一九四九」？不敢碰蔣介石，這是典型的「龍應台式錯誤」。

有意陷入一種錯亂

■「龍應台式錯誤」其實不全屬於龍應台，早在她出生前就有胚胎了？

□是的。我一九四九年來台灣，當時只有十四歲，作爲見證人和介錯人（日本切腹場面，替死者料理死相者，叫介錯人）、作爲第一流思想家和歷史家，我最能清楚看清這半個世紀的台灣眞相，這種看清，別人都望塵莫及。從「一九四九」以來，台灣就有意陷入一種錯亂，錯亂是美國、日本、台灣「三角架構」形成的，它的基調是使台灣脫離中國大陸的範圍，也就是說，台灣要變成中國統一的阻力。乍看起來，蔣介石是中國統一的信仰者，但他實際做的，卻反其道而行之，並淪爲美、日「第一島鏈」的正犯。蔣介石有一點值得「讚美」的是，他替美國做看門狗，並且做第一名犬，卻花的是美國主子的美援，到他死了，他的接班人，不論國民黨還是民進黨，卻「看門狗自費」了，這種下賤，的確爲蔣介石所不及。總之，有錯亂於先，才有「龍應台式錯誤」於後。

反蔣在爭自己的人格

■在上一「三角架構」下，蔣介石就安心做了小朝廷的老皇帝了，由他死後餘威，可見一斑。

□首先是蔣介石變成「反共先覺」「民族救星」，他的聲勢，光在死後餘威就可反襯。在他生前，在他淫威所及之處，沒有人敢拆穿他、沒有人能拆穿他；在他死後，在他的餘威猶在之處，也沒有人敢拆穿他、也沒有人能拆穿他。中國人中，眞正敢也眞正能拆穿他的，是從李敖開始。我認爲這種道德意義，比存信史的意義更難能可貴。爲什麼？我在「『蔣介石研究』自序」中就已指出：「當年蔡松坡起義，反對袁世凱，最大理由是『爲國民爭人格』，如今我在蔣介石陰魂不散的島上，敢於在他頭上動土，也是『爲國民爭人格』。」爭幾十年來被蔣介石欺騙、被蔣介石恐嚇、被蔣介石作弄、被蔣介石羞辱、被蔣介石強姦得痲木不仁了的人格、爭自己的人格。時至今日，凡在對蔣介石態度上沒有覺悟的，都可認定這種人的人格層面出了問題。或許有人說，民進黨在蔣介石銅像和紀念堂上作文章，不是覺悟嗎？我的答案是否定的。因爲民進黨至今一腦袋蔣介石「仇共架構」等思路，他們是眞正「蔣的傳人」，移移銅像、掛掛布條，又算什麼呢？

他們愛錯了國

■國民黨中有些好人也如此。

□此中文武大吏多矣，也有來過我家，我熟識的，像楊西崑大使、像許歷農上將，每當我以這一疑義旁敲側擊時，當事人每見苦笑。這表示了什麼？表示了在大方向、大前提上，他們再完美的品德與才幹，都陷入迷失，說他們是蔣家鷹犬或嫌刻薄，但說他們是阻礙中國統一的罪魁，一點都沒冤枉。最後呢，蔣氏父子，接連死去；「中華民國」，一片魂幡，效忠者保住什麼？結論是，即使不爲了「蔣家」而爲了「中華民國」，在大方向上，也是錯誤的。因爲你的一切所謂「愛國」，都是阻礙中國統一的，至少你推遲了中國統一。你自己不能統一又跟別人統一搗蛋，你幹的是什麼呢？不管你是多麼好的人，你是共犯。助紂爲虐的自己不是紂，但扶同爲惡，與紂相去者幾希！一群好人，做了壞事，這是台灣島有頭有臉人物的集體寫照，至於壞人，就更別提了。

■這叫什麼？叫「好人做壞事」？

□至少在大方向上，做的不是什麼好事。

他們愛錯了家

■「龍應台式錯誤」之一，就在她分不清愛「中華民國」還是愛「蔣家」。

□美國口口聲聲以人權牌譴責異己，但卻從不以人權牌譴責它的走狗，所以，全世界的獨裁者，只要被美國卵翼了，就絕口不提它的人權了。蔣介石狗仗美勢，有恃無恐，在台灣搞白色恐怖，「殺人如草不聞聲」，美國主子視若罔聞，從來不打「人權牌」。蔣介石淪爲美國奴才，但他自己另蓄奴才級的黨羽，這些黨羽，正如「水滸傳」石秀所罵的：「給奴才做奴才的奴才」，這些奴才不全是壞人。也不全是無能之輩、甚至也非不愛國，只是他們醬在蔣介石政權下，在大節上，就走向反動、走向阻礙中國統一，這些人絕不承認他們不愛國，但愛國愛到了爲「中華民國」做孤臣孽子、爲「中華民國」打拚，而這種效忠，戲謔性的追蹤起來，效忠的對象到底是「中華民國」還是「蔣家」，卻發生沾黏與錯亂，也就是說，發生了疑義。「龍應台式錯誤」是她切割不開這種疑義。

陸以正的迷失

■國民黨的駐南非大使楊西崑佩服你，從南非帶回一隻大象牙送給你。你怎麼看他？

□他一生做國民黨外交大員，其實內心很困惑。他晚年和我單獨吃飯一次又一次。八十生日要我和他坐在一起。那次吃飯時，楊夫人和亓豐瑜以外，陸以正夫人也在座，陸以正正接替楊西崑，在南非做大使。

■陸以正不困惑嗎？

□當然困惑。不過說迷失更正確。看他自傳「微臣無力可回天」吧，他寫道：

我對大陸的感情，複雜二字猶不足以形容。雖有半世紀的隔閡，我在大陸的親戚朋友，仍遠比台灣或美國多。我一生的工作，都在爲中華民國爭取應有的地位，所反對的只是共產制度，與大陸人民無涉。

事實上，陸以正的一廂情願是欠通的。你如何能把「大陸人民」切割出來呢？這在事實上是根本做不到的。陸以正說他「一生的工作，都在為中華民國爭取應有的地位」，這是陸以正和千千萬萬人共有的集體錯誤，包括龍應台在內。

■龍應台寫這本書，喜歡搞訪問，總該訪問訪問陸以正吧？「大江大海一九四九」前後，陸以正給國民黨「大剛報」做記者、在美國主控下的韓國戰場做翻譯官，後來一路跟著蔣介石政權，最後做到南非大使，為了他的中華民國和李登輝，非法收買南非黨政要，這麼一個專為國民黨做濁事的清官，太有代表性了，龍應台為什麼不訪問？

□何必訪問呢？問不出來所以然了。陸以正在「盼望的一年」書裡，以「我讀『大江大海一九四九』」為題，已先向龍應台交心了。陸以正說：「我曾在記者會上說，龍應台這本新書是她從心底裡掏出來的，今日如果再被問，我會說『這是本一百年後仍然可讀的好書』。」「即使回到六十三年前，我在南京『大剛報』做記者，採訪國共和談以及制憲國民大會新聞時，說來慚愧，也不曾像龍應台那樣，為一條新聞鍥而不捨地窮追到底，不找到採訪對象，絕不罷休。」陸以正不知道，好書的條件是，如用採訪，你的「採訪對象」不找到絕不罷休是好的，但「大江大海」這種大題目，多少人都死光光了，光憑採訪怎麼夠？何況，龍應台的採訪對象是「小咖」，又怎知道高度、廣度、和深度呢？龍應台能採訪得到蔣介石嗎？所以，即使對「大咖」，也得靠資料和史料才成。但是，龍應台書讀得太少了。陸以正說龍應台「要描繪的，是那個混亂時代的眞正面貌，與信仰或主義、黨派或個人、恩惠或仇恨、痛苦或希望，全無直接關聯」。陸以正錯了，龍應台所作所爲，悉在「直接關聯」之中，她寫出來的，距「那個混亂時代的眞實面貌」太遠了。例如對所謂「中華民國」的定位，她和陸以正就是胡塗的。當然胡塗的不止他們，國民黨文人無一例外。

■舉個「大咖」的例。

□像國民黨文人余英時。

余英時是「中華民國」未亡人

■龍應台捧過的余英時。

□國民黨文人余英時，在「中國時報」上發表「四十年的矛盾與悲劇」專文，一開始便有一段怪論，他說：「首先我要提出來的是共產黨『建國』這個概念，我不承認所謂『共產黨建國』這個命題。中華民國建國結束了兩千年的中央王朝的系統，成立了共和，這是改變了國體，而不僅僅是改朝換代。中華民國建國不只是國民黨一黨之事，同時也得到了清朝的承認和國際的承認，所以它是合法的。共產黨有自己一套理論，認爲自己是代表工農推翻了資產階級共和國，但是共產黨的『建國』只是新的政權取代了舊政權，而國家早在一九四九年以前就存在了。」余英時這番話，眞是狗屁不通的話。說不是「建國」，「只是新的政權取代了舊政權」，這是絕對不通的，試問那一個「建國」不基於新舊政權的取代？若說只是政權的取代，中國早就在那兒，那麼他余英時的其他文章中，怎麼會出現「明太祖是開國之君」的話？（見余英時著「歷史與思想」頁七九。）試問明太祖開的是什麼「國」？連蔣介石都承認中華民國是「亡國」了，余英時還馬屁什麼嘛！

■若說「共產黨的『建國』只是新的政權取代了舊政權，而國家早在一九四九年以前就存在了」，那還得了，依此類推，如中華民國沒亡，則大清帝也沒亡、大明帝國也沒亡、大元帝國也沒亡……統統存在。這是什麼歷史家嘛？

□余英時說「中華民國建國不只是國民黨一黨之事，同時也得到了清朝的承認和國際的承認，所以它是合法的」，又說共產黨的「建國」只是政權的取代，「而國家早在一九四九年以前就存在了」。這些怪話，與歷史和法理都不合：

第一、中華民國的建國，根本與國民黨無關，國民黨是建國以後才成立的。今天把興中會、同盟會說成國民黨前身的，是扭曲歷史。事實上，興中會、同盟會跟國民黨是兩碼事。

第二、清朝是被迫退位的政權，它的承不承認，沒有任何意義。張三把李四掃地出門，即使李四承認張三喧賓奪主，事實也是鵲巢鳩占。張三並不因此就理直氣壯，當然張三也無須因李四承認才合法。

第三、至於國際的承認，更算不了什麼，清朝就是被各國承認的，照余英時的怪邏輯，則中華民國的建國，也是政權取代，因爲國家早在一九一二年以前就存在了。

第四、在國際法中，雖有「國家的承認」（Recognition of State）和「政府的承認」（Recognition of Government）的差距，但「共產黨的『建國』」，卻無不符合，歷史如此、法理也如此。

■這種怪邏輯怪史觀如成立，余英時是中華民國未亡人了。

□豈止中華民國，他還是大清帝國的呢。

連蔣介石都招認「中華民國」亡國了

■你從資料和史料下了大工夫，揭發出「大江大海一九四九」的「眞正面貌」，你被恨死了。

□我寫了很多經典之作、也是劃時代之作，其中一篇，就是一九八四年九月三日寫的「『中華民國』亡國考」，其中我從蔣介石的秘密談話中，發掘一九五〇年三月十三日在「陽明山莊」那篇內幕史料，蔣介石說：

我自去年一月下野以後，到年底止，爲時不滿一年，大陸各省已經全部淪陷。今天我們實已到了亡國的境地了！但是今天到台灣來的人，無論文武幹部，好像並無亡國之痛的感覺，無論心理上和態度上，還是和過去在大陸一樣，大多數人還是只知個人的權利，不顧黨國的前途。如果長此下去，連這最後的基地——台灣，亦都不能確保了！所以我今天特別提醒大家，我們的中華民國到去年年終就隨大陸淪陷而已經滅亡了！我們今天都已成了亡國之民，而還不自覺，豈不可痛？

我的反諷結論是：

看到了吧！照貴總裁的說法，「中華民國」早在「去年」（一九四九）年終」就「滅亡」了。這不是「亡國」又是什麼？可見說「中華民國」未亡者，自不符合「總裁言論」也！

我的文章發表後，國民黨「文學侍從之臣」紛紛推說蔣介石的亡國論乃是憤激之言、訓勉之詞，但是，不論怎麼憤激或訓勉，客觀事實就是客觀事實，蔣介石口中的「亡國之民」、「亡國之痛」、「亡國的境地」，難道是危言聳聽的？當然，這在當時是對自己人的秘密談話，對外是不這麼說的。

建國百年個屁！

■結果，「一九四九」年就亡了國的所謂「中華民國」，又殭屍般的活到二十五年後蔣介石之死了。

□更好笑的是，蔣介石死了，亡了國的鬼國還在鬼島上鬼混呢，今天不又慶祝什麼建國百年了嗎？說建國百年，其實比「一九四九」沒亡國還荒謬。因爲「一九四九」至少還剩下千分之三的「殘山剩水」，建國百年剩下什麼呢？只剩下三十八年後的一場錯誤算術的加法罷了。

■馬英九他們搞「建國百年」大活動，表示了什麼？

□表示了蔣介石騙局的陰魂不散、表示了謊話越說越大、表示了馬英九這些國民黨餘孽多麼可惡、多麼混蛋。

■民進黨也跟著「中華民國」呢。

□民進黨也一樣可惡、一樣混蛋。

■共產黨那邊怎麼看呢？

□「中華民國」只是一具死屍，一具被共產黨消滅了的死屍，但共產黨盼國民黨在旁邊守靈，爲了怕另一個孤魂野鬼借屍還魂。台獨就是那孤魂野鬼。

■看來國民黨也眞歹運，那裡不好定都，卻定都南京，結果執政一回，首都丟了兩次。

□南京作爲首都，常常亡國，本來就有「歷史反革命」賊底的。六世紀梁武帝定都南京，他怕亡國，向誌公請教，誌公正在忙著弄南京古寺那個塔，回答說：「貧僧塔壞，陛下社稷隨壞。」後來誌公死了，梁武帝怕誌公的預言成眞，趕忙改以石塔代替木塔，以防塔壞，不料工程做了一半，就「亡國」了。梁武帝餓死的地點，就近雞鳴寺。雞鳴寺是當時同泰寺的故址，寺的東邊有坡道通城，俗稱爲台城，八十六歲的梁武帝，即殉國於此。宋人題靈谷寺詩，說是：「六帝園林墮劫灰，獨餘靈谷葬崔嵬，行人指點雲間鶴，喚得齊梁一夢回。」其實，國民黨連「墮劫灰」的六朝都不如了，因爲六朝至少還在原地「亡國」，國民黨呢，連「亡國」都要亡得開小差呢！

■開了小差還自動延壽，延到所謂「中華民國」一百年，慶祝建國百年。

□建國百年個屁！

■年輕人在歡欣鼓舞啊。

□年輕人懂個屁！連陸以正都不懂呢。

■陸以正一表人才，卻被「中華民國」這一鬼魅迷住，要做無力回天的「微臣」，太可惜了吧？

□是呀。我前一陣子回信給他，說「甘『微臣』以終古，竊爲公惜之」。

■他眞的那麼「中華民國」嗎？

□我看也未必，有時候會藏頭縮尾。宋楚瑜帶他訪問北京，在胡錦濤面前，他也沒那麼「中華民國」嘛。

■其實「中華民國」是他們這種人一生的膠合與苦惱，一輩子昏睡，不願大夢初醒，尤其大夢初醒就是噩夢初醒，否定了自己，就難堪了。這種心路歷程，倒是「一九四九」失敗者們的集體特色，陸以正只是令人惋惜的一位而已。

我看不起跟蔣介石的知識分子

■雖然不乏私交，但基本上，你看不起跟蔣介石的知識分子。

□像戴高樂看不起法國國會議員一樣，我看不起來台灣的知識分子。因爲基本上，他們是蔣介石的人馬。一九四九年蔣介石兵敗山倒，逃到台灣，爲維繫所謂道統政統法統或什麼什麼統，從故宮的六十五萬件古物以下，能搬到什麼都朝台灣搬，其中人馬自然在內。蔣介石想搬知識分子，但信譽破產，知識分子不跟他了。以一九四八年中央研究院選出的第一屆八十一位院士爲例，跟著僞政府到台灣的，只九個人，占院士總數的十一・九%，去美國的十二人，占院士總數的十五%；留在大陸迎接解放的達六十人，占院士總數的七十四%，光在這一範疇，就看出人心所向。相對的，來台灣的是什麼貨色，也就可想而知了。蔣介石搬到的知識分子是雜碎。

■來台灣的知識分子，總有幾個例外給你放生吧？

□胡適、殷海光兩位稍好。胡適晚年一籌莫展，有點鬼混，大方向上尚能義正辭嚴，例如他反對蔣介石任終身總統。殷海光政論光芒萬丈，很了不起。胡殷死後，都被假貨接管，今天的「胡適紀念館」也、「殷海光故居」也，都被又軟又混的知識分子接管，抱著胡殷死屍不放。其實胡殷二公早已靈魂出竅了。龍應台搔到一點胡殷的屍毛，與那些假貨的唯一不同，是她不太跟他們成群結隊，她自己有資本家給她的「龍應台基金會」，比那些窮鬼闊多了。

和林百里一起無知

■龍應台「大江大海一九四九」裡，出現了一歲不到的林百里呢。說林百里「在解放軍攻進上海前一個月出生……一家人租了大埔『將軍府』宅院」，也就是說，全家逃到香港了。

下面是龍應台與資本家林百里的對話：

「將軍府是誰的？」我問。

「翁照桓。」

我睜大了眼睛，「百里，你在大埔家的房東是翁照桓，一九三二年淞滬血戰中發出第一槍的國軍旅長翁照桓？」

是的，林百里說，他還清晰記得小時候，翁將軍把他叫到面前，給他糖果，摸摸他頭，要他努力讀書，將來好好報效國家。

你看到了吧？

□我看到了三個錯字，就是龍應台和林百里都弄錯了將軍的名字，他們把「翁照垣」錯成「翁照桓」，還一連錯了三次。翁照垣生在一八九二，廣東潮州人。名騰輝、字照垣。自幼從軍。一九二五年參加中國青年黨。一九二九年畢業於日本士官學校。一九三一年自法國航空學校畢業回國。一九三一年任十九路軍一五六旅旅長。一九三二年參加一二八抗戰。一九三三年十一月參加閩變，任閩南民軍司令。一九三七年任國民黨第一戰區前敵總指揮。一九三八年任第七戰區東江游擊司令。抗戰勝利後，解甲歸田。一九四九年去香港，一九七二年病死。著有「一・二八淞滬血戰史」。

■龍應台和她的林百里，歷史程度這麼差嗎？

□就這麼差。

龍爸爸小兵立大功？

■手民之誤吧？

□「大江大海一九四九」中，龍應台把「滿洲國」錯成「滿州國」，並且前後錯了N次，也怪手民嗎？

■看來龍應台在歷史上眞是無知了。

□開句玩笑，這種無知可有點遺傳呢！

■誰遺傳她？

□她那做蔣介石憲兵連長的爸爸龍槐生啊。龍應台書中引她爸爸的一段自傳，原文是：

我們固守南京雨花台一線，殺敵無數，無奈守將唐生智無能，使保衛首都數十萬大軍，在撤退時互相踐踏，加上日人海空掃射，眞是屍橫遍野，血流成河。

眞相是這樣嗎？歷史上從來沒有蔣介石的憲兵在南京雨花台「殺敵無數」的局面。日本鬼子打南京，局面是「像潮水湧入城中」。怪「守將唐生智無能」嗎？那蔣介石的嫡系大將爲什麼沒人自告奮勇？爲什麼在軍事會議上，個個龜縮？反倒讓雜牌的、非黃埔的唐生智任此艱巨？龍爸爸的歷史知識，又如何解釋呢？唐生智生在一八八九，湖南東安人。保定軍校第一期畢業。後入湘軍。曾先後參加辛亥革命、討袁和護法戰爭。一九二六年任湖南省代省長、國民革命軍第八軍軍長、北伐軍前敵總指揮。後任湖南省政府主席、第四集團軍總司令、國民黨中央執行委員。一九三〇年組織護黨救國軍，任總司令。後在反蔣戰爭中失敗。九一八事變後，任南京國民政府軍事參議院院長。七七事變後，任南京衛戍司令，有能無能，史有定評，但是再有能，南京也守不住也不該守。「李宗仁回憶錄」透露了軍事上的正確觀點：

在戰術上說，南京是個絕地，敵人可以三面合圍，而北面又阻於長江，無路可退。以新受挫折的部隊來坐困孤城，實難望久守。歷史沒有攻不破的堡壘，何況我軍新敗之餘，士氣頹受打擊，又無生力軍增援；而敵人則奪標在望，士氣正盛，南京必被攻破。與其如此，倒不如我們自己宣布南京爲不設防城市，以免敵人藉口燒殺平民。

這些話，無能的蔣介石是聽不進去的。他一意孤行，要守南京，以「對得起總理在天之靈」。

■一切都算到孫中山頭上。

□孫中山、孫中山，天下多少罪惡假汝之名以行！

■守南京是罪惡嗎？

□要問南京三十萬被屠殺的冤魂。不能守卻擺出守的架式，更使日本鬼子殺得理直氣壯。不是罪惡也是罪過。

■抗戰勝利後，南京大屠殺的帳沒算嗎？三十萬冤魂沒昭雪嗎？

□算的什麼帳呢？蔣介石沒問任何人意見，就先「以德報怨」了。

「以德報怨」，三個人頭了事

■沒槍斃日本鬼子嗎？

□槍斃？日本鬼子在南京作戰序列分北路兵團和南路兵團，從兵團司令官朝香宮鳩彥、到柳川平助、到第三師團的藤田進、第九師團的吉住良輔、第十一師團的山室宗武、第十三師團的萩洲立兵、第十六師團的中島今朝吾、第一〇一師團的伊東政喜、重藤支隊的重藤千秋、第六師團的谷壽夫、第十八師團的牛島貞雄、第一一四師團的末松茂治、國岐支隊的國崎登、第三飛行團的値賀忠治，除了谷壽夫一個，誰被槍斃了？至於旅團以下，從第五旅團、第二十九旅團、第六旅團、第十八旅團、第十旅團、第二十二旅團、第一〇三旅團、第二十六旅團、第十九旅團、第三十旅團、第一〇一旅團、第一〇二旅團、第十一旅團、第三十六旅團、第二十三旅團、第三十五旅團、第一二七旅團、第一二八旅團到旅團以下，眾多作惡多端的軍官，有誰給槍斃了？搞了半天，只槍斃了兩個日本兵。龍應台在「大江大海一九四九」裡不惜篇幅、大力揄揚這兩個日本兵，我眞不知道這是什麼意思。

龍爸爸「殺敵無數」？

蔣介石要「對得起總理在天之靈」，結果，在天之靈俯視到的是：「數十萬大軍」，三天以內就被日本鬼子打垮了，雨花台失陷、紫金山五分之三失守，你憲兵才幾個人，龍爸爸說「我憲兵動員官兵六千四百五十二人捍衛南京……與日軍血戰四晝夜」云云，太威武了吧，中國守軍「數十萬大軍」都抵不上你們六千多憲兵嗎？戰史可以這樣吹牛嗎？實際眞相是：日本鬼子在十二月九日打雨花台，十一日就守不住了，是七十二軍守的，朱赤旅長、高致嵩旅長，都戰死了，大軍在前，輪不到憲兵邀功了。龍爸爸更不可能在雨花台失守後，還「與日軍血戰四晝夜」，除非是鬼打架吧？唐生智在十二日下午召集軍事會議決定撤退的，是在「殺敵無數」的龍爸爸守不住「固守南京雨花台」之後，看來「無能」的唐生智，要怪「殺敵無數」的憲兵龍爸爸才是，怎麼反倒被龍爸爸怪起來了？

■龍應台的爸爸的私人歷史，我們領教了，在蔣介石這邊的檔案中，又怎麼說呢？「中華民國重要史料初編──對日抗戰時期」裡，一定透露不少吧。

□一九三七年十二月六日，蔣介石有一重要密電給李宗仁、韓復榘諸長官，聲言：

南京決守城抗戰，圖挽戰局，一月以後，國際形勢必大變，中國當可轉危為安。

原來寄望的是「一個月後，國際形勢必大變」，蔣介石可眞是老天眞啊！六天後，十二月十二日，同一個蔣介石，又密電給唐生智、羅卓英、劉興：

……五日激戰，京城屹立無恙。此全賴吾兄之指揮若定，與犧牲精神有以致之……如南京能多守一日，即民族多加一層光榮，如能再守半月以上，則內外形勢必一大變；而我野戰軍亦可如期策應，不患敵軍之合圍矣。

龍應台口口聲聲說她去美國史丹佛大學看蔣介石日記，眞不知她是怎麼看的。蔣介石在一九三七年十二月六日，還致電李宗仁、閻錫山他們說「南京決守城抗戰」呢，頭一天的日記裡面，就自道「本日敵攻句容與醇（淳）化鎭，見我軍士氣與兵力，彼已熟視無睹矣」，說穿了，就是早被日本看透了，又何「決守城抗戰」之有呢？到美國史丹佛看蔣日記，正該看的，是這些言行不一啊，可是龍應台什麼都看不到。同樣的，蔣介石在一九三七年十二月十二日、給唐生智他們電報的同一天，日記裡明明記著：「本日南京唐孟瀟處已無人接電話，敵已過江占領江浦，則南京恐已不守乎？」卻依然官樣文章，留下要唐生智他們「仍以在京持久堅守爲要」的鬼話，表示責不在己。看蔣日記，正該看的，是這些言行不一啊，可是龍應台什麼都看不到，也完全沒有比對史料的能力。

我飛去加州，至史丹佛大學胡佛研究院，像小學生一樣，坐在一群皓首窮經的歷史學家後面，看剛剛開放的蔣介石一九四九年前後的日記。

但天知道她看到什麼，看來是小學生龍眠一陣、昏睡而歸。

■蔣介石還沒睡吧？

□蔣介石老天眞希望再多守半個月，以待「內外形勢必一大變」，結果心想事不成，徒留口德。三天以後，十二月十五日，南京丟了。蔣介石發表「蔣委員長爲我軍退出南京告國民書」，搖身一變，竟說：

……故爲抗戰全局策最後之勝敗，今日形勢，毋寧謂於我爲有利。且中國持久抗戰，其最後決勝之中心，不但不在南京，抑且不在各大都市，而實寄於全國之鄉村與廣大強固之民心。

多妙啊，既然抗戰「最後決勝之中心」「不在南京」，那麼九天前到三天前通電死守以待「大變」、「一大變」幹什麼，是玩人民的命嗎？到了十二月二十四日，唐生智、羅卓英、劉興聯合呈文蔣介石，檢討得失，共十二點，無一句提到龍爸爸的憲兵，顯然的，六千四百五十二員憲兵，比照起正規作戰部隊「數十萬大軍」來，太微不足道了吧？可是，龍爸爸不那樣想，他要參一腳，製造歷史神話，這不是飛龍在天，這可是飛龍在史啊。

龍爸爸的歷史神話

■看來這位龍爸爸可眞神，一個小憲兵，不但勇於作戰，還勇於造歷史。

□危險就在這裡，碰到歷史行家，就穿幫了。

■這位軍史造史家的身世也怪怪的。這位龍爸爸，南京保衛戰時十八歲，一九四九時三十歲，怎麼在蔣介石麾下，只熬到個憲兵連長？好怪啊。

□連長又怎樣，光榮呢。龍應台的回憶是：

〔母親〕美君的丈夫龍槐生，帶著他的憲兵隊嚴密防守天河機場。不多久，他認爲是自己一生最光榮的任務來了：「一九四九年五月，先總統搭中美一號莅天河機場，時有副總統李宗仁、行政院長閻錫山等高級首長在機場相迎，在此期間夜以繼日督促所屬提高警覺，以防不測。」

就連龍應台那點歷史知識，都感到有點不對勁了。龍應台寫道：

我翻著槐生手寫的自傳，心想，爸爸，一九四九年五月，蔣介石已經下野，不是總統了，而且，五月的時間你也記錯了吧？那時首都南京已經易幟，上海即將失守，蔣介石搭著太康艦和靜江輪來回於浙江沿海和台灣各島之間，到處考察形勢，思索將來反攻的據點要如何布置，五月他沒去廣州啊。

五月間蔣介石的確沒去廣州，他去廣州的日子是七月十四日，這是龍應台不知道的。龍爸爸說「五月」，也不算什麼，問題在龍爸爸的心態，當時蔣介石的身分只是一介平民，龍爸爸以一介憲兵排長，視此一保護行動「是自己一生最光榮的任務來了」，如此光榮，我們不覺得有點奴性格調嗎？

蔣介石奴才們的奴性

■你對蔣介石製造出來的奴才們的奴性，非常厭惡，不是嗎？

□蔣介石一生努力的對象，不是培養奴才們的奴性嗎？他的兒子克紹箕裘。我要再強調一遍：蔣介石把人才當奴才用、蔣經國把奴才當人才用，其反若正、其正若反。最後效果見諸蔣介石之喪。蔣介石出喪之日，台灣百姓夾跪道旁的場面，「更無一個是男兒」。縱古代帝王駕崩，人民被侮辱，也不逾是！這成什麼世界！在道德上，人民又是何等下賤失格！下賤失格卻不以爲辱，這正是典型的麻木不仁，這又是何等可悲！

也許有人說，事情過去了，就算了，何必再鞭蔣之屍一至於此？其實，這種人才是僞君子與眞奴才，並且是無知的。關心歷史教訓的人、關心人間正義的人、關心天道之極的人，對蔣介石一生禍國殃民的種種，都不會含糊了事的，只有僞君子與眞奴才，才會這樣不辨是非的一筆勾銷。對這種行爲，我們是看不起的！

西太后和蔣介石是近代中國最突出的一對長期禍國者。近代中國的禍國人物不少，但以君臨式的地位，長期禍國既深且鉅者，則無人能出這對狗男女之上。西太后自二十七歲起，就奪到垂簾聽政的大權，自此君臨式的禍害中國達四十七年。其間雖因身爲女人，兩度歸政給皇帝（同治、光緒）做，但是無傷她的實際權力；蔣介石自四十二歲起，就奪到國民政府主席的大權，自此君臨式的禍害中國，也達四十七年，其間雖因身爲奸雄，兩度下野給國人看，但是也無傷他的實際權力。不過後者趕不上前者的是，西太后雖然禍國，最後還能壽終於首都；蔣介石卻連壽終首都都不可得，相比之下，實在遜色；蔣介石唯一可誇口於西太后之前的，是他把西太后禍掉的台灣收回來，但在收回的同時，他卻禍掉了比台灣大四十四倍的外蒙古！——此乃蔣介石之大手筆，而西太后之長指甲自愧弗如者也！對這一對長期禍國者，正義和歷史都不會放過他們。在西太后方面，禍國之罪，已有定評；在蔣介石方面，由於蔣家王朝幾十年刻意製造迷霧和假象，我們還得時時努力，遇到太不像話的奴性表示，必須迎頭痛擊。

余光中的奴性

■你說龍應台對你說來，不是單數，而是複數，龍應台只是「龍應台之流」的代表，其他同型的，可多著哩。是吧？

□是呀，許多上男廁所的龍應台，有時候，奴性表現，獨樹一幟，龍應台絕對沒有他肉麻。舉個代表性的吧，不是別人，就是余光中。余光中是文星時期認識的朋友，此人是王安石看不起的「福建子」，爲人文高於學、學高於詩、詩高於品，但聊天時滿有趣，尤善巧思。他爲人最喜招朋引類、結黨營詩，我在文星時，他極力拉攏我，邀我參加師範大學的「現代詩朗誦會」，奉我爲貴賓，介紹到我時，人人爭看文化太保眞面目，掌聲之大，任何人不能比。事後詩人夏菁說：「他這種散文家這樣受歡迎，我們下次非讓他也朗誦幾首詩不可！」余光中又拿梁實秋和我的文章在師大的翻譯課班上試由學生翻譯，試驗結果，認爲我的文章比梁實秋的容易譯，換句話說，語法比梁的西化得多。他又再給我寫信，又約我到他課堂上講了一次演。凡此種種，都是刻意交好的動作。後來文星被官方封門，勢利眼的余光中也就見風轉舵。最不該的，是他明知文星被勒令停業，他在香港談話卻說文星結束，是經濟上的原因、是經濟上的經營不善！他對國民黨政府的血手封店，不敢置一詞，反倒如此曲爲之諱，眞是太沒脊梁了。余光中曾有一文名「豈有啞巴繆思？」他不敢說眞話，至少也該啞巴一下，別說假話，可見「啞巴繆思」，亦未易爲也。爲了報復他的可惡，近二十年後，我受蕭孟能太太朱婉堅之託，到法院告余光中違反著作權，爲了他把賣斷給文星的著作一物兩賣，在法院，余光中狡賴說所謂的文星書店只以出版一次爲限，事實上，若只以出版一次爲限即付「三千元」，當年余光中尙無此身價！

■余光中這樣自抬身價，物以類聚吧？

□余光中這種自抬身價以爲狡賴的方法，在我代朱婉堅控告滿臉買賣人相的蔡文甫時，也同樣發生過。蔡文甫竟說他當年跟文星簽約，是「不平等條約」，我在法庭上斥責他，說：「當年簽約你蔡先生又不是小孩子（那時他實年三十八歲）、又沒有心神喪失、又沒被暴力脅迫，契約如有不平等，你爲什麼要簽？何況那個約，比你們現在九歌出版社跟作者的約，在許多地方，還對作者有利得多，你說不平等，是什麼意思？當時買斷你的大作，付了你三千元，那時一幢新公寓才不過十二萬元，三千元不是小數目，如果說有不平等，我看該是文星根本不該出那三千元！——其實一塊錢都不必付你，你也會高高興興給文星出書，因爲你當時尙未成名，一登文星，身價十倍。如今你這麼『有名』啦，也該想想當年文星捧你有功吧？也該回饋回饋文星書店負責人蕭太太吧？可是，你出了文星的書，甚至禮貌上都不送蕭太太一本，我給你的存證信你也悍然不回，今天還說什麼不平等的話，你可眞好意思！你現在也是開出版社的人了，假如有一天，你的九歌也像文星一樣，被政府給關了門，作者們這樣對你，你願意嗎？」我這番話，說得蔡文甫面紅耳赤，完全不能回嘴了，余光中的情形，也大率類此。

余光中為虎作倀

文星爲余光中出書時候，他親筆寫自吹自擂的廣告詞，自道：「中國文壇最醒目的人物之一，余光中是詩人、散文家和翻譯家。減去他，現代文藝的運動將寂寞得多，他右手寫詩，左手寫散文，忙得像和太陽系的老酋長在賽馬。」如今他簽下與文星這種約，眞不知該怪右手還是該怪左手，「新約」中說不要叫左手知道右手幹的事，理論上反之亦然。但兩手相互間縱不知情，簽約者必居其一，總不能不認帳也。十六世紀英國總主教克蘭瑪（Thomas Cranmer），在被火刑處死前，曾譴責他的手，說他手寫了太多的違心之言，而該先遭火燒（...I have writen many things untrue. And forasmuch as my hand offended, writing contrary to my heart, my hand shall first be punished therefore; for, may I come to the fire, it shall be first burned.）。有的歷史沒記載總主教怪自己的右手還是左手，四百年後如時光倒流，只有余光中能現身說法、提供解答了。基本上，余光中一軟骨文人耳，吟風月、詠表妹、拉朋黨、媚權貴、搶交椅、爭職位、無狼心、有狗肺者也。他開會開到外國去，在加拿大參與國際筆會，大會關心大陸被捕下獄作家，余光中與焉。令人奇怪的是，當台灣被捕下獄作家在牢中的時候，余光中爲何不關心？會喊「狼來了」的他，卻爲何爲虎作倀？至於筆下寫「天安門，我們來了」的詩人，卻在台北景福門納福，且爲詩拍蔣家馬屁，更證明此人是勢利中人，絕無眞正詩人的眞情可言也。

余光中的拍蔣肉麻詩

■余光中對蔣家的馬屁，讓我們領教一下吧。

□就看那首「送別」吧：

悲哀的半旗
壯烈的半旗
為你而降
悲哀的黑紗
沈重的黑紗
為你而戴
悲哀的菊花

純潔的菊花
　為你而開
悲哀的靈堂
肅靜的靈堂
　為你而拜
悲哀的行列
依依的行列
　為你而排
悲哀的淚水
感激的淚水
　為你而流
悲哀的背影

勞累的背影
　不再回頭

悲哀的柩車
告別的柩車
慢慢地走

親愛的朋友
辛苦的領袖
慢慢地走

多肉麻啊，最後三段，我眞想爲他改補一下：

悲哀的馬屁
臭臭的馬屁
為你而拍

悲哀的新詩
無恥的新詩
為你而寫

親愛的朋友
辛苦的領袖
慢慢地走
快了我跟不上
因為我是你的狗

■奉勸你不要狗來狗去的，愛狗家從「王N加一條」王麗莎、到「陳六條」陳文茜、到「張五條」張小燕，都會伏地哀號，告你對狗誹謗。

□如果她們眞告我，我願對狗道歉。

■龍應台至少沒有肉麻到寫新詩來捧蔣。

□這的確是龍應台的優點。余光中這種文格，只有余英時、余秋雨等余家幫可以相比。龔定盦說「文格漸卑庸福近」，龍應台只要「庸福」不要「詩」。

■你不喜歡余光中他們的新詩。

□我不喜歡。我要改寫王爾德（Oscar Wilde）的句子：There are two ways of disliking poetry: one way is to dislike it, the other is to read Yu.（不喜鬼詩，厥有兩途。一途逕厭之，一途讀余光中可也。）

■還是龍應台好，至少她不寫詩。

□還是龍應台好，至少狗很快樂。

蔣介石自稱「民族救星」

■余光中的奴性，使我們大開了眼界，因爲他肉麻的水平，的確不凡。至於一般凡夫俗子，他們諂媚起蔣介石來，自然不能望其詩人項背。不過，一言以蔽之，凡夫俗子也有他們諂媚的文字吧？我們習見的是什麼？

□是四個大字——「民族救星」。

■民進黨立委余政憲，在一九九一年四月二日質詢行政院長郝柏村，說「抗戰勝利時的蔣介石，那時他聲望如日中天，被民眾吹捧爲民族救星」，當時有這種吹捧嗎？

□民進黨中許多人是無知的。余政憲所說「抗戰勝利時」蔣介石「被民眾吹捧爲民族救星」，並無此種事實。「民族救星」的吹捧，是到台灣以後「發揚光大」的。而其肇始，乃出於蔣介石自己不要臉的欽定。一九六二年，蔣介石親筆寫「對匪軍口號」，其中第五條自寫「蔣總統是大陸同脆的救星」、第八條又寫「蔣總統才是你們的救星」。蔣介石自稱救星，死不要臉極了。蔣介石既自稱救星如此，歌功頌德的奴才們趁機把救星民族化，也就習以爲常。如今，在主子死掉十六年之際，郝柏村「在國會殿堂」，公然肉麻的連稱「民族救星」二次，其奴才嘴臉，眞是老而彌堅。

■奴才郝柏村當時的答詢原文是：「個人只是一個非常平凡的人，今天雖有幸擔任行政院長，擔負責任，但不能與先總統蔣公相提並論。蔣公爲民族救星，中華民族如果沒有他，老早就沒有了民主政治；如果民國三十八年沒有蔣公率領六十萬軍隊護衛台灣，豈有今天台灣的民主政治？恐怕台灣早已淪入中共統治。所以蔣公爲中華民族歷史上了不起的民族救星，我怎能與他相比？」

□這段答詢很有代表性，因爲可以顯出奴才心態。第一、蔣介石是扼殺民主政治的元兇，奴才竟把民主政治歸功給兇手，此荒謬者一；第二、蔣介石是丟掉大陸的元兇，奴才竟把台灣沒淪入中共統治歸功給兇手，爲什麼不反問一下，是誰之過，使大家來了台灣呢？此荒謬者二。

有人替他不要臉了

■捧蔣介石是「民族救星」的，郝柏村以外也大有人在。監察院長于右任就整天大筆一揮，寫「民族救星」呢。

□有點麻煩是，「民族」範圍越來越小，「救星」高壽越來越老。偏安到一個小島上了，還能救多少「民族」呢？還好意思「民族」來「民族」去嗎？「救」星最後把大陸救光了，「救星」變成了「禍首」，還好意思吹牛嗎？

■看來國民黨再不要臉，也不好意思再說「民族救星」了。

□美國諧星鮑勃・霍伯（Bob Hope）說得好：雷根（Reagan）總統不必說謊話，因爲有人替他說。國民黨不必不要臉了，因爲有人替他不要臉了。

■是誰呀？

□龍應台呀。明明是「殘山剩水」，龍應台卻代國民黨吹牛成「大江大海」，這跟明明是「禍國元兇」卻被吹牛成「民族救星」有什麼不同呢？國民黨多爽啊，五十年後，有了這麼好的嫁到德國的「中華民國」女公民！

■提到德國，我想起德國格里芬獵犬（German griffon）、德國長毛指示犬（German longhaired

[langhaar] pointer)、德國粗毛指示犬（German roughhaired [stichelhaar] pointer)、德國短毛指示犬（German shorthaired [kurzhaar] pointer)、德國剛毛指示犬（German wirehaired [drahthaar] pointer)。

□我想起大型曼斯特蘭達犬（Münsterländer [large]）、和小型曼斯特蘭達犬（Münsterländer [small]）。

■我想起德國獵鷸犬（German spaniel [wachtelhund]）。

□我說不過你，算你贏了，你對德國走狗的研究高人一等。

■話扯遠了，還是談談你看不起的知識分子吧。在這島上，藍色的固無論矣，綠色的呢？

綠色雙胡塗

□綠色的人中，我舉兩個有點知識分子味道的。一個是林濁水。林濁水當年跟我辦過黨外雜誌，稱我爲「賢者」、爲「老大」。在立法院重逢後，互開玩笑。我說你別忘了你是小弟級的，你書面稱呼我是「老大」。他笑著說：「當時年幼無知呀！」林濁水好談台獨理論，但不能自圓其說，結果頭腦越用越漿糊。他很努力，但多弄錯了方向。他最後和李文忠一起辭職，只知「自殺」以謝國人，不知「宰扁」以謝國人，眞是蠢人一對。他不失爲好人，但「死」得太軟弱了。林濁水很喜歡寫文章批評老K，但他在老K術中而不自知，他說老K因搞「漢賊不兩立」而使台灣被逐出聯合國，其實蔣介石早都暗中放棄不兩立政策了，可是無濟於事，美國檔案早都洩漏此事了。林濁水笨蛋，他居然也信蔣介石。另一個是沈富雄，我選立法委員時，民進黨的沈富雄吵著同我電視辯論，我懶得理他。邱復生為了促成這一辯論，向我說，找個漂亮女主持人來邀你吧，你就會答應。他問你喜歡誰，我說李文儀很漂亮，由她來吧。李文儀就來了。辯論時，沈富雄被我宰得哇哇叫，那天我分不少心在正視和偷看李文儀，不然的話，我會宰得更重，沈富雄不是哇哇叫而是慘叫了。基本上，沈富雄是不堪一擊的。原因是他有「首鼠兩端症」，又要清高又要討好道德敗類們，結果兩面失落。另外他話太多，臉上皮膚呈青蛙皮狀，令人討厭。他為了選舉，寫了一本名叫「不時奮起」的書，書名倒像壯陽藥廣告。他落選兩年後，二〇〇七年九月三日，在陳文茜的節目上，承認我在辯論時打敗了他。後來，他終於退出了民進黨。平心而論，沈富雄是民進黨中水平最高的，但他不知道民進黨主軸已是劣幣和偽鈔，最後，欲同流合污都不可得。政治呀，或者做眞君子、或者做眞小人，兩樣都不做，你就只有出局。做眞君子也要出局，但出得比較體面。沈富雄之流不知也。從林濁水、沈富雄身上，我看到民進黨知識分子的胡塗，他們比起龍應台來，胡塗有餘，智力不足。不論有餘還是不足，其實他們男男女女，都屬於一個大類，就是一堆爛蘋果。

大體上，他們唯一的不同只是上男廁所上女廁所的不同。龍應台這位上女廁所的好奇怪，她好談問題，但談得怎麼都不對勁，她談文學批評大體還好，因爲那是她本行，糟糕的是，她一越界，超出她的本行，她的言論就像爛蘋果，讓你一口都咬不下去。有人咬得下去，是因爲這種人沒有敏銳的辨別能力，就好像痲瘋病者的雙腳一樣，腳失去知覺，故老鼠可以來咬它。爛蘋果理應不是雙腳，去咬爛蘋果並加讚美的人，水準實在鼠輩之下，「大江大海一九四九」賣了多少本，我看買它的讀者，絕大多數不幸淪爲鼠輩水平，眞可惜啦。

龍應台閃躲的一幕

■談「大江大海一九四九」，必須要面對撤退的大場面，不能躲過不談。龍應台談五十二軍，談軍長劉玉章如何如何，其實談的都是勝進的五十二軍，而不是敗逃的五十二軍。五十二軍最後派去參加所謂「上海保衛戰」，被丟到第一線，根本不告訴五十二軍。那段撤退史，太逼眞了，請用史料說點給龍應台聽聽吧。

□一九九一年四月十日，國民黨軍報「青年日報」登出軍事記者劉毅夫的專文——「一身肝膽生無敵，百戰威靈歿有神」，對他「親眼目睹」的劉玉章，有以追憶。劉毅夫提到一九四九年上海撤退時的一段事，他說，劉玉章的「五十二軍到達上海之後，奉命據守滬西……當上海撤退時，又是五十二軍殿後，才使上海的轉進安全無恙」。關於這段史實，劉毅夫另在「常勝將軍劉玉章」一書裡，有詳細的透露。他記錄劉玉章：

談到上海保衛戰，這時他眞正氣憤說：「我們正在拚命打得有板有眼，想不到人家已經開始撤退了，事先一點風兒都不透，當我發現路上只有往碼頭去的車輛，沒有往回走的，以後越過越多，咱才覺得不對勁兒，派人去打聽，去了一整天，也得不到要領，咱只好親自出馬，嘿，嘿？果然是開始撤退了，原因是浦東頂不住了！咱還蒙在鼓裡，如果稍微遲鈍一下，後果還堪設想嗎？」

對這一絕妙的現象，劉玉章在「戎馬五十年」裡，有專章寫「上海撤退」，寫「保衛大上海的戰鬥」，保衛了半個月，到了五月二十五日，發現情況越「保衛」越不對了，好像別的部隊，「絡繹不絕，均馳往吳淞碼頭」，好像是準備撤退了。他心裡疑惑：

我雖有浦西副司令的名義，對實情竟一無所知。遂派副軍長李運成，至浦西指揮部聯絡，期能較早獲知行動消息，以便早做策畫，然迄無回報。但情況所顯示之撤退跡象，則又越來越顯明，於是我在不得已中親往探察。先當面就連日戰況，有所陳述，期司令將爾後行動，有所透露，結果仍毫無所獲。不得已，復以市區中及沿途所見情形，相詢是否撤退，司令方告以浦東方面戰況逆轉，匪已向吳淞側背，壓迫而來，現僅距吳淞約二、三十華里，準備今夜撤守，一再要我絕對保密。

■按照當時的編制，京滬杭警備總司令是湯恩伯、淞滬警備司令是陳大慶、淞滬防衛司令官是石覺。所指司令，是那個司令啊？

□劉玉章沒有明指，事實上有頂頭三個司令，不論是誰，我們逃命要緊，不要五十二軍了。

「武器拋海，徒手上船」

■五十二軍不知道還好，可是最後得知了，當然要參加逃命。

□劉玉章被上司擺了一道，最後得知「準備今夜撤守」後，匆忙趕回。在決定犧牲「第一線十五個連」來斷後以後，接下來的撤退局面是這樣的：

我於二十時後，離開軍指揮所。吉甫車行不多久，即無法前進，只得下車，在人潮中步行到碼頭附近，見我官兵整齊席地，等待上船，心中甚覺安慰，然要在人潮中通過，則十分困難，迨士兵發現，遂大喊「軍長來了，趕快讓路」，我才勉強擠到船邊。停靠碼頭的，是一艘三千餘噸的商輪，沒有經過艤裝。船身側面，僅有可容一路縱隊之一座舷梯，部隊沿梯循序而上。不久，因舷梯不勝負荷而折斷。事前既無應急準備，情急中，將空汽油桶用裹腿捆綁疊起，勉爲攀登。然上船速度因之更爲減慢，且不僅一船如此，其他各船亦莫不皆然。整個裝載之艱難緩慢情形，迄今憶及仍爲心酸。我站在碼頭邊，從二十時許直到二十三時，才由船上士兵，用裹腿連接，將我吊上。上船後，首先派人暗中監視船上工作人員，特別是輪機駕駛人員，以防萬一。其最著急者，此時本軍尚有約一萬之眾，急待依次攀登，我最後決心「要人不要槍」，大喊：「武器拋海，徒手上船，越快越好」，轉瞬疊集之油桶塌垮，營救乃益無望。悲慘之情，何堪言狀。二十四時，即將退潮，匪砲射彈的爆炸聲，距碼頭越來越近；同時，在上船之處，有一匪諜，將一枚手榴彈，投上甲板。適在我所站附近，幸未爆炸。該匪諜當即被我岸上士兵，亂刀刺死，船長要求開船，我仍請其稍延，因能多上一人，心理上的沈痛，就可以減弱一分。直到零時三十分，已至啓碇最後時限，只得揮淚發航，看到岸上未能上船的官兵，仍在整裝等待，不知其將遭受何種厄運，生離死別愴然心傷。

主任也被踩在腳下

劉玉章這裡做的，只是軍長的觀點，我們再看看當時團長張晴光後來在「血戰餘生」一書裡的回憶吧：

軍長率軍部人員來了，碼頭已擠作一堆，誰也進不去！我在前頭喊著：「軍長來了，讓路。」並叫就近的人「蹲下」；並又表明「我是七十三團張團長」。弟兄們各都蹲下不動，我才在前面分開一條路，帶軍長及隨從人員上了船，其間有一些人被擠倒而踩在腳下，爬不起來，有的可能因時間久了竟被踩死了，聽說軍政戰部陳主任炳寰也被踩在腳下，被我命令蹲下的隊伍是不擠了，如此才把陳主任及一些被踩在腳下的人救了起來。上了船，我找到師長、副師長，請示他們如何辦？他們表示現在亂成一團，毫無辦法。

從這些回憶裡，我們知道：國民黨在逃難前夜，是怎樣犧牲自己的守備區指揮官劉玉章；劉玉章又怎樣自己搶上了船，犧牲自己的子弟兵。當年他們來台灣，是這樣子來的！來了以後還吹牛呢！而龍應台談「大江大海一九四九」，竟避而不談這麼驚心動魄的撤退圖，這叫什麼比例呢？龍應台至少看過劉玉章的回憶錄，她只談五十二軍雄赳赳的北上，卻不談五十二軍慘兮兮的東渡，這叫什麼取捨呢？

五十二軍老兵

■人家是「急來抱佛腳」，龍應台是「書來抱訪問者腳」。龍應台寫「一九四九」，可是她沒有根柢，年輕也是原因之一。像你，就完全不一樣。你無須訪問張三李四，因爲張三李四就同你一起走過從前，你自然而然親歷了他們身歷的，不是嗎？

□是呀，例如我談到五十二軍，它的好色軍長就出現在榮星保齡球館，出現在我眼前過。他還做過警備總司令呢，國民黨透過軍方整我時，前五十二軍軍長就在眼前啊。還有，五十二軍劫後生還的老兵，曾是我日常生活的幫手。

■幫手？

□一位五十二軍退伍老兵，每天清早，在附近擦車維生，我請他幫我擦車，有時與我小聊。在營口、在上海兩次大撤退時，他都參加了。最後船開前，上面也顧不得仍在上船的戰友了，上面下令砍斷攀繩，以致戰友們紛紛落海了。劉玉章這些軍頭們會寫出他們砍斷攀繩的糗事嗎？龍應台看過「戎馬五十年」又怎樣？她不但沒有能力解釋出書中穿插的障眼法，更解釋不出閃避的眞相，那五十二軍擦車老兵口中的眞相。

■你眞有辦法，把史學方法發揮得淋漓盡致。你用到劉玉章的「戎馬五十年」，但你用張晴光的「血戰餘生」補正它，也聽到了五十二軍老兵的心底話。

□我還用到崔永德的「拉車憶舊」呢。崔永德是五十二軍的少校，他的書中有這麼一段：

在五十二軍，有一個傳統下來獨特作戰檢討會，等於獎懲會，無論大小戰役或勝或敗，必須召開，檢討得失，以利來茲。大家公認一個事實：打了勝仗，有英雄，但也有狗熊（孬種），打了敗仗，有狗熊，但也有英雄。英雄受獎，狗熊受罰，逐級檢討，公開審理。如果你是被檢討出來的狗熊，絕難逃法網；如果是英雄，則當場升級。三十八年五月，上海戰役，軍屬二十五師七十三團第三營一位魏副營長，在團的檢討會上，被檢討判定「作戰不力，貽誤戎機」。當時的團長張晴光，曾以「揮淚斬馬謖」的悲痛心情，當場處決了這位與自己既沾親又帶故的同鄉副營長。又如第二師的一位傳令班長，建立了奇功，當場晉級排長。

在張晴光的「血戰餘生」裡，我們看不到這一段軍中內幕，但是被退伍下來拉車的少校寫出來了。光是五十二軍的一些鱗爪，我就可以動用出這麼多的物證人證，龍應台談的，都是一知半解啊。

■談到老兵，人們會記起你是眞正替老兵喊話的人。你寫過「爲老兵李師科喊話」，感動了太多太多的人。光是老兵的一身哀史，就是「一九四九」的主幹，可是龍應台知道得太少了，看看她只知道一個下來做警察的憲兵連長，就是她爸爸，而這位爸爸又是忠蔣愛吹牛屄的傢伙。

□龍應台不該寫「大江大海一九四九」的。

■她想放野火嗎？

□程度不夠，只能拉野屎而已。

龍應台懂什麼逃難

■書中一大主題，在寫「一九四九」的大逃亡，美化說法是「一九四九大遷徙」。她落墨了一些小人物的逃難，但卻規避了從蔣介石以下達官貴人是怎麼跑的。這個主題一定得對照著寫，才得知眞相。作爲對照，你說來聽聽吧，龍應台細皮嫩肉，她懂什麼逃難？

□六十多年前，逃難到台灣的外省人，他們逃難，可分兩類：一類是「大老爺式逃難」、一類是「小百姓式逃難」。「大老爺式逃難」是在逃難前，占盡消息、工具、財力等方便，其逃難也，其實與搬家無異。國民黨大員中，逃到台灣來，連同豪華家具一併上飛機上輪船者，比比皆是，此「一九四九」大搬家也。

「大老爺式逃難」外，剩下就是「小百姓式逃難」了。小百姓消息不靈、工具不行、財力不夠，其逃難也，只能扶老攜幼、手抱嬰兒，大隊而行，但是一兵荒一馬亂，大隊就衝散了，結果死的死、傷的傷、淪入溝壑的淪入溝壑、流落街頭的流落街頭。其中最慘的是小孩，以一九四九年上海「大公報」統計爲例，慈善團體光在一月九日那天，就收到小孩屍體一百五十五具！十日那天，又收到一百六十六具！這眞是慘絕人寰！與小孩成對比的，是大姑娘。大姑娘流離失所，劫後餘生，只好賣身，青島撤退前，大姑娘在碼頭上苦等，沒機會上船，因爲船都給驕兵悍將占了，當時任何軍人只要肯帶走她們，不管做姨太太或做丫鬟，她們都幹。唐詩中說「已經百日竄荊棘，身上無有完肌膚」，說「問之不肯道姓名，但道困苦乞爲奴」，正是古今通用。

■小百姓逃難，千辛萬苦，即使驚魂甫定，在心理上，也會有點故障吧？

□「小百姓式逃難」中，逃到台灣來的，至少都經過千劫百難，他們在劫難之後，喘息雖定，可是卻驚魂難平。多年逃難的經驗，使他們之中，有的已有「心理變態」。一九六一年，我住在台北陋巷裡，對面住著陶泓，比我大幾歲，是逃難來的。一天，施珂大哥同陶泓聊天，施珂說：「我過去逃難逃久了，全部家當一背就走。所以今天養成習慣：我的全部財產，只要一背就走那麼多。」陶泓說：「這有什麼稀奇！我的全部財產，只要一提就走那麼多，我比你的習慣還要好！」我在旁邊聽了，忍不住苦笑，眞的，一提就走的速度，的確高於一背就走；一提就走的重量，的確低於一背就走。他們都是逃難專家，他們逃得心有餘悸，他們不再有「恆產」了，因爲他們沒「恆心」了。他們的「恆產」只在一提一背之間，他們隨時準備倉皇就道，因爲他們午夜夢回，耳邊經常有砲聲一響！十九世紀英國打油詩人愛德華・李耳（Edward Lear）說兩把舊椅、半截殘燭、外加斷柄老壺，是他「全部的身外之物」(all his worldly goods)，比起施珂、陶泓來，遜色遠矣。今天在溫床上誕生的、在暖房裡成長的人們，他們無法想像逃難前後的一切情況，他們會說，既然逃難，何不早走？其實那裡這樣簡單！以出走的時間而論，一定得萬事俱備才成，否則安土重遷，人之常情。首先是「敵情判斷」，這一點上，小百姓就差大老爺一大截。大老爺洞燭機先，小百姓如何趕得上？當然大老爺也有看走眼的時候，抗戰期間的長沙大火，就是一例。長沙大火是國民黨的傑作，說日本鬼子要來了，爲了焦土抗戰，所以自己先火燒長沙，不料燒的燒了、逃的逃了，日本鬼子卻沒來，這下子群情憤激、舉國大譁，國民黨只好槍斃個把將軍來爲上級做替死鬼。長沙大火的例子，說明了逃難的「定時」(timing)，實在良非易事。長沙大火以後，國民黨學乖了，再也不說那個地方會失守了，相反的，不但不說失守，反倒硬說「共存亡」了。所謂「共存亡」，就是「大家誰都別走」的意思、「大家誰都不許走」的意思，國民黨既然守土有責，小百姓自可稍安毋躁。

「共存亡」的騙局

■「共存亡」三個字，的確是一九四九的大哲學。

□以「共存亡」爲例。北京被圍城前，國民黨在北京的頭子傅作義，宣稱「誓與北平共存亡」，爲了表示「共存亡」的決心，上上下下，誰都不許走、不許開小差、不許逃難，同時在北京城內加做市內機場等，決心表演得煞有介事。可是國民黨教育局長王季高洞燭機先，看到所謂「誓與北平共存亡」是鬼話，於是，自己就先逃難到南京了。王季高一走，傅作義大怒，致電中央，請將王季高截回。這一事件，說明了逃難時不該逃而先逃，是不行的。

國民黨僑委會委員長李樸生，有一次回憶，說他逃到廣州後，一天國民黨開大會，宣稱「誓與廣州共存亡」，他正好生病，沒趕上這種宣誓，心裡至爲不安。可是，曾幾何時，宣誓「共存亡」的袞袞諸公，一個個都逃難到台灣來了，他這時候，才平衡了內心的不安。李樸生眞是老實人，他竟把這些洩底的話給洩了底了。但是，反過來說，該逃而後逃了，也是不行的。後逃了必然「搭不上巴士」、也搭不上一切飛機與輪船，只有「陷匪」的份兒，一旦「陷匪」，再出來就「交代不清」了，這是一切冤獄的禍源，國民黨隨時要整你，就可以整到。郭衣洞（柏楊）的冤獄，就是因逃得不快，「陷匪」而來。一旦「陷匪」，其不爲國民黨疑雲蓋頂者，幾希？

由此可見，所貴爲逃難者，不能快似王季高、不能慢似郭衣洞，要不快不慢，恰得其中。這種恰得其中，我無以名之，姑名之曰「賽跑式逃難」。賽跑時，先跑會犯規，後跑會吃虧，只有一聲槍響，同時起步，才算及格。今天到台灣的許多外省人，能夠不爲傅作義截回、不爲共產黨追到、又不爲警備總部或調查局疑雲蓋頂者，皆當年精於起步者也！這種同時起步的逃難，乍看起來，雖然形似「公平競爭」，其實大大不然。因爲大老爺起步，總得消息、工具、財力等方便，小百姓又如何趕得上？瀋陽撤退時，最後一架飛機是國民黨省主席坐的；成都撤退時，最後一架飛機是國民黨黨中央坐的。大老爺想逃難，只消飛遍了千山萬水；小百姓想逃難，就只好走遍了千山萬水了。

願他們的兩腳安息

走遍了千山萬水的小百姓，他們已是強者，他們雖然條件不足，但仍在不足的條件下，能夠浮海來台，苟全性命於亂世。像施珂大哥、像陶泓，他們都是這種「逃難油子」、「逃難老油條」，我暗笑他們習與性成，什麼都能做，唯獨不宜參加賽跑，因爲他們在一連多年的「賽跑式逃難」以後，他們走到運動場上，必然油然而生搶跑偷步之心，而去做「逃難式賽跑」。爲什麼跑，他們不知道、也不必先知道，只是槍聲未響就先跑了再說。他們是苦難時代的倖存者、是受難時代的見證者、是逃難時代的「牙刷主義者」。眞的，他們是最正牌最純眞的「牙刷主義者」，他們雖逃難到美國，但是那早年的午夜夢回，還一次一次的變成他們的夢魘，他們永遠不會安枕，因爲枕頭之下，有他們一點點細軟，或背著、或提著，隨時伴同他們，去倉皇就道、去遠走高飛。我相信，所有到台灣的人，他們最有資格去美國、最有資格去世外桃源、去天涯海角。我祝福他們：願他們的生命長壽，願他們的兩腳安息。

「讓老子先逃啊！」

■令人感興趣的是，蔣介石父子怎麼逃出來的，龍應台書裡只提到她爸爸爲蔣介石在廣州機場護衛，其他一律按下不表。

□龍應台能夠知道多少呢？「南齊書」記王敬則諷刺東昏侯父子說：「檀公三十六策，走是上計。汝父子唯應急走耳！」意思是說，檀道濟三十六策走是上計，你們父子快逃才是上策啊！在蔣家王朝丟掉大陸的那段日子裡，蔣介石、蔣經國父子二人，早已深得「父子唯應急走耳！」的上計，即使在遍地烽煙中，由於得情報消息與交通工具之便，照樣急走得很從容。這在蔣經國一九四九年四月二十四日日記中，顯示甚明：

中午，奉父親囑咐說：「把船隻準備好，明天我們要走了」。我當即請示此行的目的地點，父親沒有回答，當時只好準備一艘軍艦，聽候命令。

在父子急走之時，可以隨時有「一艘軍艦，聽候命令」，這是何等氣派！蔣家父子急走之時，不但隨時有軍艦待命，還隨時有飛機待命。這在蔣經國一九四九年十一月二十九日日記中，也顯示甚明：

前方戰況猛烈，情勢危急，重慶已受包圍。而父親遲遲不肯離渝，其對革命的責任心與決心，感人之深，實難以筆墨形容。下午十時，林園後面已槍聲大作……不能再事稽延，乃決定赴機場宿營……登中美號專機夜宿。當此兵荒馬亂之時，父親指揮若定，其安詳鎮靜有如此者。

蔣介石當然「安詳鎮靜」，因為有專機隨時待命帶他逃走，他又慌個什麼呢？我想起一九二四至二五年間，鄧本殷督瓊州時，所帶的兵，只能擾民，不能保境，作起戰來，見匪就退。有一次，有一營人駐防瓊東縣嘉積市，突遇匪襲，不敢抵抗，倉皇急走，一面逃一面大罵擠在路上一起逃的老百姓，說：「我們背了價值好幾百塊的槍械子彈，為了怕被匪搶去，才逃啊，你們老百姓又有什麼好逃的！要逃，也讓老子先逃啊！」整個國民黨的逃亡圖，從蔣氏父子以下，理由與順序，不外乎此也！

一幅大官逃亡圖

除了蔣氏父子急走的這種氣派外，別的人急走起來，可就差得多了，但隨著職位大小，還是不無氣派可尋。換言之，大官急走起來，還是勝人一籌的。以當年瀋陽失守時，東北剿匪總司令衛立煌等人為例，便可見端詳。據當時國民黨新編第一軍暫編第五十三師少將師長許賡揚「瀋陽解放時的暫編第五十三師」一文回憶：

衛立煌正在第三招待所召集軍政大員們準備開會逃跑，當他得知董文琦這一意外消息後，立即命令所有高級官員搭車馳赴東塔機場逃走。他們匆匆忙忙到達機場，等候了約一個多小時，來了兩架草綠色C-46型運輸機降落。衛立煌和他的副官們先行上去，然後由副官們把守機門，接著上。但因爭先恐後，秩序大亂，擠在機梯上的終於被副官們踢了下來，然後關門，飛機起飛走了。第二架飛機隨著也開始滑行過來，似乎要到停機位置接人，人們又慌亂起來，而這架飛機根本沒有停，就一直滑行起飛走了。

搭上第一架飛機逃走的共有八人：衛立煌、趙家驤、政委會副主任高惜冰、安東省政府主席董彥平、遼寧省政府主席王鐵漢、瀋陽市市長董文琦及新編第一軍軍長潘裕昆、新編第三軍軍長龍天武。外有幾個隨行人員。其餘的大員如：吳瀚濤、彭濟群與宋子英等等，都未爬上第一架飛機。衛立煌逃走的時間是十月三十日下午四時許。

這回憶還語焉不詳，再看當時國民黨遼寧省政府田賦糧食管理處處長兼東北剿總軍糧採購委員會少將副主任胡聖一「回顧瀋陽解放」一文回憶：

衛立煌等一行先跑到渾河機場，這時渾河機場已擠滿了想要逃跑的人群。一架飛機剛著陸，便被候機人群擁進艙內，連飛機門都關不上。衛立煌等人到此，望機興嘆，無可奈何。這時，駕駛員偷偷告訴衛等轉向東塔機場，他設法轉到那裡迎接。衛等走後，駕駛員假裝開動幾次，對機內人員們說：「機身發生故障，你們已經上來的人，東西不要動，排隊下機，站在一邊，幫我推動飛機，能開動了，你們再依次上來。」這些人不知受了騙，他們怕外人擠進，組織起來，排隊下機，幫助推動。這時，駕駛員關上艙門，突然起飛而去。這些人不但沒有上去飛機，連個人攜帶的貴重物品都被人騙去了；並且在飛機起動時，靠近機身的人受了很重的創傷。頓時機場上哭天罵地，開始沒有搶上飛機的人，反而喜笑諷刺起來，呈現一片混亂景象。

王化一到了東塔機場，正是這架飛機著陸以後衛立煌等搶上飛機的時候。來這裡的多半是機關中、上級以上的職員和軍官的家屬，場內充滿了大小汽車和人群。駕駛員有了經驗，先不開艙門，打設扶梯，一般人也爬不上去。衛立煌等由衛兵保護，上了一輛卡車，卡車的後門正對機艙門，門一打開，衛立煌首先躍進。此時軍人的車輛同時也開近機艙門，有不少人跳上拉衛的卡車，蜂擁而入，這些大員們那裡擠得過他們。因此，頓時造成混亂，除了喊叫怒罵而外，槍把子、手杖都揮舞開了。大員們由衛兵們擁護著，多數還是擠進去了，當時由卡車上擠掉下來的人也很多，其中有國民黨合江省主席吳瀚濤夫婦、嫩江省主席彭濟群、「剿總」政務委員會委員王家楨等。還有幾個人扶著機翼爬到機頂上，其中一個軍人打破了機窗想由窗口進去，當飛機發動徐徐前進時，那個在機頂上的和鑽窗口的都被甩了下來受了重傷。醜態百出，狼狽不堪。一時走不了的人望著飛機大罵：「打仗你們後退，逃命你們搶先。」其實罵的人自己又何嘗不是這樣呢？

上面我舉出的這些國民黨大官逃亡圖，根據的資料，都是龍應台沒有能力見識到的，所以，雖然她口口聲聲「一九四九」，其實沒有程度深入「一九四九」。上面的例子，顯示了一斑。

龍應台竟不看「雷震日記」

■龍應台「大江大海一九四九」的大缺點很多，其中一個是她口口聲聲「一九四九」，但是許多與「一九四九」直接有關的重要文獻，她都不看，這叫什麼「一九四九」呢？例如「雷震日記」中，就有「一九四九」全年份的日記，多麼重要啊，龍應台卻一無所知。這不是笑話嗎？談「一九四九」，能不談這部日記嗎？

□「雷震日記」中「一九四九」部分，字裡行間，透露秘密不少。如五月六日日記：

今日經國見告，青島之劉安祺師長將青島之主和分子三百二十餘人丟在海中，內有立委二名，此輩均爲主張局部和平者，經國頗贊成此項辦法。

可見蔣經國之流在兵敗山倒時，仍不忘殺人而去的狠毒。

五月八日日記：

今日桂永清發牢騷向谷正綱說，湯恩伯匯了五十萬美金至美國，正綱以此事於午間在吳公館吃飯時，告訴我與方治也。我此次在滬協助恩伯守滬工作，未有公職，未接受分文公俸，完全以黨員資格在此吃苦，食宿仰俯於人，心中萬分難過。

雷震難過歸難過，他要去台灣了，還不忘帶部汽車走。

紹唐擬購車至台，出口需警備司令部允許，乃與渠訪陳大慶，虹口之司令部四周堆了沙包，汽車繞道通行，正如臨大敵也。

多少軍民死於溝壑，逃不出來，可是雷震的汽車卻能抵台。

五月十一日日記，透露國民黨如何亂抓人：

對於被捕學生四百餘人，迄今已有二周之久，遲遲不結案，外間來保者亦不理。據上海醫學院朱恆璧（？）云，該院被捕十一人，無一人是眞，有二位學生原是國民黨，近來不願做被指定之工作，政府認其有嫌疑，亦加逮捕。今晚會報時正綱提出，余再主張結案，無辜者釋放，恩伯再三認爲不可，說此種人放出來，必妨礙作戰，如做錯了，亦要錯到底，我對此深爲不滿。

五月十六日日記，透露蔣介石出爾反爾，又要人撤退又要人做烈士：

晚至總司令部指揮所見介公致恩伯之親筆函，囑其支持到底，戰至最後一人，與晨間恩伯所言者完全不同。上午聽到恩伯之話，且經國兩次與恩伯談話，我們以爲這些意見，當係介公授意，欲保存部分實力，不料經國返定海後，介公親筆函與恩伯，囑其爲國民黨爭光榮，死守到底，戰至最後一人，因此陳良對上下午之截然不同，深感詫異也。

五月十九日日記，透露前線敗兵要反攻回去，否則格殺勿論：

晚間遷至虹口司令部旁白健生宅與湯公同居，下午五時至周至柔處，渠告以浦東共匪衝至江邊，因羅澤闓已崩潰也，缺口有七公里，返寓後湯公亦如此云。因此渠趕緊布置，命令羅軍反攻，不准渡江，凡渡江者格殺勿論。

多逗啊！後方要逃跑，可是卻不許前方逃跑。

「一九四九」百怪圖

八月二十二日日記，透露蔣介石找來日本軍官爲他打內戰：

晚間日人根本博及吉川大佐來會，談甚久。根本爲華北派遣軍總司令，吉川爲參謀人才，兩者均在中國多年，根本可說簡單之中國語。兩者均計畫守廈門工作，吉川曾至金門島親往視察，並擬防守計畫。彼等一共來台七人，除彼等二人外，尚有一通譯（根本的）及一飛機師，一高射砲手與其他二日人，此二人聞與李某（去日本邀約之台人）有債務關係云。

十月二十二日日記，透露湯恩伯的作風：

下午訪雪艇談甚久，渠言語之中對廈門棄守不滿意，想有許多讕言，渠從各方聽到。渠云李德公對湯恩伯做事認其暴戾，過去在河南濫殺人，雪公謂過去或有此事，但今春在滬一段工作甚好，不然我輩必被俘虜也。渠意金門必須久守。

總裁約下午七時半晚飯，飯前詳細報告廈門失守經過及金門現在情況，因話未說完，飯後再報告並請示。渠云金門必須堅守，囑轉告恩伯不可在船上指揮，尤不可住在船上。予云十六日以前，以人格擔保其未住船，總裁云根本不應上船，即劉汝明亦不許其上船，不可老是逃跑，名譽要緊，將部下丟下自己上船，太不成話。

十一月十五日日記，透露日本鬼子感謝蔣介石對日俘寬大的回饋：

日本軍政經濟界有六十餘函湯恩伯，希其去日一次，日人感於總裁在勝利時對日所發表之不念舊惡，及對日俘寬大，日人甚願助其至少返南京，故願恩伯至日妥談。至對麥帥之事，日人願負責去疏通也。

十二月二十九日日記，透露特務頭子毛森的秘密談話：

毛森對時局甚悲觀，謂李彌、余程萬均已投降，羅廣文及胡宗南所屬之李振、盛文等三兵團均已投降，西南已完，台灣亦可危，勸我可速離開，不然實很危險。我勸其不可如此悲觀。

十二月三十一日日記，透露國民黨偽造人民幣、雷震還希望明年回南京過年呢：

今日政務委員會開會，議案甚少，有一案即印製人民劵在匪區發行，以擾亂匪之金融。此事由辭公負責辦理，對外絕對秘密。

今日天雨，歲末，但台灣同胞亦係過舊曆年，陽曆無過年氣氛。今年在台灣度歲，令人甚難過，希望努力明年可克復國土，在南京過年。

以上隨手翻出「雷震日記」，乍看東一片西一片，貫串起來，卻是一幅「一九四九」百怪圖。「一九四九」的畫面太多了，龍應台只會摭拾幾個斷片，亂扯一氣，又如何得其眞相？

■由雷震「一九四九」日記的例子看，資料和史料太重要了，可是龍應台所知太少了。她只會搞一點訪問，不但事半功倍，並且難得眞相，尤其在高度、廣度、深度上面的眞相，更是一片空白。

龍應台不知道的亂倫

在你看來，玩「一九四九」這題目，基本功沒做好，訪問也做不成的，是不是？像「雷震日記」都沒看，談什麼「一九四九」？

□龍應台花了那麼大的氣力，去做訪問，卻不知從文獻資料上去回溯，以致事半功倍、治絲益棼。訪問不是不能做，而要先靠文獻資料打底子才行，否則訪問在選樣上，在高度、廣度、深度上，都會一一出問題，並且，因受訪者的極限，還會漏失大量珍貴的題目。所以說，文獻資料太重要了，在這方面下功夫，可說是玩「一九四九」的先決條件。龍應台太外行了，她搞的是速成的、即溶的把戲，這怎麼成？

■你舉個例，證明文獻資料的重要。

□記得希臘的伊底帕斯（Oedipus）神話嗎？神話主題就是人會受命運播弄，亂世中、冥冥中，人會不自知的亂倫。伊底帕斯的遭遇，在希臘是神話；但在中國，卻是活生生的人間故事。一九四八年四月五日的天津「大公報」上，有這樣一則報導：

從軍廿年妻女流亡
結識少女竟是親生
西安一幕亂世亂倫悲劇

【本報西安通信】在此戰亂時期，人民不能安居樂業，古怪事情就不免接二連三發生。所謂亂世多悲劇，真是一點不假。市區日前發生一件亂倫案。父親出外多年，竟姘識了親生女兒。到西安來結婚，才遇到前妻。

有一個河南婦人王李氏，二十年前結婚，生了一個女兒，丈夫便去從軍，女兒今年已十九歲，名叫瑞芳。瑞芳的父親從軍後一直沒有音信，抗戰時，她母女逃難到西安，舉目無親，告貸無門，就住在北關鐵道北邊的新王村，替人洗衣做活，補破縫窮，維持生活。勝利後，戰禍不停，她們仍然有家歸不得。由於物價狂漲，她們收入不多，生活艱困，去年春天，她便把瑞芳寄養在三原縣乾親家劉某家裡。劉家的少爺寶生在三原縣某中學讀書，家道也還富裕，她頗有以女妻之之意。瑞芳雖是貧家少女，卻喜愛虛榮，母親又不在身邊，無人管束，便終日打扮得花枝招展，和乾哥眉來眼去，暗暗調情。同時並且和當地駐軍排長王傑生認識了，苦於無緣幽會，頗爲苦惱，在情不自禁時，便和乾哥發生了關係。

本月中旬，劉寶生因事去寶雞，瑞芳空幃難守，又勾搭上那位相思已久的王排長。王排長雖已年近四十，除了以金錢衣物魅惑瑞芳，而且會獻殷勤，使得瑞芳死心塌地，以終身相許。嗣後經秘密商議，來西安結婚。瑞芳在乾媽面前撒謊，藉口探母，於三月二十一日與王傑生同來本市。

下車後，二人曾一同去新王村，可是瑞芳的母親恰巧已去三原了。瑞芳就在家和王傑生雙宿雙飛，儼若夫婦。

二十三日清晨，瑞芳與王傑生春夢正甜，被敲門聲驚起，瑞芳以爲母親回來，披衣下床，欣然相迎，誰料闖入的竟是乾哥劉寶生。劉見王傑生橫躺在被窩裡，不禁醋性大發，惡聲咆哮，王某那肯相讓，三言兩語，大打出手，鄰舍相勸無效，終於拉拉扯扯，扭往法院論理。

王李氏到三原，知女兒已返省，住了一天，即刻回家，剛到家，就聽到瑞芳的醜事，逕又急趕進城，到地院追尋，終於發現他們。而且王傑生右眼下一顆斗大黑痣，更使王李氏失聲驚呼；被劉寶生扭著的中尉王排長，一時也驚呆了，直瞪著瑞芳的媽。原因王李氏發現的正是一別二十年當兵的丈夫，而王排長也發現「姘頭」之母竟是結髮愛妻！

上面這個報導，一點也不是神話，而是亂世中國的亂倫奇聞。——人家成為神話的，我們卻是活生生的人間故事，亂世使神話「落實」至此，嗚呼，國民黨統治下的中國人！我說資料和史料重要，這就是一個例子。龍應台訪問得到嗎？但這一來源，是「一九四九」前一年四月五日的天津「大公報」，若說龍應台能有本領看到，也太難為她了。

龍應台不知道的斷後

■龍應台筆下的「大江大海一九四九」，有一個主軸，就是台灣，百川歸海，正因為有個可以容納逃亡的台灣。但是逃到台灣，談何容易，需要有人為你「斷後」、為你擋住共產黨大軍，你才有機會爭取到時間空間，「孔雀東南飛」。這些為你「斷後」的人，都是犧牲者，死於戰場、死於溝壑、死於牢獄，不可勝數。這些人中身居領導地位的，個個有一段哀史，可是龍應台由於無知或是什麼，一筆勾銷了。所以，「大江大海一九四九」寫出來，像是悲劇中刪掉了男主角，無法連貫起劇情了。國民黨一代名將宋希濂的故事，不是最動人的嗎？談談宋希濂吧。

□一九八四年四月四日，國民黨黨報「中央日報」大罵宋希濂，指斥「宋希濂甘為中共鷹犬」、「不明大義，不惜放棄往日獻身黨國之榮譽，而晚年變節，在海外助桀為虐，為虎作倀，甘為中共統戰工具」云云。我看了以後，寫了一篇標題「鷹犬將軍」的文章，抱起不平來。我說：

國民黨「中央日報」罵宋希濂「黃埔敗類」、「甘為中共鷹犬」，但我們遍查宋希濂的記錄，卻滿篇都是「黃埔之光」、「甘為中『國』(國民黨)鷹犬」。他在四十三歲以前的青春，都在為國民黨做鷹犬、做忠鷹忠犬，出生入死、肝腦塗地；他五十三歲以前的生命，又在為曾做鷹犬而付代價，陷身大獄、勞改終年。為什麼他在五十三歲出獄後開始轉向？開始「此度見花枝，白頭誓不歸」，為什麼？宋希濂到了美國，已不在大陸，不在中共的控制之下，他為什麼不「投奔自由」？為什麼不頤養天年，少說幾句？為什麼要甘為鷹犬成性，一而已矣，繼之以再？甘為老K鷹犬之未足，又甘為中共鷹犬？這是為什麼？對這一為什麼，中國人民害怕，不敢提出眞的答案；宋希濂自己心寒，不願提出眞的答案；中國共產黨惡作劇，不會提出眞的答案。看來看去，只有偉大的國民黨能夠提出眞的答案了。可是國民黨只有偉大，沒有答案，抹殺老鷹老犬，培養新鷹小犬，就是國民黨的答案；國民黨是絕不反省自己的，國民黨是永不認錯的，把一切過失都怪到人家頭上，就是國民黨的答案。

我這篇文章主題很明顯，就是責備你們國民黨太無情了，你們怎麼可以這樣斥責當年爲你們「斷後」的同志？沒有他們的犧牲，你們能從容逃到台灣嗎？

「鷹犬將軍」的轉折

■你的文章美國轉載了，宋希濂將軍看到了。他有了回應。第二年，一九八五年，他出版了回憶錄，書名就叫「鷹犬將軍」。他在「前言」裡說：

台灣一位著名的政論家李敖先生爲此寫了一篇「鷹犬將軍」（見附錄），紐約的「北美日報」轉載此文時加了編者按語，其中說：「宋將軍在垂暮之年，身在美國，遠離國共兩黨，但因屢屢出面呼籲祖國統一大業而爲人爭議。這裡被爭議的焦點是：宋將軍應該效忠於自己的國家民族？還是應該效忠於政黨？甚至於效忠於領袖個人？顯然宋將軍選擇的是前者。這對仍然受著幾千年封建意識影響的許多人來說，是很難理解的。」我的思想和少年時代一樣，那時是救亡圖存，現在是祖國的統一和祖國的富強。「北美日報」編者的這幾句按語，可說是我這位行將八十高齡的人一生的總結。我十分感謝這位素無一面之緣的李敖先生爲我所寫的「鷹犬將軍」，並決定用這篇大作作爲本書的書名。

看來這可眞是一段佳話了。

□的確是佳話。宋希濂最了不起的是，他在廿載戎馬以後、十年監獄過後，最後有了「白頭誓不歸」的大徹大悟，徹悟中國的前途，原來掌舵在他當年的敵人手中、在關他十年的敵人手中。這種轉折，太動人了、太動人了。這種轉折眞是自動自發的，因爲宋希濂一九八四年二月發表宣言，地點是在美國華盛頓，絲毫不受任何控制，自無被中共指使的可能，他能有這種反省、覺悟、與動作，自然動人感人。試看二十五年來，在海外的中國人，有宋希濂這樣清醒頭腦的，又有幾人？在台灣的，就更不用說了。對比之下，龍應台不是胡塗人又是什麼？她在「大江大海一九四九」裡，對宋希濂的一生和轉變隻字不提，這也就是我說的男主角給寫丢了，這種手法、這種程度，還要大談「大江大海一九四九」，眞荒唐啊。

龍應台不知道的叛變

■蔣介石兵敗山倒時，爲防止手下大員投共，每每以大員家屬爲人質，裹脅到台灣，他好像沒裹脅到宋希濂的。

□宋希濂當時太太方死、家破人亡，沒有什麼好裹脅的了，不過，最後有一個驚悚的插曲，宋希濂在前方打仗時，得到消息，蔣介石特派郭汝瑰解決他。「鷹犬將軍」回憶這一幕，十分精采：

不料到深夜，突然有人猛力推醒我，我驚醒了，睜開睡意很濃的眼睛一看，原來是警衛團副團長宋展翔（他是我的堂弟）。我問他深夜來此有何事，他說：「我有一個在軍校第二分校十五期的同學，也是同鄉，一向和我很要好，他現在郭汝瑰部某師某團當副團長，他那個團奉郭汝瑰之命開來牛喜場監視我們，半夜裡由宜賓秘密出發，可能不懷好意，他恐宋先生（指我）遭人暗算，特故意請求同尖兵排在前面走，利用機會乘馬快跑來通知我們。」我問那個副團長（忘其姓名）現在那裡，他說：「他已急急趕回去了，計算時間，明早六、七點鐘可到這裡。」我一看手錶，已是三點多鐘。

我當時猜想，郭汝瑰深夜派隊伍來，很可能是奉蔣介石（聽說蔣介石那時還在成都）的密令，想趁我的不備來解決我的。好漢不吃眼前虧，三十六計，走爲上計。我立即起床，通知各部隊馬上做飯吃，大約在天色微明前，我們便全部離開了牛喜場，冒著滂沱大雨，踏著泥濘道路，高一腳，低一腳，向西行進，足足走了八個鐘頭，才走完四十華里。

有趣的是，宋希濂躲避追兵跑了半天，卻得知「追兵」自己叛變了，「宜賓郭汝瑰部叛變，已派人前往歡迎共軍」了。蔣介石口口聲聲「黃埔精神不死」，當然不死，因爲叛變的比例達六分之四。盛文將軍回憶：

三十八年最後在成都時，很多部隊都被他分化了……我們在成都就有很多兵團都叛變了，如第七兵團裴昌會、十五兵團羅廣文、十六兵團陳克非、十八兵團李振、三十軍軍長魯崇義等都過去了，他們都在成都附近叛變的。最後剩下的是第五兵團司令官李文和我突圍出來，六分之四是叛變了。

龍應台不知道的密碼

■和宋希濂同樣是黃埔一期的杜聿明將軍，他的一家人卻被裹脅成功了。「一九四九」淮海戰役（國民黨稱作「徐蚌會戰」）結束，杜聿明被俘前，有一段不爲人知的故事，最後，你見到杜聿明的兒子杜致勇，你終於勾串出完整的眞相。說一下吧。

□杜聿明將軍其實不是淮海戰役蔣介石這邊的總司令，總司令是劉峙。劉峙在「我的回憶」

裡透露，他本來在徐州坐鎮，可是後來才得知，蔣介石有意讓他去殉職、去做文天祥。因爲劉峙正好和文天祥同鄉！所以，突來一紙命令，把劉峙調到蚌埠。「當淮海西岸大軍南撤的時候，照一般作戰原則，是高級司令部先行後移，而我這次恰相反，爲著鎮定人心，只留我和一個團在蚌埠，等於總司令擔任前哨。」多妙啊！其實，蔣介石對讓總司令劉峙去殉職、去做文天祥的興趣，也發生在副總司令杜聿明身上。杜聿明被派赴前線前，蔣介石曾召見他，表情沈痛的明告，這一會戰是生死存亡之戰，「你放下槍，我脫軍裝！」師生前途，在此一戰。於是杜聿明臨危受命，義無反顧。到了被困之日，他拒絕招降，也是感於老師「你放下槍，我脫軍裝！」這一番秘密告誡與叮嚀，是杜致勇親口告訴我的。但是，蔣介石畢竟是姦雄，一方面，他明明想要杜聿明去死；他方面，卻不能不做救援的姿態，以表示他珍惜部下與將才。因此，形式上派飛機去接杜聿明之舉，也就一再演出。馮亦魯「徐蚌會戰見聞錄」說，杜聿明「不忍於危難中拋棄其麾下的健兒們，獨善其身地飛去，是故遲遲不肯登機」，其實另有隱情。隱情是蔣介石雖然派去了飛機（並且派了兩次），但是駕駛員並沒帶來蔣介石的手令，沒有手令，杜聿明是不敢上飛機的。——原來他們師徒二人是有「密碼」（秘密意思表示）的。「密碼」不符，一切形式上的關懷，都屬無效、都是演給別人看的，不容你當眞！當杜致勇親口向我透露了「密碼」的約定，我恍然大悟，一切都勾串清楚了。

龍應台不知道的人質

■杜致勇在台灣幹什麼？

□杜致勇是杜聿明的二兒子，他和三兒子杜致嚴是雙胞胎。他一生潦倒，最後見到他是在台中，我向他借看他家的一些老照片，他在保齡球館的屋頂上取出來給我，那時他正在球館打工，專門給保齡球鑽指孔。

■杜致勇的媽媽呢？

□這可說來話長。在杜聿明當年被俘的日子裡，他的太太曹秀清正困居上海。首先傳來的消息是丈夫已被共產黨所殺，她半信半疑。不久，在上海陷共前夜，當時明明已非總統而是「國民一分子」的蔣介石，居然派人送來手諭，下令曹秀清務必帶著子女和婆婆，搭乘最後一班飛機去台灣，並保證負責他們全家的生活費和子女的學費。蔣介石這一目的，顯然是要扣住人質，使共產黨不便利用杜聿明，也使杜聿明自己心存恐懼。曹秀清遵命到台灣後，發現一切都是蔣介石的騙局，房子沒有、衣食無著，全家只有一點點生活費，但是，上有婆婆、下有兒女，浩繁之家，又何以維生？她無奈之下，只好找蔣宋美齡、找杜聿明的老朋友、找杜聿明的老部下、找張群等等，奔走求職。最後，她總算在台北菸酒公賣局製品廠找到一個管內部收發的差事，用微薄的工資，維持全家。她每天八點鐘上班前，給全家做好飯；十點鐘人家休息時，匆匆忙忙跑回家照顧婆婆，再匆匆忙忙趕回工廠。年復一年的，過著慘澹的歲月。即使在慘澹的歲月中，家中的不幸，還沒有停止。婆婆由於念子心切，終告不治；長子杜致仁也自殺了。自殺的原因之一是：他在美國，白天上學，晚上打工，後來生病，無法再打工了，他求媽媽想辦法。曹秀清向蔣介石申請補助，蔣介石批了一千元，還規定分兩年給付。但與學費一年相差甚遠。杜致仁非常氣憤，認爲爸爸爲蔣介石賣命，蔣介石承諾的子女學費，原來如此！氣憤之下，就臥軌自殺了。

■龍應台不是喜歡寫「一九四九」現象嗎，杜家血淚，正好寫一筆啊。

□要寫，寫到這裡還不算完呢，後面峰迴路轉，還有續集呢。

龍應台不知道的説客

曹秀清的歲月雖然慘澹，不過，一件意外的姻緣，改變了她處境的劣勢。她的大女兒杜致禮，「一九四九」嫁給了物理學家楊振寧。楊振寧在婚後第八年（一九五七），得了諾貝爾獎。這下子，一切都有了微妙的改變。一九五八年的一天，忽然蔣宋美齡又認識起曹秀清來了，突然派車子去接，要見見面。見面以後，蔣宋美齡滿臉堆笑的握住曹秀清的手，說：「啊！杜夫人，你胖了！上次見你，你是很瘦的。」曹秀清想起蔣宋美齡口中的「上次」，那正是這位貴夫人佯裝不認識她的那一次啊！蔣宋美齡又說：「杜夫人，恭喜你的女婿楊振寧博士榮獲諾貝爾獎金，你應該去美國看看他呀！」曹秀清答道：「我是很想見女兒女婿的。」蔣宋美齡問：「你去美國怎麼和楊振寧說？」曹秀清回話：「我不知道。」蔣宋美齡說：「杜夫人，希望你從美國回來時，把楊振寧也帶回台灣，讓他協助蔣總統反攻大陸。」

在談話中，蔣介石居然穿著長袍，悄然而至。幾年前，曹秀清求見蔣介石，他拒不接見，如今卻不期而遇，曹秀清眞別有一番滋味在心頭了。

在談話中，曹秀清表示願意影響楊振寧回台灣，「幫助蔣校長反攻大陸。」蔣宋美齡喜不自勝。她親自爲曹秀清點煙。就這樣的，敲定曹秀清離台赴美。於是，當年的人質，搖身一變，成了說客。——蔣介石的勢利眼，眞令人哭笑不得！

曹秀清辦出境手續，想帶一個兒子出國，還是被拒絕了。另外在手續上，還得有兩個比杜聿明地位高的人連保，方可放行。期限還規定是六個月，期滿可延長六個月，逾期不歸，反正你有二子二女在台，大家有得瞧！曹秀清但求成行，一切已不計較。就這樣的，說客她臨走時，曹秀清一名，獲准離境。

曹秀清到美國後，住在女婿楊振寧家。她的第一件舉動，就是把回程的飛機票退掉了，同時把退回來的錢，匯給了她在台灣的二兒子杜致勇，以補助杜致勇念大學的學費。（她臨走時候，家中只剩下三千元，算是全部財產！）這一舉動，顯然有著初步的象徵性意味。——她顯然無意遵守六個月返台的秘密協定，她似乎不想再回來了！

曹秀清到美國後一年多，傳來了杜聿明出獄的消息。曹秀清久冷的心又燃燒起來了，但她陷入很大的矛盾。她在大陸有丈夫，可是在台灣有四個兒女，她不能不替兒女設想，這一親情的吸引力，對她構成拉鋸戰。在矛盾中，她有一次跑到了「中華民國」駐美大使館，表示請代買飛機票，她打算回台灣！可是，大使館方面居然說：「我們不相信杜將軍的夫人沒錢買飛機票！」——蔣介石官吏的可惡與顢頇，竟一至於此！

經過年復一年的內心拉鋸戰，一九六三年，曹秀清終於回到了大陸，和十五年不見的出獄丈夫重聚。亂世情鴛，丈夫五十八歲、太太五十九歲，兩人一起辛苦成巢，做飯、洗衣、參觀、訪友，小日子過得倒也寫意。杜聿明還爲她做過幾件衣服。曹秀清說：共產黨把她丈夫的脾氣也改造好了，他這個帶兵打仗的，從前脾氣可大了！

曹秀清剛回大陸的時候，中共給杜聿明的身分是人民政協文史資料研究委員會軍事組專員。她回去的第二年（一九六四），杜聿明就當上了人大代表、第四屆政協全國委員，可以參與討論國家大事。得到這種任命後，杜聿明寫信給他黃埔時代的老師周恩來，表達他的百感交集。再過七年（一九七一），楊振寧回到了中國。又過了一年（一九七二），美國總統尼克森（Nixon）、日本首相田中角榮訪問中國，杜聿明且應邀參加了兩度國宴。曹秀清感慨說：我丈夫吃的是國民黨的苦，享的是共產黨的福。——以一個戰犯，最後能有如此「上」場，人間浮沈的離奇，眞是不可思議了！

杜門不准出

一九八〇年十一月，杜聿明七十五歲，他當年爲國民黨打天下，失去了一個腎，如今另一個腎支持不住了。他住進醫院裡。在醫院裡拖了半年，一九八一年五月七日，他終於死去，死前以不能重見在台灣的四個兒女爲恨。他最後說，若生不能見，死後兒女能來奔喪，也是好的。可是，在他死後，這一最後希望，也被無情的國民黨粉碎。——國民黨不准他在台灣的兒女出境，什麼生見最後一面、什麼死後奔喪，都成泡影了！

國民黨在台灣，把杜聿明家屬當人質，歷史是悠久的。其中受害最大的，是杜聿明的二兒子杜致勇和三兒子杜致嚴。在曹秀清去美不歸後，杜家兄弟的處境也就益發艱難。不能出境不必說，即使是基本生活與職業也備受干擾。杜致嚴輟了學，去開計程車；杜致勇力爭上游，所受干擾尤多。找任何職業，都被「安全考慮」；甚至把房子出租，房客都要被管區警察半夜查戶口。杜聿明黃埔一期的老同學黃杰等人雖然走紅，可是無情與冷眼都是一樣的，一點也不肯幫忙。最後逼得杜致勇放棄土木工程專家的職業，學非所用，爲保齡球鑽指孔終老。杜家的二女兒杜致義、三女兒杜致廉在台灣的處境也好不到那裡去，甚至她們嫁了人，連下一代出境，都遭到麻煩。大小姐杜致禮早年留美，嫁給楊振寧，算是早脫了樊籠的，不過一九五二年返台那一次，就被蔣介石扣留過。其中經過，一九七二年七月一日，香港「春秋」雜誌有「楊振寧、杜致禮閃電結婚記往」一文，曾有報導。由這個例子看起來，蔣介石對扣留人質，是多麼感到興趣。他這種殘忍的心態，說穿了，其實是一種病。

爲什麼是病呢？因爲照現代標準，一個將軍，只要盡過全力作戰，在盡過全力仍不免於戰敗的時候，他可以有所保全，而投降。這種將軍，他回國後，仍舊是英雄、仍舊被當作英雄般的歡迎，所以如此，就是大家眞的相信人可以不做無謂的犧牲。孟子說：「可以死，可以無死，死，傷勇。」就是這一道理。當然，這並不是說，當事人死是錯的，而是說，死不死是他個人的選擇問題、是他個人的自由意志問題，而不是別人或統治者代爲選擇的、代爲強制的。硬定一個取捨標準，去教人肝腦塗地，不是合理的要求、也不是人道的要求。

但是，自己戰敗不死在首都南京的蔣介石，他落伍的大腦卻不這樣想。他總想別人爲他做文天祥，才感快意。因而一律要求別人臨難死節。職此之故，縱使他的手下，爲他賣命多年、受苦多年、家破人亡多年，他仍然要爲已甚，不准別人親人團圓！手下戎馬半生、又坐牢半生，難道還不夠嗎？答案是還不夠！手下被敵人懲罰後，難道還要被自己人懲罰嗎？答案是還要罰！這就是蔣介石的新三綱五常標準，——他強制別人做烈士，用心之苦、無情之烈，竟一至於此！

杜聿明是「天子門生」，他未能達到亡國天子的臨難死節標準，爲天子所不諒，但是，杜聿明對蔣介石以及所有逃到台灣的師長同學，他是洵無愧色的：沒有我在前線殊死戰，你們能在後方開小差嗎？沒有我在大陸十多年牢獄之災，你們能在台灣享三十多年清福嗎？你們一個個都是貪生怕死的革命軍人，你們在台灣慶祝全家福之餘，又有何臉面，苛責我家破人亡的杜聿明呢？

「此度見花枝，白頭誓不歸」

顯然的，杜聿明在大陸，經過十多年的牢獄之災、十多年的沈思默察、十多年的反省比較，他眞的有了覺悟——巨大的覺悟、根本的覺悟。他眞的從內心深處，懺悔了他青年時代跟蔣介石那一段日子，他眞的「覺今是而昨非」、眞的拋棄了他那流血流汗誤造的舊中國！

一九七三年九月，楊振寧路過香港，談到他對岳父杜聿明的觀感說：

杜先生給我一個非常深的印象，他對於新中國在歷史上的意義，有很深刻的了解、有很堅定的信心。這在一切方面都流露出來。他跟我們談到在舊中國的情形。杜先生過去在國民黨中，是負有重要任務的人物，我想正因爲這樣，所以他對於舊中國的一些問題——不能解決的一些問題，有一些深刻的了解。也正因爲這樣，所以他今天對新中國的成就有了更深的認識和了解。

杜聿明如此，杜聿明的太太其實更是如此。曹秀清年輕時，本來就做過共產黨，認同問題，她比杜聿明方便得多。在她回到大陸後，她與丈夫共度了十七年的歲月，直到丈夫死去。——大陸是她眞正認同的地方，她從美國回大陸，隨身攜帶的是大兒子的骨灰，她自己不但要生還故土，連大兒子也要歸葬中原了！

杜聿明一九八一年死後，國民黨又來了，認爲曹秀清在大陸已無親人，四個兒女都在台灣，大可把老太太統戰回來。於是，國民黨同意杜致義、杜致勇、杜致廉出境，目標：香港；命令：統戰杜老太！

一九八二年，八十歲的曹秀清到了香港。她在香港和闊別二十多年的子女相會，但不肯回台灣。一九八三年，大家又重在香港聚首，曹秀清還是沒有歸意。一九八四年，她再來香港，等子女，未及見面，就病死在那兒。杜家姊弟的奉母心願，空留餘憾；國民黨的統戰杜老太計畫，也隨一紙公文（七三勇局字第一八九〇號）付諸東流。——老太太「此度見花枝，白頭誓不歸」，她恨透了蔣家天下，她再也不回來了！

此度帶骨灰，白頭誓不歸

■整個的杜家故事，太離奇了！太精采了！它才是眞正的「大江大海一九四九」的典型故事，那麼起伏、那麼動魄、那麼轉折多變、那麼將往復旋。你能想像杜老太太從美國回大陸那段人生旅程嗎？隨身攜帶的是大兒子的骨灰、自殺以去的大兒子的骨灰，她老人家是什麼心情呢？「國破家亡」四個字，對她不是文學字眼，而是自己一生的詮釋，他們滿門受害，最後回歸重新界定的祖國，離別其他在世的子女、找回自己多年失散的丈夫，你能想像出來她的心情嗎？什麼「大江大海一九四九」，龍應台知道的太皮毛了。

□杜老太太隨身攜帶大兒子的骨灰，那一畫面，使我想起龍應台大費筆墨談到的長春。龍應台只談到長春「浩劫時」那一段，卻對「浩劫後」一無所知，她當然更不知道「長春人物」的骨灰，被戰友攜回大陸的故事。

秋後長春

■又見長春？長春還沒完？

□怎麼會完？龍應台只談「現象」，其實也只是前一半的前半截的現象，長春的後一半可多著哩，那就是「秋後算帳」。蔣介石一路歧視雜牌軍，但守長春的一半軍隊就是被他歧視的六十軍，最後那邊的六十軍起義了，防線出了大缺口，這邊的新一軍也守城無望了。新七軍本是孫立人的老班底，他們與共產黨達成協議，聽憑放下武器的長官解甲歸田、不對軍官及眷屬搜身、不沒收私人物品。新七軍的長官主要是軍長李鴻、新三十八師師長陳鳴人、新三十八師副師長彭克立、一一三團團長曾長雲。

一九五〇年，孫立人奉蔣介石之命，接李鴻等人來台。李鴻在一九五〇年三月底抵達香港，攜在東北作戰時再娶的妻子馬眞一及岳母和一個女兒來台。夫妻不久即被捕。馬眞一在吉林師範學校學音樂，受過高等教育，成了被羅織入獄的罪名。蔣介石認爲從淪陷區逃難出來的女性知識分子必定都裝了共匪的思想，用刑都比教育程度低的婦女來得重。馬眞一當時已懷身孕，李鴻家裡的岳母和幼女被官方人員趕出原住宅，改住到一間很簡陋的房子。在牢獄裡，李鴻被用酷刑坐「老虎凳」，雙腳幾乎殘廢。長期秘密隔離偵訊後，難友們可以講話時，李鴻要靠難友扶助，才能進行簡單的復健，慢慢步行。李鴻夫妻關在相同的地方、不同的牢房，無法見面。直到長期秘密隔離偵訊後，移送到桃園保密局監獄，夫妻才能在經過彼此的牢房門口時匆匆打個照面。馬眞一即將臨盆時，送到監獄一間空房裡產下一子，此子陪同坐牢七年半，可算是最小的囚犯了。至於李鴻一干人犯，個個坐滿二十五年牢，連張起訴書都沒有，沈冤三十八年，無人知曉，直到我請曾心儀擔綱，明查暗訪，才得知眞相。一九八八年，曾心儀在「最後的活口——彭克立將軍攜曾長雲骨灰返鄉」寫道：

李鴻將軍自去年在家裡中風後就不能講話，面對親友只能用點頭、搖頭來表達簡單的意識。陳鳴人、曾長雲於數年前先後病逝。四人之中，彭克立老將軍以七十九歲高齡，還保持清楚的意識，能行走，能與人交談。

筆者跟隨李敖做「孫立人研究」專書工作，其中採訪工作是多方面同時進行。當筆者得知彭克立將軍的住處時，同時聽說他可能近日內就要回湖南長沙老家探親，談到他的人幾乎都認爲他此行不會再回台灣。爲做「孫案」採訪，南北奔走。從台灣北趕到台灣南，聽到關於彭克立的一點線索，又急急從台灣最南端趕回台北。眞擔心到達台北時，彭老先生已經搭飛機告別台灣，不再歸來！所幸，筆者終於能在彭克立返鄉之前與他見面數次。彭克立的談話雖然相當保留，但他亦坦然回答了一些關鍵性疑點。

老人院的彭克立將軍

曾心儀又寫道：

曾長雲與彭克立兩人是隻身來台，從被收押後，就一直在一起。頭幾年，同案的人不能見面、交談，直到被移送到龍潭保密局後，白天大家在庭院裡可以見面、談話。一九七五年被釋放後，官方安排曾長雲、彭克立一起住進台北市立廣慈博愛院中和敬老所。陳鳴人的住處離中和敬老所不遠。陳鳴人生前，常從家裡走到中和敬老所和兩位老難友閒聊。三位老人在中和市圓通路這裡消磨他們的晚年。陳鳴人、曾長雲在出獄後不爲世人所知、靜默地在病魔摧殘中活了十多年，先後病死。

曾長雲的晚景非常淒慘。他患有眼疾、心臟病，還有其他各種毛病。眼疾開刀前，視力已經很弱，幾乎失明。開刀後，視力情況一度好轉，他就從醫院搬回中和敬老所。不多久，又因眼疾病況轉壞以及其他毛病常往醫院跑。後來，眼睛全瞎了，使他極爲驚恐，引起心臟病復發，住進台北市立仁愛醫院。這一去，就沒有再回到中和敬老所。一九八五年七月十二日，他在醫院病床上，孤獨地在黑暗中消失最後的生息。彭克立在他去世前一天曾去看他，對他說隔天再來。彭克立再到醫院病房時，才知他已死了，遺體移送到民權東路台北市立殯儀館。彭克立爲曾長雲料理後事。曾長雲遺體火化後，骨灰罈放在台北市善導寺。彭克立申請返鄉探親，他一邊等著香港的簽證，一邊忙著辦理手續將曾長雲的骨灰帶回湖南老家。彭克立年老體弱，裝盛骨灰的大理石罈對他來說是很重的負擔。他後來改用木盒裝盛骨灰，這樣提起來就輕多了。

曾心儀的動人文字

彭克立的「台灣之行」可眞乾脆，一九五〇年，來台，兩個月後入獄；二十五年後，一九七五年出獄，入老人院；七十九歲，離台、帶著老戰友老難友的骨灰離台。曾心儀寫彭大將軍：

矮小衰弱，背部微駝。他背脊長骨刺，會痛。有風溼病，視力極差。他說，身上還有很多毛病。他走路時，有點搖擺不穩，即使他手持手杖，我也十分擔心他會跌倒。他的身體看來是太衰老了，我實在很擔心如果跌倒，骨頭會散掉。

我和他談話，覺得他思路清楚，反應尙靈活。有些年輕人在思考和反應上，顯得比他還迷糊多了！我不確知，他對很多事，人、地、名，記得頗清楚，是他的記憶力好呢？還是經過多年偵訊造成幾乎可以背出很多事來？或是因爲他的時間大都在牢獄中度過，因而把精力和記憶都花在那些過去的事情上？

中和敬老所每個房間裡，放了幾張雙層床。曾長雲生前的睡鋪，現在住著一位講台語的老人。語言不通，對老人們來講，似乎不成爲很大的問題。老人家彼此談話的機會並不多。我雖然很想和彭克立及其他老人多談談，但是他們談話總是簡短得一句、一句，談話似乎會使得他們虛弱的身體容易疲勞，因此我也不太想干擾他們。

彭克立的睡鋪離曾長雲的睡鋪隔了兩間房間。雙層床的下層睡覺，上層擺個人的用品。每個睡鋪、每個房間都顯得擁擠、雜亂。似乎，每位老人畢生的隨身物就只有這些簡陋、陳舊、簡單的東西……

我用生硬的台語和現在睡曾是曾長雲睡鋪的老先生交談。他對我的語言似懂非懂，我原擔心他或是有其他路過的老人阻止我拍照。使我驚訝的是，看見我照相的老人幾乎都沒有反應。彷彿，他們的悲歡喜怒感情已經沈落到生命的底層。

彭克立曾爲香港簽證遲遲未發下來而顯得焦慮。他能否順利出境，顯然對我們的談話有影響，也影響到他對透露他與李鴻等四人案的內情。當我得知他即將啓程時，我去見他，向他道賀就要看到三十八年未見面的兩個女兒（他的妻子於數年前在老家病逝）。我心裡卻沒有眞正的喜悅。他是李鴻等四人案中唯一活著能說話的人，卻在離開台灣前沒有爲公開本案內情稍微再盡一點力。他告訴我，輔導員和另外兩個人將開車送他到桃園國際機場搭飛機。我懷念和他談話、相處的每一分秒。本文寫作過程中，得知他已抵達湖南老家。在我爲「孫立人研究」做採訪工作中，彭老先生已是一位相當友善的受訪者；雖然，他也像多數「孫案」受害人一樣，仍有疑懼、有自我封閉的傾向。採訪「孫案」所接觸到的事實，以及採訪工作所遭遇的困難和壓力，在在都顯示出：我們都是在這個腐敗大環境裡生活。是什麼摧毀了人與人之間可貴的情和義？是什麼使感情自然流露變得困難、不自然，要抗拒看不見、無比的壓力？我每想到彭克立要經過刻意安排，假裝在火車站巧遇孫將軍，用這種方式才能見到老長官；每想到兩位老將軍在人群熙攘、有著監視人員隨侍的情況下見面，就忍不住熱淚盈眶。

將軍行矣！

■曾心儀的文字好動人。

□好動人。她是江西人，在台灣是外省第二代。在黨外時代，她永遠跑第一線。黨外被民進黨偷走後，曾心儀的功勞被遺忘了。十多年前我碰到她，她在畫畫，我買了一幅她的畫。二〇一〇年九月孫立人紀念館開幕，胡志強約我到台中做演講，我還公開稱道了曾心儀，在座的一些老人還記得她。

■曾心儀的採訪功力，很了不起。

□曾心儀具備成功的採訪條件，其中之一就是機警，看她的另一段：

我第二次去中和敬老所看彭老先生時，他告訴我，所裡的輔導員知道我。我沒問彭老先生，那位輔導員怎麼會知道我。我很想拍攝曾長雲生前的睡鋪，以及彭克立的睡鋪，我請彭老先生幫忙我向他的室友們徵求同意。彭老先生卻說：

「要問問輔導員。」

我急忙拉住他說：

「不要問輔導員。問了，就拍不成了。」

這就是機警。不過，彭克立似乎逃不過無所不在的「輔導員」。他臨行前，到我家拜訪我，我私下塞了一把錢送他，他也收下了。可是，他登機前夜，卻託曾心儀把錢奉還了，理由是：「輔導員說不要收李先生的錢。」

彭克立回大陸後，與兩個女兒合照一幀，寄來給我，那該是我最後一次得到他的訊息。

將軍行矣！

這是長春故事、眞正的長春故事、完整的長春故事。蔣介石禍國殃民後，又錯誤的派軍守孤城，最後萬骨枯了、一將功也敗了。天眞的「彭大將軍」們愛國愛到台灣來，多樣刑求、二十五年的黑獄在等他們。沒有李敖和曾心儀，他們的故事永遠被埋沒，但是，有了李敖和曾心儀又怎樣呢？「大江大海一九四九」裡，照樣抹殺了一切。

龍局長啊，「請用文明先說服我」，你的文明呢？

「天祥症」外一章

■整個的長春悲劇，繫於蔣介石一念，那一念就是要求別人去做文天祥，這是蔣介石的「天祥症」，你沒打死，反倒被俘了，這是不行的。

□西安事變時，蔣介石不也被俘了嗎？俘虜他的孫銘九，晚年由陳平景轉資料給我，詳述始末呢。

■「蔣天祥」例外啊。並且，若論守城該殉死，他蔣介石可兩次從南京逃掉呢，還向人吹翻子瞪眼呢。

□由「天祥症」，使我想起一個鬍子笑話。一九九一年四月十三日，華視晨間新聞報導，老兵王貫英說，他隨政府遷台，就留下鬍子，聲言共匪一日不滅，他一日不去此鬍，並定名此鬍爲「反共紀念鬍」，我一邊吃早餐一邊看到，哈哈大笑。我想到一個絕妙的對比。前面提到國民黨老將劉峙，淮海戰役（徐蚌會戰）時，蔣介石派他做總司令，但眞正實權卻不給他，只是暗示他最好做一次文天祥，以給屢打屢敗的國民黨沖沖喜。劉峙心知肚明難逃一死，也就打電報向蔣介石表示：我不會辱及我的鄉先賢文信國公，請放心。蔣介石大喜，乃進行此一「文天祥計畫」。一、先由劉峙的三個舊部——剿總辦公室少將副主任厤安邦、上校附員戴以道、第二處上校科長周英，暗中做了準備，到時把劉峙幹掉，不讓廬陵文天祥專美於前。二、後來蔣介石計畫改變，把劉峙調到蚌埠，但只留一個團給他。蚌埠是最前線，照一般作戰原則，是高級司令部先行後移，而這次恰恰相反，蔣介石等於是叫總司令擔任前哨，一個團當然擋不住共匪，共匪來時，文天祥唾手可得矣！不料劉峙是「福將」，他雖在最前線，但共匪不屑打他，結果文天祥沒做成，老命一條，撿回來了。蔣介石氣得不要他來台灣，他也不敢去見蔣介石，只好流亡到南洋，去教「高小六年級的國文、地理課」了。

劉峙晚年寫「我的回憶」，有這樣一段，寫他孤懸蚌埠時，「鐵路常斷，飛機已去，交通工具缺乏，我們等了很久，可是匪又不來；所以才留下這一條早已由光輝而趨於黯淡的生命，到今天來寫這篇簡略的回憶錄，實在感慨萬端！我前面說過：『眞正的生命，是建築在生命的價値上。』而今國家如此，偷生何益？一個革命軍人，縱使曾立大功，而不能馬革裹屍，到頭來還難於自尋死所，其悲痛可知。」「徐州剿匪總司令部，於民國三十八年一月二十日撤銷。我調到總統府任戰略顧問，從民國三十八年一月二十三日起，爲記著此一奇恥大辱，我決定從此剃鬚，不消滅共匪誓不再留。而今十七年了，每對鏡自照，嘴上還是光光的，這一份悵惘的心情，誠非筆墨所能形容……」從此直到劉峙死去，他再沒有留鬍子了。

■老兵王貫英留鬍以示反共抗俄；老將劉峙去鬍以示反共抗俄，這一對比，豈不太有趣了嗎？「三國演義」曹孟德在戰場上「割鬚斷袍」，所有動作，是爲作戰；但國民黨將士所有動作，卻在戰敗之後，賭氣跟自己過不去，古今對比，亦別有奇趣。當然，國民黨上將割鬚也好、老兵留鬍也罷，多少還表示他們有所知恥。而那禍首蔣介石呢，卻若無其事，仗打敗了，還吹鬍子瞪眼呢！

□上將割鬚，老兵留鬍，反共紀念，其慚何如！看了龍應台的書，我想起龍爸爸，不知在他英勇的自傳裡，有否有關自己的陳述。龍應台說她爸爸看京戲「四郎探母」時泣不可仰，四郎可是留鬍子的喲。

「蔣公不出國，中國無救」

■「一九四九」，蔣介石表面上引退，事實上仍舊一把抓，這種動作，大家都看在眼裡，沒人敢公開講話，可是有一個人忍不住了，就是老報人龔德柏。「一九四九」，一篇轟動全國的文章出現了，龔德柏寫的「蔣公不出國，中國無救」。龔德柏外號「龔大砲」，湖南瀘溪人，生在清光緒十七年（一八九一）。他是中國最有個性的老報人。在家鄉念書的時候，因揭發校方內幕，被開除；在日本留學的時候，因反對日本風潮，又被開除。他很早就從事新聞工作，一生所辦報刊，有「國民外交雜誌」、「東方時報」、「中美通訊」、「世界日報」、「大同晚報」、「革命軍日報」、「申報」、「救國晚報」、「救國日報」。勇氣之大、筆鋒之銳，中國報人中無出其右。他辦報樹敵，家常便飯。一九四七年，他在「救國日報」上支持李宗仁競選副總統，寫文章標題「反對孫科當副總統」，惹起廣東代表和親孫人士的公憤，他們在上將張發奎、薛岳帶領下，糾合國大代表一百多人，乘坐國民大會交通車，浩浩蕩蕩，直奔「救國日報」社，予以搗毀。——全世界報社被搗毀，竟由上將級軍頭帶隊、中央級民意代表參加，如此風光，龔德柏可謂千古一人也！

□龔德柏眞是千古一人。辦報樹敵，樹到副總統候選人頭上，還不稀奇。他還樹到第一當政者的頭上。一九二四他寫「亡滿蒙者段祺瑞也」；「一九四九」他寫「蔣公不出國，中國無救」，都惹來入獄之禍。他一生爲辦報，八次被捕，最後一次開罪蔣介石，爲期最長，表面上理由是「在陸軍大學演講，公開毀謗政府」，骨子裡原因是這篇文章。他在一九五〇年三月八日被秘密逮捕後，妻兒不知其所在、朋友不知其所往，消息全無，雲深不知處。這樣拖了五年，老婆兒子，都從沒見過他一面，老婆急到把頭髮禿成光頂，一家大小，啼飢號寒。到了一九五五年四月五日，蔣介石始在「在國父紀念月會中講述保障人權及言論自由問題」時，提到這一老政治犯，說龔德柏交付感化後，「乃迭據感訓所長報告，龔德柏在所毫無悔改之意，種種荒謬言論，均存有記錄可查，治安機關檢核感訓考核報告，其思想言論，尙無悔悟，故迄今尙在繼續感化之中。」這一「繼續感化」，前後拖了七年，龔德柏六十七歲了，仍然「毫無悔改之意」，國民黨毫無辦法。最後，只好放他出來，還給他補上了國大代表。他在一九八〇年死去，活了九十歲。國民黨幸虧有眼光、識時務，及早把這老頑固放出來，否則「感化」到九十歲，仍不悔改，不但累死人，也丟死人了。

■你跟龔德柏見過嗎？

□我在法院旁聽打官司，見過龔德柏，但從沒講過話，他生前死後，都不知道我是他的「貴人」。他生前出版「愚人愚話」、「也是愚話」、「又是愚話」、「還是愚話」，都和我在文星書店的推動有關。不過，龔德柏一生最精采的著作，乃是他晚年偷偷寫的「中日戰爭史」，書中批評蔣介石的錯誤，當然不能出版。在他死後，我得到這部書的稿本，發表在「李敖千秋評論叢書」中，陸續爲他流傳於世。龔德柏除「中日戰爭史」外，另有秘密回憶錄一冊，寫他獄中見聞，也不能出版。稿本最後落到我手裡，給它全文發表了，我把它標題作「蔣介石黑獄親歷記」，精采極了。我們不談「一九四九」則已，要談「一九四九」，「一九四九」年這樣令人頂禮的文章和作者，怎可忽略？可是龍應台一片陌生，關鍵的不談，反在某些小事上蜻蜓點水，小哉龍應台也！

「一九四九」除了「蔣公不出國，中國無救」外，同年年底，十二月二十八日，龔德柏那篇「新國難之由來」演講，直指蔣介石的戰略錯誤，爲反蔣演講做了廣陵散，也是他入獄以至死去的安魂曲，這麼重要的「一九四九」的光芒人物、重要文獻，龍應台隻字不提，這是什麼「大江大海一九四九」嘛！

龔德柏親歷的黑獄

■龔德柏的黑獄坐了七年，他抗戰有功，得過勝利勳章的。

□有功又怎樣？李鴻他們有功到國際去了，英國給過他們勳章呢，還不照關不誤。

■龔德柏和李鴻他們，都被關在欽定的「錦衣衛」，龔德柏是能文之士，他追憶出許多細部黑暗，一定都寫出來了。

□眞的，都寫出來了，像他寫「保密局的酷刑」：

> 我須將保密局的酷刑先行敘述。蓋以後每一案件，幾與酷刑均有關係也。他們第一件酷刑叫「老虎凳」，即一很堅固之長板凳。每捕來一人，若覺其重要，或有證據證明其重要，則先上「老虎凳」。其法將受刑者之頭用帶緊緊束住，再綁在「老虎凳」之將軍柱上，使其不能動搖。其次將腿部平放在凳子上，兩腳向前。若這樣綁後，尙未使他們獲得所需要的供詞，則用磚一塊，放在腳下，使腳向上，而腳後之筋爲之延長，使人非常痛苦。若仍不招供，則再加一磚。至此，任何人均無法忍受，非招供不可。若再不招，則用大棒重打腿部前方（從前官家打屁股，係用小板打後方，與保密局所打處完全相反）。不論任何鐵漢，只要一棒，無不鬼哭狼號。但有被打數十棒而不招供者。被打過的人，兩腿均成黑色，不但不能行路，即解小便亦非常費力，因爲身體上的機關均發生障礙而失靈了。我在

最初數月內，親眼看見這種被打的人在百人左右。或係同號，或見其由門前抬過。與我同號而被打最慘的一人，則爲台灣電力公司總經理劉晉鈺，劉被打七小時（中間當然有停打的時候），三十九年五月二號晚九時上老虎凳，至次日上午四時，始抬至我住的四號。看守將門打開，劉即倒入室內，動彈不得。他占了我的地位，我只得坐以待旦，由次早起，劉大小便均是我同一共黨施姓，抬之出入。劉之狼狽情形，使人爲之可憐。

劉是福建人，上海震旦大學畢業，法國留學生，爲電機工程專家。他之被捕，係他兒子由匪區來函，囑他保留台灣電力公司的一切財產，不要破壞，以便共黨攻下台灣後接收。這函被檢查人員檢得了，爲之照相，仍將原信交劉，看劉如何處置。劉得函後，並未呈報政府，保密局認他通匪，遂將劉逮捕。

在南所大約四五天工夫，劉出了南所。我們以爲他獲釋了，爲之慶幸。但他並非獲釋，而是轉至武昌街一段八十八號，即台北市警察局對面監獄（現已廢止）拘禁，六月十三日即槍斃。較吳石之槍斃僅後數天。劉可說是無妄之災。

另一被打得最慘的，則爲前長春警備司令新七軍軍長李鴻，李住三號，與四號正對面，故我目擊得很清楚。其餘如吳石案中被牽連之陸軍中將陳寶蒼，雖被打得最厲害，但不如劉李二人之狼狽，則爲次等了。

上老虎凳後，又被打數十或二三百，尚不肯招供之人，則連老虎凳在身，一齊吊在空中，這叫

「坐飛機」。受到這種刑法的人，比較少些。我問過房間之人，只有警官學校教官吳星全（發音如此），他坐過飛機後兩隻手完全不能動彈，吃飯、大小便都要別人幫忙。經過月餘，左手漸漸能動作，於是用左手吃飯，把飯碗擺在地板上，人俯在地上，照狗那樣吃。不過多一隻左手，能把飯送入口中而已。

龔德柏追憶提到李鴻等人的案子，他寫道：

李鴻、陳鳴人、彭克立、曾長雲四人，迄五十一年十月我記述此事時止，仍在桃園監獄，既不判刑，亦不釋放，仍坐無罪之牢。因爲李等四人，既不是匪諜，也不犯他種罪過，保密局已完全清楚。因爲酷刑逼供無效，誘騙與嚴刑逼其部屬，使誣供李等是匪諜亦無效；甚至保密局同志潘德輝、吳頌陽二人，係由保密局派至李鴻軍中做情報者，亦不肯誣供李鴻等是匪諜。保密局曾調潘吳兩人至南所，派人與他們情商說：「請你幫幫忙，供述李等是匪諜，局方也好結束該案，你也有升賞。」但潘吳二人（不同時審問）則一致答稱：「我憑良心，實在不知李等是匪諜。若昧良心說話，天理難容。」於是誘供騙供，方法用盡，仍無結果。

直到一九七五年蔣介石死了，蔣經國宣布減刑，李鴻等四人列入開釋名單，要放人了，總要有個罪名、有個刑期，這時才發給他們判決書。罪名是「陰謀顛覆、進行策反」，判處無期徒刑。但因他們已經坐了二十五年牢，又獲減刑，所以，才活出牢門。而不肯誣攀他們的潘德輝、吳頌陽各判七年，罪名是「明知為匪諜而不告密檢舉」，早已出獄。潘德輝出獄後還來拜訪過我，他說他太太受到拶指的刑求，也被關了半年。

幸虧碰到李敖

■龔德柏眞是有心人、有心報復的人，他眞了不起，留下了這本書，最後幸虧碰到李敖，由你成全了他。

□龔德柏秘密寫下他當年坐牢的心境：

> 我已做長期坐牢的決心，我決定與蔣氏競爭壽命的長短……只恐我的死不為世人所知，則未免使死我者太占便宜。所以還希望活著出牢門，把我的故事與牢中離奇古怪的事，告訴世人。因為世人只知道有特務，但特務有這等牢獄，使希特勒與史達林的牢獄亦為之減色。中國在牢獄進步方面，竟能占世界極權國家的第一位，世間殊少有人知道。欲為之記錄以傳於世，不但是我的希望，而且也是一切「享受」其牢獄風味的人一致的希望。所以我對於這種任務認為責無旁貸。

一九五七年二月十八日，龔德柏一出獄返家，立刻埋頭開寫：

我於（一九五七年）二月十八日晚七時回到家中，但新聞界仍不知道，我乃在走到台北之前，在家中記述我牢中七年之經過，以免我再遭事變，可以使從前七年之經過不被湮沒。這等於珍珠港事變後的美國，不能不加以防範也。這項記述完成後，即保存於最安全而政治魔力所不能及的地方，以後我雖會倉卒遇難，這項記述自會與世人見面。我現在發表的這本小書，就是那時所記；五十一年（一九六二年）十月加以補充；五十八年十二月略微修改者。我相信這本小書頗有歷史價值。

「這本小書」寫成後，就「失蹤」了，龔德柏樂觀的說「自會與世人見面」，實際上，那是三十四年（一九九一）以後的奇遇了，這三十四年間，蔣介石先死了，八十九歲，一九七五；五年後，「競爭壽命的長短」的龔德柏也死了，九十歲，一九八〇。可是天下還是蔣家的，「這本小書」，仍然杳如黃鶴。直到龔德柏死後十年（一九九〇），與他有同牢之雅的國民黨大特務喬家才將軍到我家來，才心照不宣的塞給我一部稿本，原來就是龔德柏這部黑獄亡魂的記錄！龔德柏生前「自會與世人見面」的心血，三十三年後若不陰錯陽差落到我手裡，不知湮沒到何年何月了。如果喬家才將軍沒把書稿塞給我，這部書稿，也可能「沒世而不彰」了。

龍應台不知道的監牢

■這些都是「一九四九」啊，可惜龍應台不知道。

□龍應台只要用點功，就可以知道，因爲我早在白色恐怖尾聲，就給掀出來了。

■到了白色恐怖尾聲，老一輩的政治受難者才鬆動了？

□可以這麼說。喬家才將軍到我家的時候，同時塞給我另一部稿本，原來是他本人的黑獄亡魂記錄。喬家才黃埔四期出身、是蔣介石在華北的特務頭子、軍統局北平站站長。一九四八年七月一日，軍統局局長毛人鳳約喬家才將軍和當天下台的北平市民政局長馬漢三開會，當場把他們五花大綁，分別塞進兩輛汽車，送入監牢，並釘上腳鐐，對付自己人，一如對付江洋大盜。八天後，由保密局軍法處長李希成押解，運到南京下獄。中秋過後，改移常州。在常州獄裡，他的一個學生偷偷告訴他，見報得知馬漢三已經被槍斃了，報上還說喬家才判了無期徒刑。——被判了無期徒刑，當事人自己還不知道，也不被告知，蔣介石特務機構的黑暗與恐怖，由此可見一斑了。一九四八年十一月，四個槍兵押解喬家才將軍重返南京。十二月一日，就跟十幾個難友一道，押上輪船，直抵台灣。他在不幸中眞是大幸，他早來台灣一步，因爲第二年大陸失守前，蔣介石下令毛人鳳，家法處分的囚犯中，五年以下徒刑的一律釋放，五年以上的一律槍斃。由於先期運台，乃得死裡逃生。喬家才將軍到台灣後，一路坐牢。前後坐了九年後，毛人鳳死了，他給放了出來。他這牢可坐得神來之牢，他回憶：「我坐了九年牢，未經正式軍法審判，我沒有看見過起訴書、也沒有看見過判決書，不知身犯何罪，害得妻離子散，慘絕人寰。」——蔣介石特務機構，對自己的首席大將都可無法無天，如此對待，其他小人物或局外人，更可想而知了。而喬家才死裡逃生，還得力於蔣介石神來九字御批：「喬家才無期徒刑可也！」

又一部秘密稿本

■喬家才將軍本人的黑獄亡魂記錄，你又給發表了？

□當然，這不正是我幹的事嗎？喬家才將軍出獄後，前後寫了兩百多萬字的書，包括「關山煙塵記」、「鐵血精忠傳」、「戴笠和他的同志」、「海隅叢談」、「爲歷史作證」等書，對他傳奇的身世與交遊，做了不少透露。可是，唯獨這九年的黑獄內幕，卻寫而不印、不願發表。理由是：「怕落到敵人手裡，用做攻擊我政府不民主的具體例證，則罪過大矣！」微妙的，他「不願發表」，卻暗中塞給李敖，這不等於把一條魚一言不發塞給一頭貓嗎？我收到後，就以「喬家才入獄記」爲名，一字不漏的發表了。

■他的反應？

□據谷正文將軍告訴我，發表後，喬家才的老朋友們假惺惺的說：「你怎麼被李敖利用了啊？」喬家才假惺惺的答道：「李敖不夠朋友呀！」我聽了大笑。谷正文告訴我：喬家才坐牢後期，毛人鳳以關人無名，有緩和之意。毛人鳳告訴谷正文：如果你這位山西老鄉答應出獄後不追究不罵我毛人鳳，我就放他出來。可是，當谷正文去跟喬家才商量的時候，這個硬漢一口拒絕。谷正文說：「最後毛人鳳死了，我們請他出獄，他還發脾氣不出來呢！我們沒辦法，只好把他抬了出來。」谷正文一邊說一邊笑。喬家才是硬漢，但他的硬度，在「喬家才入獄記」發表時無以自解，就假裝怪起李敖來了。這一心態，使我想起小女兒「李諶怪菲傭」故事。李諶沒做功課在看電視，我問：「你爲什麼看起電視來了？」她生氣說：「我們家的菲傭好壞啊，她老是把電視打開。」

黑色的白描

■「喬家才入獄記」一定有「一九四九」吧？

□不但「一九四九」，才眞是「大江大海一九四九」呢，因爲喬家才在中國大陸上經過大風大浪的，見過「大江大海」的。看看他書裡的幾個片段吧：如他寫一生被抄家三次，先後是「（軍閥的）山西憲兵、日本人、國民黨（自己人）」：

二十一年參加戴雨農先生領導的工作，生活在驚濤駭浪中。二十四年在太原被山西憲兵逮捕，釘上腳鐐，關了九天，家也被抄了，幸而沒有抄到什麼證據，幾乎喪命。二十八年十月二十四日，北平的家又被日本憲兵隊抄了，我妻郭同梅被捉走。後來吞金自刎，都沒有死成功。我先一個星期離開北平，離開家，倖免於難。那裡料到，現在會被保密局局長捉起來，第三次被抄家了。我才深深地領悟到革命是怎麼一回事，戴雨農先生所謂「同志如手足」的精神是怎麼樣！

他感慨革命的下場：

我憤怒，但絕不怨天尤人。因爲要主持公道、伸張正義、明辨是非，保持革命者的人格，就必須犧牲。這樣下場，並不感覺意外，我知道必死。所難過的，爲什麼不轟轟烈烈地死在軍閥手中？不死在日本人手裡？現在這樣窩囊地被所謂如手足的同志害死，死不瞑目。不過死是一樣的，這也總算是革命者的歸宿吧！

他白描了黑獄的種種：

一、牢房的容量永遠不變，但住客出去的少，進來的多，有時多到十一、二人，晚上打地鋪，比沙丁魚都要擠。牢房的天地雖小，因住客複雜，可知千奇百怪的事情，無異大千世界。有一天進來一位莫名其妙的人，原來他找人找錯門牌，找到這所沒有掛招牌，和普通住家戶一樣的黑監牢。他一敲門，就把他請進來，關著不放。

二、總統府警衛旅的士兵，有幾十人關進來，我們牢房裡分配了三位，都是二十歲剛出頭。有一位很英俊，戴著腳鐐，腳鐐太短，邁不開步子，走路必須跳著走。

三、這裡關了三四個月，度過三十八年的新年。因爲不能看報，大陸上的情形一點也不清楚。一天吃過晚飯，我們又是兩個人銬在一起，各人提著自己的東西，離開這裡，徒步走了十多分鐘，到達中山堂隔壁、警察局背後、武昌街靠近中華路的一棟矮樓上。樓的北端，隔出一大間統艙，裡面已經關著三十多人，是新從大陸來的，〔張學良的參謀長〕鮑文樾先生也在裡面，〔牢房輪轉，〕我們是第三次碰頭。

四、這一大間新建的牢房，木柵門非常特別，半腰開了個兩尺見方的洞門。通過這個洞門，必須先抬高一條腿，邁過去以後，再把身體鑽過去，最後把另外一條腿帶過來。我們加入，成了四十多人，中間還有一位二十幾歲的女人，靠近牢門，放著一只馬桶，男女共用，無遮無攔。人類的尊嚴、民族的道德，給毛局長一掃而光。

五、過了幾個星期，在樓房的南端又隔出三間較小的牢房，我們一部分人遷移過去。不久吳景中兄也來了，關進另外一間，他好像很恐懼，看都不敢看我們一眼。大陸一天比一天惡劣，可能已經丟掉，囚犯卻不能丟，一批接著一批，運來台灣。

六、這座監牢是日本人造的，非常堅固，水泥牆，地板下面是空的，離地有一尺多高，不潮溼，木門很厚。一人高的牆上有個一尺見方的小窗戶，三根鐵柱，罩以銅絲網。每間牢房大小一樣，不到三個榻榻米。到了三十九年，牢房生意興隆，新客大量湧進……一間擠到十五人，莫說不能躺著睡覺，坐都要擠著坐。夜以繼日坐著，成了名副其實的「坐牢」。

七、在牢房裡，夜闌人靜的時候，偶爾可以聽到前面審訊囚犯用刑的慘叫聲，動人心弦。有位空軍軍官，高高個子，留著小八字鬍子，據說是一位高空氧氣專家。有天提出去審訊，一會兒兩個看守攙進來，塞進牢房，兩腿垂在門外，人已經死了。那間牢房，正在我們斜對面，看得清清楚楚。後來弄進一個棺材，放在我們牢房後面。因爲人高棺材短，裝不進去，有個看守在他肚子上用力一踩，塞進去了，橫著從後門抬出去。

八、另外一位浙江人何震，是位警官……來台後也被關起來，罪名是稱呼總統「老蔣」……關著，他肚子痛、胃潰瘍，整天喊叫，後來成了精神病，不再喊肚痛，散步時在院子裡大搖大擺，高喊打倒包庇匪諜的×××，看守對他毫無辦法。

九、坐牢坐到四十三年（一九五四）三月三十一日，屈指一算，轉瞬兩千一百天了。坐牢以前，我正是壯年，經過兩千一百天煎熬的歲月，眼睛花了、耳朵聾了、頭髮也蒼白了。感慨萬千，題詩一首：

卅年革命有何求？
國破家亡兩重憂，
牢裡二千一百日，
大覺醒來已白頭。

多麼你不知道的「一九四九」啊！多少粗枝、多少細葉、多少大事、多少小節，龍應台啊，你太小化了「一九四九」！你太小看了「一九四九」！

龍應台不知道的血祭

■看來龍應台書的封面書腰上寫的：「一本書改變一個時代」，「醞釀十年，行走萬里／跨三大洋五大洲，從松花江到巴士海峽／閉關四百天，一出航波濤壯闊／龍應台讓人最震撼、最心疼的作品」等等，都是坐井觀天了。

□如果寫「大江大海一九四九」這樣大題目，先天缺乏臨場感、後天缺乏史料訓練與功力，再「醞釀十年」、再「行走萬里」、再「閉關四百天」，也是井底的動物。

■你是說白忙了一場。

□不是白忙，是瞎忙吧。

■看到你談「一九四九」，你的訓練與功力都是斑斑級的，血淚斑斑、血證斑斑，並且，每一事件，你都夥同著有當事人出現，難道你沒有純就史料發揮出來的人與事嗎？

□當然也有，有時當事人全不見了，就只好從史料上重建，從一堆枯骨上重建天馬行空。

■例如？

□例如西安事變的另一主角，楊虎城將軍，他是「大江大海一九四九」中被無知的龍應台無知掉的項目之一。爲什麼呢？喬家才將軍來台灣，是被蔣介石銬來的，楊虎城將軍呢？銬都免銬了，台灣你別來了，在大陸就先把你滅門了。並且，這一滅門，還不止於對楊虎城一家人，除了楊虎城本人到次子、從次子到小女兒，還滅到秘書宋綺雲夫婦和他們的小孩子（兩個小孩子都不到十歲），還滅到楊虎城的副官閻繼明、警衛員張醒民，一一都被亂刀扎死。這些細節，我見不到當事人了，我根據的是香港報刊登出的「訪周養浩談楊虎城之死」。周養浩是浙江江山縣人，同國民黨的特務頭子戴笠、毛人鳳同鄉。由於戴笠的介紹，一九三二年上海法學院法律系畢業後，一九三三年加入了國民黨早年的特務組織——復興社特務處。從那時起，到一九四九年被俘，周養浩幹了十六年的特務工作。特別是在「一九四九」。「一九四九」是國民黨在大陸大撤退這一年，在大撤退時候，在各地都有大破壞與大屠殺，尤以在重慶、成都、昆明等西南地區爲最。周養浩就在這時候「臨危受命」，擔任了重慶衛戍總司令部保防處處長、保密局西南特區副區長等職，執行特務頭子毛人鳳的命令，其中包括了奉蔣介石之命，謀害楊虎城的案件。一九四九年九月六日，

楊虎城一行在周養浩及看管楊的軍統特務隊長張鵠等的押送下，分乘三部汽車，駛向重慶。第一輛小汽車上坐的是周養浩；第二輛汽車是救護車，坐的是楊虎城及其兒子拯中，還有看守楊虎城的特務隊長張鵠；第三輛汽車所乘坐的人最多，是楊虎城的秘書宋綺雲及夫人徐麗芳、兒子振中、楊虎城夫人在獄中誕生的小女兒，以及楊虎城的兩個副官閻繼明和張醒民。

周養浩所乘的第一部車子開得特別快，黃昏過後已抵海棠溪。這時候由毛人鳳派專人攔路轉交一封親筆信，囑周養浩先回家休息，一切後事由來人接洽。毛人鳳並已準備好渡輪，於是他們很快就過了江。周養浩立即回到了「中美合作所」楊家山他自己的家裡，等待消息。

十點鐘過後，第二部汽車也過了江，向「戴公祠」急駛而去。到達「戴公祠」的時間是午夜十一點多鐘。楊虎城走下汽車，張鵠即告訴他說，準備在這裡住兩天，一方面等蔣介石接見，另一方面等待到台灣的飛機。接著，在張鵠的帶引下，他們走進了「戴公祠」。

楊虎城將軍的兒子拯中，雙手捧著盛滿他母親楊夫人的骨灰箱子緊跟在後面。這一年，他才十七、八歲，但是頭髮已經花白。

這時早已監視著他們的劊子手楊進興、熊祥等人，怕楊拯中有所反抗，所以決定分別在不同房間同時向他們下手。

他慘叫了一聲：「爸！」

當楊拯中走上石級、步入正房的一間臥室時，楊進興從後迅速以匕首刺入他的腰間，他慘叫了一聲：「爸！」還來不及掙扎就倒了下來。這時走在前面的楊虎城已知有異，正想轉回頭來看一看，但是說時遲，那時快，經驗豐富的劊子手已把刺刀刺進了他的腹部。楊虎城將軍掙扎了幾下，也倒了下來。

楊將軍倒下後不久，從貴陽來的第三輛汽車也到了「戴公祠」。這時除了楊將軍的兩位副官在過江後已被帶往「戴公祠」坡下汽車間，宋綺雲夫婦及兩個無知小孩都先後下了車。本來毛人鳳也想把閻繼明和張醒民兩位副官一起殺掉的，但是周養浩反對，他認為閻、張兩人是無辜的，如果說他們對上司盡忠，那也是應該的，不是他們的過錯。毛人鳳勉強同意了他的意見，所以車子過江以後，秘密把他們押往渣滓洞監獄。特務們哄騙他們說，毛人鳳想要了解楊將軍的生活情況，好向蔣介石匯報，所以要先見見他們兩位。但是他們始終逃不了死亡的厄運，在後來的重慶大屠殺中，他們也都先後遇難，不能倖免。

再說宋綺雲夫婦和兩個不足十歲的小孩子下車之後，跟著就被劊子手帶往一間警衛室。一進門口，兩把早已等待在那裡的匕首，先把宋氏夫婦逼向牆角，在他們剛明白這是怎麼一回事時，利刃已刺進他們的軀體。這時候，兩個本來正玩得開心的小孩，突然被這種可怕的局面嚇住，他們不約而同的哭著跪在地上求饒，但是年幼無知的他們，又怎知道眼前是一批軍統的劊子手呢？這時候，一名劊子手一個箭步向前，拿著利刃往小孩的背上插入，小孩哇的慘叫一聲，往前撲倒在地上。

第二個小孩馬上撲前去，正準備抱著自己的小夥伴，但是劊子手從後又是一刀。血，從孩子們的身上淌著，染紅了地面。就這樣，兩個小孩也終於在血泊中結束了他們短促的生命。

楊虎城和楊拯中的屍體被特務們埋入花園的一座花台裡。劊子手們爲了保守秘密，還用鏹水淋了他們的面部。而宋綺雲夫婦和兩個小孩的屍體被埋在附近。這一天，是一九四九年九月六日午夜十二時半。楊虎城將軍的一生就這樣結束了。

楊虎城被殘殺後兩個多月（十一月三十日），國民黨丟掉了重慶，當然也丟掉了他們的「戴公祠」。重慶丟掉後的第二天（十二月一日），從被俘的「戴公祠」附近十一名警衛口裡，得到了一點線索，於是，楊虎城的遺體就給挖掘了出來。因爲臉上已被鏹水燒爛了，無法辨認，乃找來舊西北軍十七路軍的一些幹部來驗屍，最後證明沒錯，於是，這一血案的眞相，也就曝白於世。——世界眞的知道了：「西安事變」的另一主角，就這樣慘死了！

楊虎城一代豪傑，因反對政治黑暗而參加革命；因參加革命而守死不變；因守死不變而爲國民黨穩住西北江山；因要求國民黨抗日救國而家破人亡、長年坐牢後又慘死刀下。他在青年時代，有一首詩自誓：

西北山高水又長，
男兒豈能老故鄉？
黄河後浪推前浪，
跳上浪頭幹一場！

最後，他一世男兒，凶死他鄉，在大幹一場後，付出了永遠償還不完的血債。——國民黨在兵敗山倒之時，仍不忘把他殺掉、把他十七歲小兒子殺掉、把他八歲小女兒殺掉，然後逃到台灣。

主兇周養浩呢？他被共產黨抓到了，坐了二十年大牢，出獄以後，共產黨讓他去台灣，與兒女團聚，可是，台灣關起了大門，自己人也不許回來了，連他的兒女要去香港同老爸會面都不准，一代功狗，下場無限淒涼。如今，國民黨在浪花盡處，已經離黄河日遠，但是，「戴公祠」的刀光血影、「戴公祠」的燭照香熏，卻是人們越來越近的血祭。有良知的中華兒女，必將永遠不忘蔣介石和國民黨幹的下流事。有良知的中華兒女，必將永遠不忘。可是，有一個人似乎忘了，她叫「龍應台」。

龍應台式錯亂

楊虎城死後近六十年，一件怪事發生了，楊虎城在大陸的族人，竟寫信給台灣的馬英九，竟要國民黨的馬英九來平反楊虎城。多荒謬的想法啊，竟還把國民黨這一爛團體當成某種正統呢，這顯然是一種錯亂。爲什麼要兇手爲你平反呢？曾心儀有感於孫立人案的老將軍的心態，有三段動人的話：

我懷疑，老將軍所謂的「當局」能夠找到最眞確的方式達到恢復他們名譽的目的。

我懷疑發還沒收的動章、在塗白的空格裡重新塡上戰史、恢復軍職、復職補薪，是最高價值和最有意義的象徵。

不乾淨的手摧殘、奪取，再用不乾淨的手發還，値得肯定嗎？在有限的生命裡，當還能說話時，不說：那麼，打開囚房的門又有什麼自由的意義呢？

爲楊虎城平反？我們豈不自囚了自己？

「一九四九」引發的錯亂，太多了、太多了。

■我們看看一九四九年龍應台筆下敗兵和流亡學生的一幕。豫衡中學

五千多個孩子，到達廣西的，剩下一半。這一半，坐火車、爬車頂、過山洞，又失去一些人；到一個城鎮，碰到土共燒殺，四處奔逃，再少掉幾百；重新整隊出發時，又失散幾個學校；驚恐不已到達一個叫金城江的小車站，五千多人的聯中已經像一串摔斷在地上的珠鍊，珠子滾落不見……

在潰退中，學生跟著黃杰的部隊被砲火逼進了中越邊境的「十萬大山」……翻過山嶺，就是越南。黃杰的兵團在前面砍荊棘開路，二四六團的士兵在後面掩護，中間夾著孩子們，疾疾行走。槍聲突然大作，追兵的砲火射來，天崩地裂，戰馬驚起，衝入山谷，被火炸裂的斷腳斷手像曬衣服一樣掛在雜亂的樹枝上。砲火交織、血噴得滿面，孩子在破碎的屍體中亂竄……

從南陽出發的五千個孩子，一年後抵達越南邊境的，剩下不到三百人。

龍應台花了太多的生花之筆，寫出「五千多個孩子」最後「剩下不到三百人」的故事，並寫出國民黨敗軍之將黃杰的「孤軍深不見底的悲憤」。就這些嗎？龍應台一定發生了錯亂，一定少寫了什麼。

□少寫了什麼？還是那個老缺陷，她少寫了「原因」。也許龍應台程度不夠，寫不出「原

因」，但她總可以反問一些問題吧？龍應台爲什麼不反問一下，爲什麼這「五千多個孩子」，要從河南往南跑到越南，爲什麼？什麼動機値得他們這樣冒險？什麼暴政値得他們這樣躲避？什麼仇恨發生在「五千多個孩子」心裡和身上？有必要這樣子南逃嗎？「五千個孩子」最後「剩下不到三百人」，偌大的犧牲、慘痛的代價，就是爲了大人煽動的「反共」？龍應台啊，爲什麼不反問一下？爲什麼要這麼錯亂？爲什麼不問問，大人們在兵荒馬亂之際，帶著「五千多個孩子」，在洪流中流竄什麼？所爲何來？

■龍應台寫道：

> 一九五三年六月十日，中、法、美的國際交涉終於有了結果，因內戰而孤懸海外三年半的國軍、難民、學生，在海防港搭上了軍艦，八天以後，在高雄港上了岸。
>
> 兩百零八個豫衡聯中的學生，其中還包括後來寫了《野鴿子的黃昏》的王尙義，在高雄港落地，然後被送到員林實驗中學入學。

這段故事，可有後話吧？

王尚義與王光臨

□王尚義跟我太熟了吧，他絕沒想到，在他死後，竟成了我女兒李文博士的舅舅。王尚義台大一畢業即死去，肝癌死的，在台大醫院，死在我眼前，那本「野鴿子的黃昏」還是他死後我找出版社幫他印的。不止一次，王尚義透露他嚮往的是大陸與祖國，這說明了一切。他胡里胡塗流亡到台灣來，但他清清醒醒的憧憬台灣以外的地方。而他的爸爸王光臨先生，卻是先期逃到台灣的國民黨河南省高幹，到了台灣，淪落到做南港成德國民小學校長，但是煞氣不脫，有一次爲了李文的問題，與我在電話中吵起來，他的直接反應就是直斥我是共產黨。他死前幾年，海峽兩岸通了，可以到家鄉走走，別人都回去了，他不肯回去，人家告訴他：「共產黨已經宣布既往不咎了，你怕什麼？共產黨還會殺你嗎？」他回答得很淒楚，他說：「共產黨不會殺我，但被我殺掉的那麼多人，難免有家屬找我算帳。」他的漂亮女兒王尚勤，就是李文的母親告訴我：她的舅舅，也就是王光臨的小舅子，都被姊夫當共產黨給殺了。我笑著說：「那次電話裡吵架，我就被王光臨當作共產黨過，幸虧台灣不是河南。」王尚勤聽了大笑。

上面所說，都是龍應台絕不知道的後話，她還談王尚義呢，我眞要偷笑了。

龍局長知道多少「中國文化」?

■你的絕活之一是書讀得眞細，以致任何人寫書做手腳，都難逃被你抓出來。例如，李登輝寫「台灣的主張」，書中「對中國文化的省思」一節裡，自謂「當時才二十幾歲的我，也曾經詳加研讀這些書」。所謂「這些書」，原來只有四種，即胡適的「名教」、魯迅的「阿Q正傳」、郭沫若的「十批判書」與「青銅時代」。不過，一九二八年胡適發表「名教」時，李登輝只有五歲，縱使是神童，似乎也難讀得懂，若說「二十幾歲後」才讀，也很可疑，因爲「名教」並沒成爲專書。不過，一個人有本領找到二三十年前的「新月雜誌」，從中找到這篇「名教」來讀，自當別論。至於郭沫若的「青銅時代」，乃一九四五年三月三十一日重慶文治出版社出版、「十批判書」，乃一九四五年九月三十日重慶群益出版社出版，已是二次世界大戰日本投降前後，在日本軍中做帝國陸軍少尉的李登輝，恐怕難以讀到。換句話說，「二十幾歲」的李登輝，似無在日本看得到敵國大後方重慶這類出版品的可能。若說是在台大農經系時看到，也令人難以置信，因爲「青銅時代」、「十批判書」是研究中國古代史的專書，一般歷史系的都難以卒讀，農經系的越界前來，恐怕讀不太懂吧?何況當時中文並不在行的。不過，神童例外。綜合印象是：李登輝只讀以上四種，就在書中「省思」貶抑起「中國文化」來，未免太離譜了。對比起馬英九的文化局長龍應台呢？看來龍應台的「中國文化」，連這四種「書」都沒得吹牛呢。

□這四種書，龍應台的主子馬英九也靠邊站吧？

李登輝的牛屄與鼠竊

■馬英九的主子李登輝自謂還讀過別的呢。在「孫中山先生的『三民主義』」一節裡，李登輝又自謂：「我開始研讀三民主義是在念高等學校的時候。當時日本的『改造社』曾翻譯『三民主義』，所以，我與三民主義的接觸，是從日文版開始。而蔣介石總統所著的『中國之命運』，也曾翻譯成日文出版。這些書籍我在戰前都已經讀過。」查日本「改造文庫」有金井寬三翻譯的「三民主義」，時間是昭和四年，一九二九年，出版後十二年李登輝進高等學校，自謂讀過「三民主義」日譯本，似有可能，但他既定時在「戰前都已讀過」，則與事實不符，因爲根據書中「李登輝先生年表」，一九四一年「太平洋戰爭爆發」時，乃在他「考入台北高等學校」之前，又何能「在戰前都已讀過」？至於讀過「中國之命運」更是疑雲重重。「中國之命運」出版在一九四三年，已是戰爭期中，何能「在戰前都已經讀過」？——還沒出版呢，怎麼讀過？至於日譯本，由波多野乾一譯出，由日本評論社出版，已是昭和二十一年、一九四六年的事，戰爭早已結束了，又何能「在戰前」讀過？綜合印象是：李登輝根本不可能如他所說，「以一個高校生的角度來研讀這些書籍」，尤其不可能在「戰前」，除非「大日本帝國」爲他推遲發動「太平洋戰爭」。上面這些李登輝的牛屄，都被你一一抓出來了，難怪大家怕你，你的書，讀得眞細。

□因爲讀得細，所以一路讀來，笑話連篇。不但是牛屄部分，連鼠竊部分也照抓不誤。李登輝在同一節中又寫道：「『中華民國憲法』前文明載：『依據國父孫中山先生之遺教，爲鞏固國權，保障民權，奠定社會安寧，增進人民福利，制定本憲法。』」奇怪的是，該憲法原文明明是「依據孫中山先生創立中華民國之遺教」，身爲「中華民國總統」的李登輝竟把「創立中華民國」六字刪去，不知何故，「中華民國總統」竟對憲法條文這樣生疏麼？可見書讀得細，便會揪出李登輝在做了老鼠的手腳，「鼠竊」之下，「中華民國」就給偷走了。

■龍應台也搞「鼠竊」手法嗎？

□看她在書後腳注所引用的書目，不但貧乏處處，並且「鼠竊」隨之。她引用劉玉章的「戎馬五十年」，只知「傳記文學」連載而不知已出專書，且對專書中最令人驚悚的部分略過不引，就是「鼠竊」勾當，龍應台可眞李登輝呢。

一冒充，就失風

■李登輝書中還冒充白色恐怖受難者呢，但因不悉實情，鬧了笑話。

□笑話可鬧大了，李登輝書中附錄一「回首來時路」中說，他一九六九年被捕時，來的是「四、五個穿著制服的憲兵」的「警總人員」，這種陳述，我們眞政治犯和「警總人員」都會笑起來，因爲「警總人員」抓人時都穿便衣，即使抓現役中將吳石那次，都派的不是「穿著制服的憲兵」，李登輝何德何能、又非軍人，竟被這樣憲兵伺候？冒充政治受難者，也不能這樣離譜啊？何況，依據「國家安全局」印「機密」文件「歷年辦理匪案彙編」第二輯第一八六頁到一九〇頁，我們可以看到「匪台灣省工委會台大法學院支部葉城松等叛亂案」，這個案子，共有葉城松（三十一歲）、張璧坤（三十歲）、胡滄霖（三十一歲）、賴正亮（三十一歲）、吳玉成（二十六歲）五人判死刑，在一九五五年四月二十九日一律槍決。而在「案情摘要」中，第一段赫然就是「葉城松於三十六年十月間，由奸匪李登輝介紹參加匪幫，受楊匪廷椅領導，擔任台大法學院支部書記」。可見「奸匪李登輝」逍遙法外，事出有因。因爲同案中，除五人死刑外，蔡耀景（三十五歲）判無期，李顯章（三十八歲）、鍾茂春（三十四歲）、池仁致（三十三歲）、李顯玉（二十八歲）、王新德（二十一歲）、黃其德（六十歲）六人判十年，黃頂（四十一歲）判七年，黃青松（二十七歲）判五年，吳長流（六十四歲）判二年。但原始介紹人「奸匪李登輝」，卻未聞有法辦之事。他占了便宜還賣乖，今天還冒充白色恐怖受難者，眞太離譜了。

■剛剛提到的「國家安全局」的「機密」文件「歷年辦理匪案彙編」，記得是你給翻印公布的。

□這套「機密」的印刷品，原來藏在安全局退伍少將谷正文老將軍家裡，他被局長請去吃霸王飯，他怕給搜到，秘密交給他的義女張美信匆忙送到我家，我不管三七二十一，就給高速印出來了。證據俱在，李登輝再也冒充不起來了。

■龍應台也冒充嗎？

□也冒充，不過是泥鰍式的，很滑頭，但仍然冒充。

潘毓剛筆下的「即溶英雄」

■潘毓剛教授在「即溶英雄」裡，點破說：

李敖在台灣爲民主、自由、人權奮鬥三十多年，二次坐牢前後共六年，著作等身，爲人權和眞理奮鬥越挫越勇，也不見世上有任何人權團體對他表揚，甚至對他的貢獻認知的都沒有。而實施類似黑暗世紀神權統治、政教合一的奴隸制度的統治者達賴喇嘛十四世，反得到諾貝爾和平獎，並到處受人權團體的歡迎，天下荒唐的事眞莫過於此！這些都證明李敖所言：「我的一切努力，都隨著台灣的微不足道而小化了。」正因爲中國已是有核子武器、在世界政治舞台上舉足輕重的大國，在那裡發生的事件都爲世人目光焦點所在，而一些投機政客和淺見之士藉此爲自己「作秀」，於是「即溶英雄」大批出籠，與無恥政客和膚淺之士一一亮相。

潘毓剛指的「即溶英雄／英雌」(instant hero/heroine)，龍應台之流算得上嗎？

□其實龍應台之流連做「即溶英雄」都要臉紅吧。

■但他們的確參了一腳呢。

□參了令人哭笑不得的一腳。

■哭笑不得？

□我講一個故事，就知道什麼是哭笑不得了。

真三毛與假三毛

在龍應台還沒出道前，女作家中三毛是最夯的。我第一次政治犯出獄後，有一次，皇冠的平鑫濤請我吃飯，由皇冠的幾位同仁作陪，我到了以後，平鑫濤說：「有一位作家很仰慕李先生，我也請她來了，就是三毛。」於是他把三毛介紹了給我。三毛很友善，但我對她印象欠佳。三毛說她「不是個喜歡把自己落在框子裡去說話的人」，我看卻正好相反，我看她整天在兜她的框框，這個框框就是她那個一再重複的愛情故事，其中有白虎星式的剋夫、白雲鄉式的逃世、白血病式的國際路線，和白開水式的氾濫感情。如果三毛是個美人，也許她可以以不斷的風流餘韻傳世，因爲這算是美人的特權，但三毛顯然不是，所以，她的「美麗的」愛情故事，是她眞人不勝負荷的，她的荷西也不勝負荷，所以一命歸西了事。我想，造型和幹那一行還是很重要的。當年林青霞同我晚餐，餐後在我家談了十小時，我仔細看了她，我看她就是明星造型，正好幹明星；美麗島軍法大審時，陳菊在電視裡出現肉身，面目堅毅肅殺，我仔細看了她，我看她就是政治造型，正好搞政治。如果林妹妹搞政治、陳姐姐幹明星，我想就說不出來的不對勁。三毛整天以「悲泣的愛神」來來去去，我總覺得造型不對勁，她年紀越大，越不對勁，有一次我在遠東百貨公司看到她以十七歲的髮型、七歲的娃娃裝出現，我眞忍不住笑。這種忍不住笑，只有看到沈劍虹戴假髮時，才能比擬。我總覺得，三毛其實是瓊瑤的一個變種。瓊瑤的主題是花草月亮淡淡的哀愁，三毛則是花草月亮淡淡的哀愁之外，又加上一大把黃沙。而三毛的毛病，就出在這大把黃沙上。三毛的黃沙裡有所謂「燃燒是我不滅的愛」，她跟我說：她去非洲沙漠，是要幫助那些黃沙中的黑人，他們需要她的幫助。她是基督徒，她佩服去非洲的史懷哲(Schweitzer)，所以，她也去非洲了。我說：「你說你幫助黃沙中的黑人，你爲什麼不幫助黑暗中的黃人？你自己的同胞，更需要你的幫助啊！捨近而求遠、去親而就疏，這可有點不對勁吧？並且，史懷哲不會又幫助黑人、又在加那利群島留下別墅和『外匯存底』吧？你怎麼解釋你的財產呢？」三毛聽了我的話，有點窘，她答覆不出來。她當然答覆不出來，爲什麼？因爲三毛所謂幫助黃沙中的黑人，其實是一種「秀」，其性質與影歌星等慈善演唱並無不同，他們作「秀」的成分大於一切，你絕不能認眞。比如說，你眞的信三毛是基督徒嗎？她在關廟下跪求籤，這是那一門子的基督徒呢？她迷信星相命運之學，這又是那一門子的基督徒呢？……所以，三毛的言行，無非白虎星式的剋夫、白雲鄉式的逃世、白血病式的國際路線，和白開水式的氾濫感情而已。她是僞善的，這種僞善，自成一家，可叫作「三毛式僞善」。如果這種僞善只限於在台灣發展，倒也罷了，問題是它流竄到大陸，一切弄亂了。因爲出現了眞假三毛。

被騙了的張樂平

■三毛這筆名不是淵源於張樂平「三毛流浪記」嗎？

□那才是「大江大海一九四九」年代的眞正淒慘故事。「一九四九」，難民們在大江南北逃難，許多難童在逃難中丟掉了，流落在都市街頭。當時漫畫家張樂平以難童爲主題，畫了「三毛流浪記」，引起大眾的重視。宋慶齡在四月四日以「中國福利基金會」名義，爲張樂平舉行「三毛原作義賣展覽會」，又舉辦「三毛樂園會」，以收入所得，救濟難童。三十三年後，我在一九八二年四月一日出版的「李敖千秋評論叢書」第八期封面，刊出了一幅姊弟難童圖片。圖片中一個穿破爛黑衣的小女孩，背上背著弟弟，坐在馬路邊睡覺，兩腳赤足，左手下垂，右手拿著一個破洋鐵罐，畫面淒楚感人。這張照片，是當時在上海的外國記者拍攝到的，收入美國出版的「一九四九年年刊」(YEAR 1949 SECOND ANNUAL EDITION)。不料出版後，警備總部管制出版的曹建中處長卻大表不滿，他警告四季出版公司的葉聖康說：「這種照片，都是李敖捏造的，用來醜化政府！你們替他發行，可得負責任！」葉聖康轉告我後，我哈哈大笑，我說：「這些無知的武人，根本不要理他，叫他來找我好了。」後來此事不了了之，我卻有感於台灣朝野對人間苦難的陌生，才有這種「誤會」。警總的曹處長固然不知人間苦難，但是以關切人間苦難爲職志的所謂台灣作家們，又知道多少呢？最諷畫的對比是，居然有人以三毛爲筆名，整天做的，竟是帶領病態的群眾，走入逃避現實、風花雪月的世界，這對苦難的眞三毛說來，實在是一種侮辱。當年的眞三毛，他們是戰亂中的孤兒，流亡到十里洋場、流浪在十字街頭、靠著一個破洋鐵罐——他們唯一的家當，在垃圾堆裡撿吃的，或乞討、或擦皮鞋、或推車子、或偷東西……不管是怎麼辛苦、怎麼奮鬥、怎麼討生活，結局卻大都是路斃街頭。三毛的作者張樂平，在一九四七年年初的一個刮北風晚上，從外歸來，路過一個弄堂口，看到三個難童，緊緊的圍在一起，中間有一堆小火，他們靠著這點火，取暖求生。張樂平在他們附近站了許久，心裡很難過，但卻力不從心，沒辦法幫助他們。回家以後，躺在床上不能入睡，心想這三個難童，究竟能不能熬過這一夜呢？第二天清早，他又走過那弄堂，可是三個難童中，兩個已經凍死了。張樂平說：「我想到這樣凍死的兒童何止千萬，我作爲一個漫畫工作者，決心用我的畫筆，向不合理的社會制度提出嚴厲的控訴。」自此以後，他從一九三五年就已定型的三毛畫像，就改成了難童的面貌。他的三毛漫畫，感動了千千萬萬的中國人，也包括了十三四歲的我。可是，誰能想到，台灣的三毛，竟搖身一變，到大陸找到行年八十歲的張樂平，拜起乾爹來，張樂平老胡塗了，竟也認起親來了，於是，眞假三毛合流了，眞三毛的那種悲憫、諷世、與抗議的精神，湮沒不彰；託名三毛的媚世作品，反倒氾濫於市，這就是我所說的，一切弄亂了，這些假貨多可惡啊。

被騙了的蕭乾

■孔夫子討厭「紫色」，因爲「紫色」擾亂了「紅色」。張樂平好可憐啊！他的三毛被偷天換日了，張樂平好可憐啊！

□可憐的還不止張樂平呢。

■還有誰啊？

□還有大作家蕭乾。一九八七年十二月，香港「九十年代」有一篇報導，全文如下：

蕭乾為龍應台唏噓（石敬棠）

香港「文匯報」在十一月十五日的「文藝」版上，發表了中國著名作家蕭乾的一篇評論：「熱愛台灣的龍應台」。評論大量抄錄龍應台「野火集」中的文字，力加稱許。不過，文首卻說「野火集」爲龍應台惹出亂子，並說，「聽說她已在那島上待不下去了，悄然他往。台灣容得下擂大鼓的李敖，並爲之而自豪，竟沒能容下這位直言不諱的年輕女性，思之不免令人唏噓。」

龍應台於八六年秋離開台灣是事實，不過那是因爲她的德籍丈夫接受瑞士一份工作，她是隨夫攜子而去的。離開台灣後，她一直還在台灣報刊發表文章，最近在「中國時報」的文章，有一個「本報駐德、瑞特派員」的頭銜。今年夏天，她又回台灣待了一個多月。「野火集」在台灣曾引起軍方的不滿，但沒聽說過「惹出亂子」。至於李敖與龍應台，誰較能爲台灣當局和社會所容忍與接受，蕭老若了解情況，當會覺得自己白白唏噓了一番。

想想看，如果孔夫子看了這篇報導，他老先生會做何感想？惡紫亂朱，不可免也。龍應台眞有本領，大紅大紫之下，她能亂到自己變成大紅了，她比李敖還李敖了，你信嗎？看來只有好可憐的蕭乾才信吧！

「龍應台之流」以假亂真

■這不是以假亂眞嗎？

□誰說不是呢？以假亂眞，在這島上已蔚然成風了。龍應台還算含蓄的，「龍應台之流」就明目張膽了，以假亂眞以後，進一步就是弄假成眞了。

■在盧建榮「從根爛起」，我們可以看到這樣一段：

即使在如此黑暗政治之下，兩個世代的自由主義者，諸如殷海光、張忠棟及李敖等人，兀自不屈服於坐監和槍決的威脅。台灣的民主和人權薪火端賴上述人士傳將下去，才有後強人政治民主運動思潮。

這段話對嗎？

□這段話的三個人名，出現了「張忠棟」，就是積非成是、弄假成眞的顯例，張忠棟是一個投機分子，當殷海光、李敖在「黑暗政治」之下奮戰的時刻，張忠棟不但一個屁都不敢放，還在寫文章拍蔣介石馬屁呢。這是什麼自由主義者啊！不料，這種假貨卻集體插播歷史，硬在自由主義者的戰士中，塞進「張忠棟」、「張忠棟」、「張忠棟」，張忠棟也趁機寫點有關自由主義者胡適的論文，就儼然同類了。眞噁心人。盧建榮是有正義感的史家，可是他太年輕了，所以在書中也會被假貨混珠，因爲一切弄亂了以後，假貨就明目張膽了。所以呀，可以這麼說，「龍應台之流」還不如龍應台。

■二〇〇〇年六月十日、十一日報上說：前台大教授張忠棟逝世周年前夕，財團法人殷海光先生學術基金會定十日下午二時至五時，在台大校友會館三樓A廳舉行「張忠棟與台灣自由主義討論會」，邀請澳洲昆士蘭大學邱垂亮教授發表「自由主義的新境界」、劉季倫教授「談夏道平先生與張忠棟教授的一個因緣」兩場演講，並以「張忠棟與台灣自由主義」爲題座談，由台大哲學系教授林正弘擔任主持人，台大歷史系教授李永熾、前「九十年代」負責人李怡、世新大學教授李筱峰、台大法律系教授顏厥安，及張忠棟關門弟子潘光哲擔任引言人。此外，包括台大法律系教授李鴻禧、內定央行副總裁陳師孟等張忠棟生前友人也到場致詞，總統府秘書長張俊雄也代表陳水扁參加並致詞，表達他們對張忠棟一生獻給自由主義及台灣民主運動的感念，李鴻禧等人還表示張忠棟對台灣誠摯的愛，令人動容，而他加入外獨會，是外省人獻身台灣、從事台獨運動的典範，等等等等，聽起來感覺這是那門子殷海光啊。

殷巢張占

□消息傳出，台大哲學系教授陳鼓應打電話給我，深感氣憤，認爲殷海光基金會這樣幹根本是糟蹋殷海光；同系教授王曉波也寫信來，十分憤慨。其實這整個故事，就是「殷巢張占」的故事。「詩經」裡說：「維鵲有巢，維鳩居之。」「易林」裡說：「鵲巢柳樹，鳩奪其處。」這些說法演變出「鵲巢鳩占」的成語。殷海光基金會是兩梯次鵲巢鳩占的局面，卻正是「殷巢張占」。第一梯次，它排除了當年對殷海光的眞正支援者和眞正追隨者。得手以後，第二梯次就排除了殷海光自己。這次鬧出的由殷海光基金會大力吹捧假自由主義者張忠棟的鬧劇，就是順理成章的卑鄙作業。其實在殷海光提倡自由主義和反抗國民黨時，張忠棟根本是國民黨反自由主義的學術鷹犬，其他張忠棟的吹捧者更無論矣！今天以殷海光基金會做鵲巢，而以群鳩鳩噪，其目的，無非想借殷屍還張魂而已，其實殷與張，除了同是湖北佬外，實無一相同，鵲永上升為鵲、鳩永沈淪為鳩，魚目想混珠，終歸死魚之眼而已。我常笑說：「殷海光的朋友，死後比生前還多。」笑話原來如此。眞正的關鍵是「龍應台之流」要偷走名器、偷走自由主義的神主牌和詮釋權。「大江大海一九四九」的可惡，是它展現了「神偷範本」，「龍應台之流」的本領的確趕不上龍應台本人，一如國民黨文人趕不上張愛玲的月經棉一樣。

我的屁股都引以為恥啊！

■看來殷海光如果活著，他會被氣死；如果他死了，他會死不瞑目。

□被氣死、死不瞑目的原因不在他被人肯定，而在他被人不由分說，硬把他排排坐在一些假貨中間。

■舉個例。

□龍應台對李登輝說：

台灣的民主有今天小小的成就，固然是「台灣人」打拚的成果，可是，請告訴我，這個「台灣人」包不包括雷震和他的「自由中國」同事？包不包括被關過的李敖和柏楊？雷震、李敖、柏楊、傅正……不去提其他死在牢獄裡沒沒無名的大陸人，都不屬於您口中所念念不忘的「悲哀的台灣人」，可是他們對台灣民主發展的或多或少的貢獻，有目共睹吧？這些人敢於挑戰強權、顛覆統治神話，大致基於一個對自由主義的信仰，和您的悲情意識無關。

龍應台開出的名單，假貨之一就是柏楊。我深知柏楊是國民黨「文學侍從之臣」出身，他離開國民黨核心，不再得寵，原因是桃色事件，不是思想事件。他即使是在入獄前夜，還深信他的國民黨老上司李煥和蔣經國可以幫他妻子出國，他口口聲聲「可找李煥先生或逕找蔣主任，哀訴，必可獲助」；口口聲聲「蔣主任是熱情忠厚之人，李煥先生一向對我關愛」；口口聲聲「蔣經國主任是一代英雄，是非必明……要求出國，英雄必熱情，當無問題……」，這些給他太太的密件裡，無一不顯示了他的基本心態，也顯示了他跟國民黨黨中央的深厚關係。柏楊離開救國團後到「自立晚報」，雖然開始另有調門兒，但正如姚立民「評介向傳統挑戰的柏楊」所說：「柏楊批評台灣政治，批評傳統文化是實，但對『元首』父子則毫無指責侮辱之處，與陳琳、駱賓王二人檄文中之偏重人身攻擊者，實不可同日而語。」姚立民自然沒有看過柏楊給他太太的密件，不知道柏楊非但不是「諷刺他們父子的人物」，並且其依戀欽慕之情，還大大溢於言表呢！柏楊一九六八年八月四日的答辯書中，有這樣一段：

「中華日報」自五十六年夏天起就有大力水手漫畫，畫是美國原稿，我只擔任翻譯對話說明……被調查局認爲有影射總統及蔣部長的嫌疑，就於三月初捕我偵訊，肯定的認爲我是出於惡意，可是我因自幼受學生集中訓練及從事三民主義青年團工作，對總統有一種嬰兒對親長的依戀之情，至於對蔣部長，只舉一件事來做說明，台灣中部橫貫公路十二景是我定的，在定景當中，有一個蔣部長所住過的「不知名的地方」（後來被命名為「日新岡」），我特地定名爲「甘棠植愛」，這份欽慕的心意，惟天可表。

這段話，極值得我們注意。柏楊是國民黨「文學侍從之臣」的背景與素質，即使入獄前後，亦未少衰。

以上所說，當然還有許多旁證。柏楊在給高琛的信裡，就有「『自由中國』是國內反對政府最烈的刊物，這刊物的本身，已充分表現出我們的祖國是自由的，而且具有高度的自由」的回護官方之言；而最有諷刺對比的，是他在被捕之日，在「自立晚報」發表的，竟是響應「蔣夫人的號召」（一九六八年三月二日）的馬屁之作！所以，我才說：「凡是跟著國民黨走的作家，都不足論。」柏楊「攻擊的上限比何凡高一點，他敢攻擊警察總監」而已。柏楊入獄，是「陰錯陽差」，並不是眞的反對國民黨，更別提反對黨中央了。可笑的是，柏楊竟被某些混人硬當作反國民黨的政治犯，這不是怪事嗎？即使是回護他的孫觀漢，在一九七三年五月，在「連政治犯的『罪』都談不到」中，也明說了柏楊案的這一特色。龍應台說的「對民主發展」、「對自由主義」如何如何，其實柏楊完全沾不上邊。龍應台全是胡說八道。即使柏楊出獄後，仍二次發表對蔣政權捧場之文，好像是給關他的人掛勳章似的。他在「柏楊詩抄」的「後記」中，還寫出「只緣家國邁向新境，另開氣象，昔日種種，已不復再」的話，其回護國民黨心態，恍然如昨。由於我對這種國民黨文人的卑視，衍生出另一種情結，就是我非常討厭我的名字和他們連在一起。有一次遠流出版公司的王榮文寫了一篇文章，中有一段說：「讀史以識世局、決大勢……我們更樂意看到更多位如李敖、高陽、柏楊等，勤於耕耘史學的優秀作者。」我讀了，深感未甘。昔初唐四傑，有「王（王勃）、楊（楊炯）、盧（盧照鄰）、駱（駱賓王）」之稱，楊炯聞之，卻說：「吾愧居盧前，恥居王後！」今我恥居高、柏諸人之前，這種國民黨文人的名字，跟在我屁股後面，我的屁股都引以爲恥啊！正因爲我考慮到我屁股的感覺，凡是有人寫文章或講話把我和國民黨文人扯在一起，必犯我的大忌。當年胡適在美國，報章一登，常常有胡適、于斌如何如何。我想胡適心裡一定不爽：于斌是什麼東西啊！老跟我連在一起！人間無端之事，此爲一端。

龍應台「追封自己」

■二〇〇七年十二月十三日，「壹周刊」刊出對龍應台的專訪，有幾段滿關鍵的話。談到二十年前的「野火集」，她說：

> 野火的效應，對我某個程度而言，也是一種暴得虛名，因爲前面有李敖、柏楊、雷震、殷海光那些人所做的貢獻，到了我那個時候，野火裡的觀念沒有一個是新的，因爲我的文字有感動力才發揮效果。

對這段話，你有何感想？龍應台又冒犯了你的屁股吧？

□龍應台說「野火裡的觀念沒有一個是新的」，因爲前面有李敖他們早做了貢獻，她只是「某個程度」的「暴得虛名」。這段話的最大敗筆，是她把柏楊混進來。柏楊是不及格的，根本無法跟李敖等人並列，這樣並列，充分看出龍應台分不清魚目與珠子。她又一次把柏楊這種國民黨文人硬塞在我的屁股後面，我的屁股自然又一次爲之不悅。

■龍應台說她寫「野火集」，不碰「禁忌的議題」，「這是策略寫作，我從消費、環保開始寫，一步步來。很多人說我打蒼蠅不打老虎，我也不必去解釋，因爲我不想一下變禁書。」可見一開始，龍應台就是膽怯的、逃避的。「野火集」「從消費、環保開始寫」，多麼安全又討好的起點啊。

□龍應台的確很滑頭。她在訪問中說了一句話——「批判的力道和必須冒的風險是成正比的」，這話看來很文責自負，事實上，她的表現卻是風險不沾的。

■一個耐人尋味的現象你注意到沒有？龍應台風險不沾於先，可是在多年以後，她往往在字裡行間，把她同冒險犯難的人連在一起，給人印象是，她龍應台當年也是冒險犯難的一分子，儼然她也是白色恐怖下的先驅人物、反派人物，你有否感覺出來？

□我感覺到了。前面我們談過這個現象了。

■這種「追封自己」的現象，也不只龍應台一人吧？

□我說過，還有別人。從吹牛「四大寇」的胡佛、李鴻禧之流以下，比比皆是。你看看許倬雲之流的談話錄，一本又一本的，字裡行間，你會驚訝的發現：這些一路上在文教界、學術界做當權派的，怎麼搖身一變，成了我們綠林角色？太扯了吧？太給自己貼金了吧？

■龍應台跟柏楊最像的一點是什麼？

□是他們只敢罵警察總監，再上面一點的，他們碰都不敢碰。龍應台把只敢罵警察的人與雷震、殷海光、李敖並列，看來屁股引以為恥的，不止李敖一人了吧？

■這也是國民黨退守台灣後，「即溶英雄」的怪相吧？

□國民黨退守台灣後，一切軍警特務力量，都密集在小島上，小島中有高山、外有大海、交通發達、人民奴性，尤其便利軍警特務的統治。所以幾十年來，國民黨在台灣搞極權小朝廷，要怎麼幹，就怎麼幹，搞得得心應手、快樂已極，簡直沒有力量約束得了它。相對的，台灣的知識分子也「更無一個是男兒」的只會寫婦人文章、出閨秀書；寫死人文章，出「嚴制」書，對國民黨不敢捋虎鬚，日以逃避現實、善保首領為務。在這種「你可怕，我怕你」的相對局面下，幾十年來，台灣十足是「冰河期」，寫出來的書，滿坑滿谷滿書店，都是婀娜取容的。婀娜取容也就罷了，偏偏冒出一種假貨，儼然以異議分子自居，假貨男人中以柏楊居首、假貨女人中以龍應台帶頭。

「我們還不如軍閥」

■龍應台用冗長的篇幅寫淮海戰役（徐蚌會戰），並下結論說：「那戰敗的一方，從此埋藏記憶，沈默不語；那戰勝的一方，在以後的歲月裡就建起很多紀念館和紀念碑來榮耀他的死者、彰顯自己的成就。」眞相眞的如此嗎？

□「戰敗的一方」，眞「從此埋藏記憶，沈默不語」了嗎？我看正好相反。「失敗的一方」，在台灣島上，可有太多太多的閒工夫去誇耀自己呢，從官方的國史館、軍史館、各種報刊，到私人的「傳記文學」、「中外雜誌」，話可一句都沒少說呢。從龍應台書裡便可找到，龍應台的爸爸就寫了一大堆呢。他不過是個憲兵連長。

■這些「失敗者」的記憶，都可靠嗎？

□當然有問題。因爲「失敗者」太容易掩飾他的失敗原因了。相反的，他們還要「好漢要提當年勇」呢。當然，「失敗者」中，也有不堪回首的，他們縱使回憶，也逃避什麼。「一九四九」有諸多的面相和心態，値得探討。龍應台一再向「失敗者」致敬，但「失敗者」本人呢？他們反省了嗎？這是一個耐人尋味的問題。不要抬出憲兵連長那號人物吧，找個大號的，齊世英怎麼樣？他是國民黨黨務上的東北王呢，立法院CC派的領袖，實際上，他是陳立夫的代理人。他眞是一個樣板人物，被蔣介石開除了黨籍，但又有了轉折。蔣介石一死，蔣經國就送還黨證，齊世英又是國民黨了。他們畢竟是一家人。齊世英曾不止一次來我家，請我吃飯。有一次，他在雙城街請我吃牛排，感慨的說：「當年我們革命，爲了打倒軍閥，可是今天啊，我們還不如軍閥。」我聽了他這句話，心頭一震！多麼坦白的告白啊。可是，在「齊世英先生訪問紀錄」裡，我們卻看不到這種心坎裡的眞話了。

掛在城牆上滴血的人頭

那次晚餐，齊世英坐在我面前，他的一生，對我一擁而上，他向我細訴蔣介石怨他「逼反張學良」的細節，他一一自辯。不過，我關心的毋寧不在這裡。我關心的，是他難以自辯的部分。多年以後，他的女兒齊邦媛在「巨流河」裡，無意中洩漏了這些：

一九四八年十一月，東北全部淪陷，我父親致電地下抗日同志，要他們設法出來，留在中共統治裡沒法活下去，結果大部分同志還是出不來。原因是，一則，出來以後往那裡走？怎麼生活？二則，九一八事變以後大家在外逃難十四年，備嘗無家之苦，好不容易回家去，不願再度飄泊，從前東北人一過黃河就覺得離家太遠，過長江在觀念上好像一輩子都回不來了。三則，偏遠地區沒有南飛的交通工具，他們即使興起意願，亦插翅難飛。這些人留在家鄉，遭遇如何？在訊息全斷之前，有人寫信來，說：「我們半生出生入死爲復國，你當年鼓勵我們，有中國就有我們，如今棄我們於不顧，你們心安嗎？」

我父親隨中央先到廣州，又回重慶參加立法院院會。一九四九年十一月二十八日，在重慶開了一次國民黨中央常務委員會議，會後備了兩桌飯，吃飯時大家心情非常沈重，有散夥的感覺，次日搭上最後飛機飛到台灣。初來台灣時，肺部長瘤住院，手術後一夜自噩夢驚醒，夢中看見掛在城牆上滴血的人頭張口問他：「誰照顧我的老婆孩子呢？」

齊邦媛說：「二十年的奮鬥將我父親由三十歲推入五十歲，理想的幻滅成了滿盈的淚庫。」淚庫裡有「巨大的憾恨，深深的傷痛」，雖然「五十歲以後安居台灣」，活到八十八歲，但他午夜夢回，內心不無痛苦。他的女兒在訪問康寧祥時回憶：

他眞正要說的是我們那麼大的土地和人民的命運，就是給少數幾個人錯誤的決策所斷送的。而且到後來，死活不管。他從前允諾那些地下工作者的孤兒寡婦，等到國軍反攻，什麼都好。他曾向中國銀行要三百萬救急，給那些孤兒寡婦初期的安撫金，結果因爲他不在其位，上面只給了二十萬，一人一杯茶嘛！結果當年的孤兒寡婦罵我父親，說他言而無信。爲什麼我說他端起酒杯掉眼淚？倒不是爲自己，而是覺得對不起那些孤兒寡婦。勞而無功，而又無可奈何。

爲什麼我說齊世英是樣板人物？因爲他闔不上眼、繳不了卷。他跟我來往一段後，疏遠了我，我入獄、我出獄，他都躲著我，一躲十七年。我想，重要的原因是他在李敖身上看到什麼令他不安的，李敖老是捏他一把，使他更難自欺與自解。無獨有偶的，他死後二十二年，二〇〇九年七月，我收到「寄贈李敖鄉弟」的一本書——「巨流河」，他的女兒寫給我：「我們來自同一片鄉土，有同樣的憤怒，卻用不同的方式表現。」「盼望你讀此書後賜寄數語」。一年多過去了，我沒有寫一行字給她。

我要對齊邦媛說的

■爲什麼不寫一點給她呢？

□因爲我要說的，太多了。

■現在說一點吧。那可是眞正的「一九四九」，龍應台不知道的。龍應台是蔣介石憲兵連長的女兒，齊邦媛可是蔣介石卵翼下的國民黨大員的女兒，身世決定了她們不同的見聞，對照下，使我們更知道一點龍應台絕不知道的「一九四九」。說說看，你怎麼對「巨流河」

的作者說讀後感。

□我要先說的是：「巨流河」比龍應台的書扎實得多，並且細膩，因爲齊邦媛把範圍扣得很緊，她不像龍應台那樣速成、強不知以爲知。至於其他要說的，不外是：齊大姐啊，我能說的是：你們父女兩位的憤怒是可疑的，因爲你們不去懷疑蔣介石的天下，你們一生都弄擰了一切，政治上，齊伯伯相信康寧祥那種假貨，至死方休；文學上，你齊大姐相信李喬那種贗品，至今未已。齊伯伯最後又回到了國民黨，而你齊大姐一生，相信亡了的「中華民國」、相信子虛烏有的「台灣文學」，還要「將台灣代表性文學作品英譯推介至西方世界」！你齊大姐的英文造詣是一回事、頭腦清楚是另一回事。看看你一九九〇年的回憶吧，你回憶張學良到榮總來看齊伯伯的病，他們那時已經四十五年未見了，你寫道：

> 此次會面令一向沈穩寧靜的先父內心激盪甚久，前塵往事俱回眼前，常常自問：「如果當年能夠合作，東北會是什麼樣子？中國會是什麼樣子？」時光即使倒流，合作亦非易事。一方是二十歲即掌軍權之軍閥少主，一方是堅持人性尊嚴、民主革新的理想主義者，鴻溝難跨。

齊大姐啊，在我們歷史家眼裡，相對於「軍閥少主」的那位，當年絕非「堅持人性尊嚴、民主革新的理想主義者」喲，齊伯伯追隨蔣介石、陳立夫做他們自以爲救國救民的事，有違「人性尊嚴」、有違「民主革新」、有違「理想主義」者，可太多太多了吧？齊伯伯又是那門子的理想主義呢？人家李宗仁還是總統的時候，他齊世英就在常會裡提議「請蔣總裁出來視事」了，黨中央「決定請蔣先生復職」的第一聲馬屁，不是齊世英媒孽的嗎？關於齊世英的反動歷史，史料裡其實很多。「閻寶航年譜」寥寥數行，就破了題：

一九四二年（民國三十一年，壬午）四十八歲

蔣介石爲了控制東北的救亡團體，指使CC分子齊世英等組織「東北四省抗敵協會」，強令「東總」併入該組織，嚴禁再用「東總」名義進行活動。寶航與高崇民等原「東總」負責人拒絕加入「東北四省抗敵協會」。「東總」被迫解散後，寶航根據周恩來的指示，繼續做東北籍上層人士的抗日統一戰線工作。

總之，齊大姐啊，你對中國現代史實在太隔閡了，作爲齊世英女兒，你當然會一片好話，但歷史眞相是「雖孝子賢孫所不能改」的，整本「巨流河」，一涉及大問題你就外行了。還是談你的本行西洋文學吧。但是，太可惜了，你在台灣島上，把自己鎖死了，並且以文學殉了葬，教了很多假貨、做了很多錯事。你跟我說：「李敖啊，你的『北京法源寺』是很了不起的文學作品。」但我反問你：「那你爲什麼不翻成英文啊？」你無詞以對。

「齊大姐啊，他們要殺光我們呢」

齊大姐啊，相對於眞正文學，這個島上的作品是贋品，我在老人院跟你聊天時提醒過你，有些你相信的「文學工作者」是很可疑的。看看李喬下筆露出的猙獰文字吧：

我是小說家、文化思考者；在鄉土大地要淪亡之際，我也可以是革命者，甚至於「暴徒」……也許以千百個血肉之軀難擋中國的槍林彈雨，但請注意：憑千百人的性命，在敵軍登陸之前把大部分台奸消除，應該是做得到的。

我好奇怪，李喬竟然可以寫出在台灣因抵抗「中國入侵」而成「一片廢墟」前，他可以以「暴徒」身分，聯合和他一票的人物，「在敵軍登陸之前把大部分台奸消除」！他的一片殺伐之聲，使我們得到的推論是：第一、台灣抵抗不了「中國入侵」，因爲「中國入侵」會使台灣變成「廢墟」；第二、台灣他們這一票人，消滅共匪做不到，但是消滅台奸「應該是做得到的」；第三、他倡言「捍衛我台灣鄉土大地」，但捍衛方法，竟不是殺光敵人，而是殺光他們所認定的自己同胞、殺光他們輕予認定的台奸，這眞是既恐怖又滑稽的怪事啊！一個「小說家、文化思考者」，是這樣殺氣騰騰思考文化的，我眞忍不住想到「一九四九」年國民黨下手的畫面。齊大姐啊，他們要殺光我們呢。

■你要對齊邦媛說的，和龍應台有關嗎？

□龍應台的家世和教養，都不能上比齊邦媛。但在「一九四九」的驚濤拍岸下，她們的頭腦都一比一壞掉了。不必同情上一代的「失敗者」了，她們自己就是新一代的「失敗者」。看看龍應台的怪論吧：

向所有被時代踐踏、污辱、傷害的人致敬。

＊

我，以身為「失敗者」的下一代為榮。

＊

如果，有人說，他們是戰爭的「失敗者」，那麼，所有被時代踐踏、污辱、傷害的人都是。正是他們，以「失敗」教導了我們，什麼才是眞正值得追求的價值。

想想齊邦媛高高在上的黨國大員爸爸、想想龍應台低低在下的憲兵連長爸爸，他們竟能

「教導」出「什麼才是眞正値得追求的價値」，多可悲啊！多厚顏啊！龍應台的「唯K史觀」多令人浩嘆啊。「失敗者」之一的龔德柏，反倒有了難得的自懺。他對學醫的兒子說：「父親一輩子高唱救國，竟把國救亡了，你不要再談救國了，今後只救人便了！」看來眞正能追求「眞正値得追求的價値」的，另有其人、另有其爸。有其父必有其女嗎？我們不願相信，nuts 不該是遺傳的。

張靈甫訣別書是假的

■龍應台以淺薄的歷史知識，卻貌似深入，大談歷史，結果卻笑話百出，不但笑話，並且洩漏了她的史觀，原來是國民黨的歷史觀，例如她寫「忠烈之士」「王牌將軍」張靈甫，在孟良崮之役，「傷亡殆盡，在最後的時刻裡，張靈甫給妻子寫下訣別書，然後舉槍自盡。」龍應台還大引所謂訣別書全文：

> 十餘萬之匪向我猛撲，今日戰況更趨惡化，彈盡援絕，水糧俱無。我與仁傑決戰至最後，以一彈飲訣成仁，上報國家與領袖，下答人民與部屬。老父來京未見，痛極！望善待之。幼子望養育之。玉玲吾妻，今永訣矣！

訣別書怎麼帶出來的？誰給帶出來的？俘虜嗎？信裡還指斥「十餘萬之匪」呢？還效忠「領袖」蔣介石呢。帶得出來嗎？

□訣別書是僞造的，不但是僞造的，甚至秦孝儀主持的「中華民國史畫」中張靈甫的照片都是假的。並且張靈甫「舉槍自盡」了嗎？照「粟裕戰爭回憶錄」的記錄，是「敵軍官兵紛紛就擒，猖狂一時的張靈甫及副師長蔡仁杰（傑）均被擊斃」，看來「舉槍自盡」，還不是定說吧？並且，照國民黨陸軍總司令部「剿匪壯烈戰史（合訂本）二」中的神話：

該師苦戰四晝夜，糧盡彈絕，傷亡殆盡，且援軍仍未到達，而匪已盡陷山腹各陣地，迫近指揮所附近，孟良崮山頂已陷入混戰狀態中，此時師長張靈甫見大勢已去，無力扭轉戰局，抱定與部隊同生死之決心，實踐其以最後一彈爲成仁彈之諾言，急以報話機向湯司令官及整八十三師、整二十五師師長等發最後電報：「謂本師已盡最大努力，唯有捨身成仁，以報黨國」，隨即同蔡副師長由師指揮所（孟良崮巖穴內）從容步出，舉槍高呼：

中華民國萬歲！

中國國民黨萬歲！

蔣主席萬歲！

聲震石谷，匪膽爲寒，旋入指揮部內自戕成仁，該師第五十八旅旅長盧醒及團長周少賓，因負重傷臥巖穴內，聞張師長等口號悲壯激昂，亦振臂高呼，聲相應答，同時自戕，時參謀處代處長劉立梓見師長等均已壯烈成仁，亦舉槍自戕，又該師第五十七旅副旅長明燦，在張師長成仁之前目擊蜂擁前來之匪軍，曾憤然率同衛士在指揮所前與匪肉搏以身殉難。於是孟良崮失陷，我整七十四師官兵全部壯烈犧牲。

對照龍應台的馬屁，國民黨意猶未足，因爲張靈甫死前喊萬歲時「聲震石谷，匪膽爲寒」呢。但照蔣經國「勝利之路」的神話，最後高呼的是「許多戰士」，他們喊的，還有一句「三民主義萬歲」呢。

■龍應台又說「邱清泉飲彈自盡」呢。

□照共產黨記錄，邱清泉也是被打死了，他們還公布了他胸前傷口裸照，死鬼邱清泉不幫忙，龍應台又錯了吧！

■一九四七年五月十九日，蔣介石對軍官訓練團第二期講「對於匪軍戰術的研究與軍隊作戰的要領」，談到孟良崮之役。蔣介石說：

最近孟良崮之役，七十四師單獨抵抗極優勢強大的匪軍包圍，到最後司令部被圍，自張師長以下，高級將領如副師長、旅長等，都是從容自戕……過去事實上許多爲匪軍俘虜的將領，並不是沒有志氣，甘心屈辱；都因爲突圍受傷，或不預期的受匪襲擊或中伏，倉卒之間，爲匪軍的偵探所劫持，而不及自裁的。

□乍看起來，蔣介石對「許多爲匪軍俘虜的將領」，有所開脫，事實上，卻對他們「永不敘用」。一九五〇年四月二日，蔣介石在「國民革命軍『第三任務』如何達成」演講中，已公開道出「被俘歸來的將領，永不敘用」可以爲證，可見他的「恕詞」，都是假的。例如，陳左弧在孟良崮之役時是營長，尚不預「將領」之林，按說是不在「永不敘用」之列的，可是，事實上，卻待遇更慘，最後竟以匪帽加頂、坐牢十年出局！蔣介石集團的卑鄙殘忍，由此可見！

■陳左弧出獄後，把身歷一切，都寫給你了？

□寫給我了，血淚之作。

■要怪就怪他自己被俘沒死。

□西安事變時，蔣介石自己不也被俘沒死嗎？他的死節標準，連他自己也做不到啊。

「當然被我活捉」

■記錄上說，蔣介石質疑爲什麼他的高級將領老被活捉。

□周恩來有一篇「全國大反攻，打倒蔣介石」，一九四七年九月二十八日發表的，給了答案。周恩來說：

去年一年自衛戰爭，蔣介石用三百萬軍隊進攻我們。一年作戰，死傷和被俘一百一十多萬，就是說被消滅了三分之一以上。這是從人數上說。從建制上看，蔣介石共有二百四十八個旅，被我消滅九十七個半旅，平均一個月八個旅，還多出一個半旅，也超過三分之一。蔣軍建制被打垮這樣多，把打垮的再補充起來，就沒有戰鬥力。如胡宗南有幾個旅就被消滅過兩次，被我消滅一次以後，再來就容易打了。不少俘虜軍官在放回去時說，再碰到我們一定舉手繳槍。敵軍的新兵是綁來的，像我們在「抓壯丁」那個戲中看到的一樣，他們沒有經過訓練，戰鬥力弱，逃亡的比老兵更多。蔣軍被我俘虜和擊斃的將級軍官就有二百多……在蔣介石下面的軍官，見到蔣介石時腰挺得很硬，說一定消滅共產黨，但一背過蔣介石就搖頭。開始大打時，蔣軍是一旅一旅地被消滅，後來成爲一師一師地被消滅。蔣介石說我們專門打他們的司令部，所以，旅長、師長都被我活捉了。那有這樣的事！他們的司令部都是在自己隊伍的緊緊圍護中，部隊全部被我殲滅了，旅長師長當然被我活捉。

■周恩來還提到「美造裝備有許多繳獲到我們手裡來了」。古人是「因糧於敵」，共產黨是「因武器於敵」，用美國給你的武器打垮你。

□國民黨老賊立委張九如跟我說，王世杰偷偷告訴他：王世杰以外交部長身分，到美國見總統杜魯門（Truman），要武器。杜魯門從抽屜裡掏出一紙證據，上面說，國民黨打敗，沒有一次是因爲美援武器不足，反倒是這武器被共產黨搶走了，回過頭來打你。所以，我們美國越給你們國民黨武器，就越幫了共產黨。

■難怪共產黨戲稱蔣介石是「運輸大隊隊長」，美國武器都運輸過去「資匪」了。

□「大江大海一九四九」卻說武器賣給八路軍了，太小看了共產黨了吧。能免費搶到的，又買什麼？龍應台眞是胡說八道。

「請瞄高一點」

■蔣介石在一九四七年五月十九日的講話中說：

去年七月間，第七十四師在淮陰作戰的時候，曾經收編了三千俘虜。後來該師師長張靈甫來見我時，我曾當面警告他：「匪軍俘虜絕對不能收編，一定要送到後方收容。」他說：「俘虜中有許多是我軍過去被俘過去的，而且並不是拿來補充戰鬥兵，只是做雜役兵，想必沒有關係。」我說：「做雜役兵也不行，一定要集中送到後方。」我當時以爲他照辦了，那知他並沒有做到。此次該師和匪軍作戰，一遇到猛烈砲火，陣地就生混亂……

但在第一線的陳左弧的回憶卻是：

七十四師自從三十五年八月離京北上參戰，直到三十六年五月十六日在孟良崮全軍覆沒，數月之間，由蘇北而魯南而魯中，戎馬倥傯，轉戰不已。在這段時期內，張靈甫並未離開部隊回到後方去過，蔣老先生也並未御駕遠征，親臨前方。他們之間，電信聯絡，或甚密切；若說張靈甫曾親詣蔣老先生聽取耳提面命，似非事實。如果我的記憶沒錯，那就是蔣老先生說了謊話——以炫示他的高瞻遠矚，察察爲明。

蔣介石這樣怕俘虜，共產黨卻有辦法，看周恩來說的：

我們隊伍的來源，除了大量的翻身農民參加以外，同時還有大量的俘虜參加進來。在我們部隊裡，解放戰士占半數以上。經過訴苦教育，他們就掉轉槍口打蔣介石。例如這次打陝州的砲兵，前一天才從靈寶解放過來，第二天原人原砲就參加了戰鬥，這是歷史上世界上所少有的。

多妙啊，經過一晚上的「訴苦教育」，第二天就原湯化原食起來了。

■你當兵的時候，不也帶過被俘的國民黨軍人嗎？

□就是老兵啊。我下部隊，派在十七師四十九團。一到即派往四二砲連做副排長。不久又自四二砲連調到團部連做搜索排排長，去「搜索集訓隊」報到。有個老兵叫曹梓華，永遠是笑嘻嘻的。他告訴我一個故事：「我們有一次被共匪俘虜，女匪幹熱烈招待，勸我們留下來一起打國民黨，我們不肯。她們就放我們回來，臨走讓我們大吃大喝，還送路費。最後說：『你們回去後，國民黨還是會把你們抓來當兵的。下次在戰場上見到我們，在瞄準時候，請瞄高一點。』」——共產黨化敵爲友，高明細膩有如此者！

■按照蔣介石的標準，這被俘過的老兵曹梓華也不能用吧？

□理論上如此，但已敗到台灣來了，兵源不足，您就將就一點吧。

■龍應台怎能知道這類「一九四九」的故事呢？

□她沒聞過老兵的臭腳，她永遠得不到這種訪問記錄。

國民黨帶頭投降

■照你說來，張靈甫是「失敗者」，但「失敗者」的光榮歷史也不可信。

□也不可信，因爲國民黨有計畫的揑造了歷史，只能騙龍應台之流，卻騙不了行家。

■「剿匪」史不可信，抗戰史呢？

□前面我提到老報人龔德柏出獄後寫的另一部書：「中日戰爭史」，其中論述了所謂蔣介石帶頭抗戰的「豐功偉業」，原來是：

> 中日戰爭歷時八年有餘，上海一役精銳盡殲，徐州、武漢兩次會戰尚能做相當抵抗外，其後則未見激烈戰鬥。雖有台兒莊、第三次長沙會戰與湘西會戰三次克捷，但均係我軍死守，敵攻不下，我援軍將敵包圍，敵遂突圍而逃，這就是大捷。至於敵人據守之重要據點，我雖以重兵進擊，從無攻克之事（滇西戰役為例外）。這是事實，即我們宣傳家亦無公布我軍攻克某據點之事可以證明。
>
> 但在國內戰場雖無赫赫之功，而在緬甸戰場則眞能接連攻克敵人重要據點，殲滅強敵，掃清緬甸北部，打通中印公路，這爲中國民族爭光不少。因爲這是英美人所親見，並且是參加的，不是我們的憑空宣傳（所謂第二次長沙大捷，經中外記者視察後，認為並無其事，由此中國宣傳更為外人所輕視）。這是在緬甸作戰的我軍有新式武器，又經美國人嚴格訓練，所以有此成績。這證明中國人只要有好武器，都是

能作戰的。

可見八年抗戰，軍事方面的眞相，不過乃爾。蔣介石宣傳下的所謂大捷大捷，原來是禁不得查證的，尤其所謂「第二次長沙大捷」，更是「並無其事」。

■馬英九之流，還在爭抗戰是國民黨帶頭打的呢。

□也該爭爭帶頭投降的帳吧？

■帶頭投降？

馬英九臉都綠了

□古代金世宗曾罵「遼兵至則從遼，宋人至則從宋」，八百年後的國民黨，恰恰如此。在抗戰時候，由於日本人大，所以國民黨做漢奸，就十分自然，尤以「將軍族」爲甚。其他小蘿蔔頭的校級以下軍官，更是甚中之甚。例如一九四一年二月，國民黨蘇魯戰區游擊縱隊副總指揮李長江，就率領五個司令八個支隊共四萬人投敵；到了三月，國民黨江蘇保安八旅旅長楊仲華、新編第五軍副軍長劉月亭等等，也率部投敵；接著是國民黨六十九軍軍長畢澤宇又率部投敵。一九四二年二月，國民黨騎兵第一軍趙瑞、楊誠兩個師也投了敵；到了四月，國民黨第二十九集團軍副司令孫良誠也率師長三名、旅長三名、縱隊司令兩名投敵。到了一九四三年的不完全統計，國民黨已前後有十八批將領投了敵，包括將校以上軍官七十多名、軍隊五十多萬，另外黨國大員六十名以上也投敵。其中一九四三年四五月間，國民黨中央監察委員、河北省黨部主任委員、河北省主席兼第二十四集團軍總司令龐炳勛與新編第五軍軍長孫殿英的投敵，尤爲壯觀。據美國財政部長摩根韜（Henry Morgenthau, Jr.）日記，他在一九四四年十一月十日就收到這樣的報告：「這實在是一個丟人的記錄：僞軍中的百分之六十二是以前的國民黨軍隊，自一九四一年以來，足足有六十七個全銜將級軍官投敵。」看到了吧，「國民黨軍隊」中的將官，一投敵就高達六十七個！馬英九口中抗戰是國民黨帶頭的，原來帶頭幹出來的，還有更精采的呢。馬英九臉都綠了。

倒了國民黨兩次戈

■抗戰勝利後，國民黨不對降將比照漢奸辦嗎？

□辦個屁！以吳化文將軍爲例，吳化文是陸軍中將，一九三一年起任韓復榘的獨立手槍旅旅長兼濟南市警備司令，抗戰發生後，韓復榘被槍斃，他改隸孫良誠部，孫良誠投敵，他也投敵。他引導日軍進攻于學忠，摧毀了山東省政府經營多年的抗戰基地。抗戰勝利後，因他手上有兵，國民黨奈何他不得，就不敢以漢奸辦他，不但不敢辦他，還給他做整編第九十六軍軍長兼第八十四師師長，最後在濟南之戰，他又倒戈而去，他一輩子倒了國民黨兩次戈，而國民黨奈何他不得，其高桿可想。

■可見國民黨「教忠」教了半天，卻「教奸」起來。

□國民黨老立委吳越潮告訴我一個故事。一九三八年，李士群下海做漢奸，一天，請吳越潮吃飯。吳越潮勸李士群說：「漢奸不能做，做了洗不清。」李士群說：「自己是洗不清，但是誰要自己洗呢？要由罵我是漢奸的人來洗，那就洗清了。」李士群這一理論，眞是國民黨的眞理。對國民黨的叛徒說來，關鍵只在你夠不夠大，不在你是忠是奸，做了漢奸若能吃得開，國民黨照樣「不咎既往」，照樣高官給你做。李士群的不幸是他機心太深，最後被日本人下毒。三十八歲就先行横死。他如不死，絕對有辦法叫國民黨給他「洗清」，說不定還會幹到特務頭子呢。

龍應台訪問不到吳越潮，吳越潮早死了。這種「一九四九」的串連內幕，龍應台不會知道，所以，她理解的國民黨是口口聲聲仁義道德的國民黨，不是王八蛋的國民黨。她被騙慘了。

非不能亡中國也，是不為也

日本的戰法基本上是擾亂性的，使中國軍隊喪失反攻能力，打散這種能力後，就自動撤退。龔德柏「中日戰爭史」論斷得很精確：

上述各戰役，海南島爲南進基地，南昌一以保護敵長江航路，一以切斷我浙贛路，在所必占，他們占據了。其餘各戰役敵之目的，在擾亂我軍，使之不能反攻。譬如某一戰區集中多數兵力，有反攻之可能，敵乃先發動一攻勢將我軍衝散，使之整理費時，反攻不可能，敵於任務完成後仍退回原地，而我當時在宣傳上不能不云敵被擊潰退回原防。編歷史者則可不必如此，所以將誇張宣傳之詞多予刪去，然仍有若干不合事實者。

這就是日本軍隊在中國「攻勢屢停、自動撤走」慣技的眞相，蔣介石黨羽的抗戰史是吹牛的。正如日本軍頭所自評的，日本要打下中國，絕對有此實力。因爲世界大戰略的考慮和日本人想占小便宜的習性，以致呈按兵不動狀，不以滅亡蔣介石政府爲優先了。純軍事上，日本鬼子非不能亡中國也，是不爲也。

挑夫還要假扮嗎？

■龍應台不但被國民黨騙，還被洋人騙嗎？

□像她那樣媚外的人，當然更上洋當了。一介平民蔣介石竟能下令搬走國庫黃金，龍應台也在所必寫，但卻妙文兩行：

> 上海碼頭。黃金裝在木條箱裡，總共三百七十五萬兩，在憲兵的武裝戒備下，由挑夫一箱一箱送上軍艦；挑夫，有人說，其實是海軍假扮的。

這又是典型的龍應台程度！她完全輕信了洋人的荒謬陳述。西格里夫（Sterling Seagrave）在「宋家王朝」（THE SOONG DYNASTY）中寫道：

> Chiang's plans for the Bank of China had been laid with considerable care. A dingy freighter was tied up on the Bund... Its coolie crew, dressed in filthy rags, were hand-picked naval ratings in disguise... Nationalist troops cordoned off an area of several blocks around the bank... Out of the darkness came the steady chant of "coolies" as they carried their heavy loads.

這些情節都是洋人瞎編的，並且逸出常理。試問既然軍隊都沿路布崗設哨清場了，「挑夫」還藏藏躲躲幹什麼呢？還化裝成衣衫襤褸的苦力幹什麼呢？這不是故意製造不通的情節嗎？

■龍應台跟著洋漢子玩歷史，結果玩出笑話。

□笑話多著哩，當然並非只在龍家。以史學家自居的，也同此一笑。看看國民黨文人錢穆的「八十憶雙親師友雜憶合刊」，說他去嶺南大學看陳寅恪，陳寅恪

因事赴城，未獲晤面，僅與其夫人小談即別。後聞其夫人意欲避去台北，寅恪欲留粵，言詞爭執，其夫人即一人獨自去香港。幸有友人遇之九龍車站，堅邀其返。余聞此，乃知寅恪決意不離大陸，百忙中未再往訪，遂與寅恪失此一面之緣。今聞寅恪因紅衛兵之擾，竟作古人。每一念及，悵恨無已。

照錢穆的說法，陳寅恪「決意不離大陸」，是眞的；但是陳夫人卻是要跟國民黨的。錢穆這種布局，到了錢穆學生余英時手裡，就更滑稽了，余英時甚至說陳寅恪晚年寫詩，詩中有想要來台灣的「密碼」呢！這種「密碼」式索隱解釋，還有程靖宇可稱一對。一九七九年十一月，程靖宇發表「陳寅恪大師逝世的年月日與大量遺作的情況」（「傳記文學」第三十

五卷第五期)，竟說陳寅恪詩中「幸得梅花同一笑」的句子，乃是「想到中華民國之花爲梅花」！這種妙解，眞令國民黨梅心怒放矣！

以上這些，都是「一九四九」的主題曲，它告訴我們，黃金是怎麼來的、陳寅恪是怎麼不來的。當然，主題曲以外也有變奏曲，龍應台也亂寫一通。

前一半也寫錯了

像她寫僞君子聶華苓：

> 在台灣參與了雷震的「自由中國」創刊的聶華苓，剛剛結婚，她竄改了路條上的地名，和新婚丈夫打扮成小生意人夫妻，把大學畢業文憑藏在鏡子背面，跟著逃亡的人流，徒步離開了北平。

我就不知道「自由中國」創刊與聶華苓這僞君子有什麼關係。「自由中國」是「一九四九」十一月二十日創刊的，是胡適的許多朋友早在南京在上海就籌畫的，並定出「自由中國」這名字，他們還不知道這名字孫陵早就用過。「一九四九」四月十四日，胡適寫了「『自由中國』的宗旨」。「自由中國」創刊時，還輪不到僞君子聶華苓吧？

龍應台寫前一半、寫「現象」，但「現象」的前一半也寫錯了。無心寫錯是難免的，但其中有意蘊含了僞君子的豐功偉業，就要拆穿。「自由中國」全盛時代，聶華苓跟前跟後的跟著享盡盛名。「自由中國」垮了、胡適死了、雷震坐牢了。聶華苓卻怪起胡適來，說胡適鼓動雷震組黨闖禍云云。現在，胡雷之間的密件，都由李敖和胡虛一（胡學古）公布了，文件俱在，胡適何曾鼓勵過雷震？胡適生前，奉侍惟恐不謹；胡適死後，厚誣惟恐不嚴，這是僞君子行徑，也是小人行徑。眞不巧，聶華苓也是嫁給洋人的「和番派」，不過她的洋老公比龍應台嫁的體面多了。多年前，我和這洋人一起吃過飯，聶華苓當場就朝洋人飛起眼來，後來釣上了、嫁出去了。龍應台筆下跟聶華苓共過患難的那位「新婚丈夫」，不知道那兒去了。說來這也是「一九四九」的眾生相之一。「一九四九」製造出許多亂世情鴛，也製造出許多亂世冤家。胡茵夢的爸媽，本來是有婦之夫和有夫之婦，趁「一九四九」之便，雙雙私奔到台灣了。多少年後，私奔的一對變成怨偶，胡爸爸六十生日，胡星媽竟以一瓶鹽酸爲壽，要毀丈夫的容，嚇得胡爸爸有家不敢回。全世界但聞十六歲小男生翹家的，未聞六十歲老男生翹家的，眞是奇聞。

竟以不說話自豪呢

■胡爸爸在「大江大海一九四九」裡，有代表性嗎？

□當然有，他代表了助紂爲虐後的一片沈默。胡爸爸叫胡賡年，先進南京金陵大學、再入南京國立東南大學，二十三歲去日本，先進早稻田大學、再入東京帝國大學，追隨日本學者神川彥松研究國際政治，前後五年。他是一位愛國者，在日本留學期間，正趕上九一八事變，國際聯盟派出李頓調查團（The Lytton Commission）調查眞相，該團路過東京時，胡賡年曾遞上英文報告書，並在帝國飯店向該團先行闡述眞相。這種愛國絕不後人的精神，使他在歸國後，毅然跟上國民黨，先後任南京陸軍軍官學校政治教官、陝西韓城縣長、陸軍第三十八集團軍軍法處長、旅順市長、遼寧青年團幹事長、瀋陽中央日報社長、瀋陽市立法委員。「一九四九」胡賡年到台灣的時候，只有四十五歲，對政治已萬念俱灰。一九八○年五月六日，我與胡茵夢結婚的當天晚上，他請我和胡茵夢吃飯，談到立法委員生涯，突然得意的說：「三十一年來，我在立法院，沒有說過一句話！」我聽了，感到很難過。難過的不是胡賡年放棄了他的言責，因爲他們其實都放棄了；難過的是，他放棄了言責以後，居然還那麼得意！這未免太不得體了。我忍不住，回他說：「立法委員的職務就是要『爲民喉舌』，東北同鄉選您出來，您不替東北同鄉講話，——一連三十一年都不講話，這可不對罷？一個警察如果三十一年都不抓小偷，他是好警察嗎？這種警察能以不抓小偷自豪嗎？」

不過話說回來，如果一連三十一年都講的是噁心話、馬屁話，那倒眞不如不講話爲佳。也許胡賡年之得意處，正在他能看破政海而別人看不破吧？

胡星媽在胡賡年翹家後，同意放他一馬，但是立法委員的每月薪水和福利，她要全部拿去，胡賡年爲了自由，全部同意了。從此每月胡星媽進出立法院，代夫出征了。後來胡賡年住進榮總，我去看他、送錢給他，老境堪憐，但是立委薪水，未聞胡星媽有以酌賞一二也。最後的結局是：胡賡年身背「老賊」之名，卻是眞正的「無薪制」，親人花了他的薪水幾十年，最後女兒還奚落他「占了四十多年的位子白拿錢，早該走路了」。人間道理，豈可如此顚倒？吃了老爸幾十年黑心錢還說風涼話，這種秀，作得太僞善了吧？

龍應台是外省掛的小村婦，她雖比胡茵夢癡長一歲，但不能跟「最後的貴族」相比，胡茵夢是滿洲貴族格格級的，她看到小村婦龍應台，恐怕會不屑的咯咯一笑吧？胡茵夢可眞「嫣然」呢。

前方吃緊，後方緊吃

■龍應台談「一九四九」，另一個大缺陷是，她著墨在一群人的夾尾而逃，卻對比不出另一群人的揚長而去。她完全看不到「一九四九」的另一面。所謂首都，從南京搬到廣州以後，那些「首都已陷休回顧，更抱佳人舞幾回」的燈紅酒綠，龍應台視若無睹嗎？

□至少在廣州做憲兵連長的龍爸爸應該看到吧？我幫龍爸爸剪一則資料。

一九四九年一月三日香港「星島日報」的「看廣州新歲」特稿：

「一流」酒家座無虛席，「江南豪客」一擲萬金，臉不「改容」，旁人視之，自是肅然起「驚」。「七彩」舞場，名副其實，「座上客常滿，樽中酒不空」，氣球、紙花、香檳、口紅、大腿、鈔票、「肉香」，充滿舞場內每一角落，紳士輩三分「酒意」，「名媛」們一張「快刀」，「得」者不吝財，「受」者無愧色。市內十四間「大舞廳」熱烘烘，亂糟糟，踐足碰背，你推我擠，蠻腰在抱，「貼面閉目」，猗歟盛哉！

相對的，龍爸爸效忠的國民黨政府在幹什麼。一九四九年二月六日美聯社「廣州通訊」：

孫科政府南逃以後，首先遇到的困難是「經濟的加速崩潰」……人民叫苦連天，公教人員則垂頭喪氣，一如末日之來臨。余漢謀、薛岳勸告南遷官員不要到市場上去套買黃金、外幣。但連省府和綏署的官員都不聽話，一發薪餉，馬上去購金鈔、港幣。南遷官員更是當耳邊風。薛岳訴苦說：「別的我都可以想辦法，唯有對金融物價問題我毫無辦法。這是抵擋不住的洪流，我解決不了！」孫科政府必然被這股洪流所淹沒。

一九四九年二月十一日「星島日報」：

國民黨由南京逃向廣州時，將大批中下級公務員及大批流亡學生棄置不顧。不少公務人員在國民黨機關中，在不足餬口的薪水待遇下工作了幾十年之久，但行政院長孫科和一群部長們，一點遣散費也不發給，就把他們丟開了。南京各大學中的公費生已被停止發給補助費，因而陷於無食無助的境遇。

龍爸爸的憲兵連長職務，應該與眾不同。做鷹做犬，主人總得先餵飽啊。

「一九四九」的鄭成功們

■國民黨逃到台灣來，不是要學鄭成功嗎？在報上連載「海天孤憤」，學得可有聲有色呢。

□的確有聲有色，不過是聲色之娛的聲色。再看看一九四九年六月十日香港「星島日報」的「台灣航訪」吧：

……排山倒海地湧到台灣來了，在東北、華北、華中以至凡是他們到過的地方，刮透了地皮，吮走了脂膏，一個個腦滿腸肥，腰纏累累，擁妻抱妾的到台灣來了。於是台灣的香水精的氣味濃厚了；最新流線型的汽車多了；草山北投溫泉的生意興隆了；酒家飯店的氣勢豪華了；台灣女人的賣淫風氣開了；社會道德日趨低落了；民生也一天天的凋敝下去了……把人民的生活拉到十八層地獄的邊沿，這「功勞」是誰的呢？那只有些善弄權術善作投機生意的「寓公」們，才配承受的。

這些大官顯宦們，因爲有的是「條子」（金條），所以在他們「無官一身輕」的條件下，他們唯一的消遣，就是到溫泉野浴和遊山逛景……「草山」「北投」的旖旎風光與人民的艱苦生活相比，簡直成了一個莫大的諷刺……他們那種閒情逸致、心曠神怡的樣子，直若天下太平、萬籟俱寂似的……你不要看他們背後淨做些喪心病狂的事，但是表面上卻都是一本正經的，說是要完成鄭成功的遺業的，換句話說也就是要學鄭成功，在台灣做再起的準備的……

看到了吧，有臉學鄭成功嗎？說「反攻大陸」，鄭成功至少打到了南京呢！蔣介石呢？連東山島都打不到啊。我們的龍應台呢？你的「大江大海一九四九」爲什麼彌縫得那麼好？蔣介石眞該賜姓你，改叫「蔣應台」吧。

忘了換掉開襠褲

■龍應台筆下的「大江大海」，在抽樣上的缺失，不限於下層，在「廟堂之高」的層級上，她因爲讀書太少，太缺乏文獻上、史料上的訓練，缺失更多。「廟堂之高」的層級上，以國民黨大員爲主，他們或躬與其事、或扶同爲惡、或愧而知悔、或怙惡不悛、或迷途知返、或一死了之……樣式繁多，足以警世，但是龍應台竟悉所不及，有了這麼大的遺漏，還侈言江海云云，就鬧笑話了。「廟堂之高」的層級才是禍源，不談禍源、只談尾閭，又怎能了解眞相呢？談談禍源吧，先從蔣介石、蔣經國開始。

□你很會點唱。蔣緯國最該知道的一句歌詞是「哥哥爸爸眞偉大」。這個蔣介石的假兒子，原是戴傳賢的眞兒子，偷偷過給蔣介石，以其無能愛現，一輩子占了不少便宜、也受了不少窩囊氣，最後連太太都不能保，眼睜睜的看太太被蔣介石下令打毒針處死，這也是家庭悲劇啊。

■如果龍應台只會寫「一九四九」的「小咖」，寫得完整，也足稱道，但她寫得又是前半截的前半截。

□看她寫王曉波他們，就思過半矣。看多了龍應台的文字，你會越看越氣，因爲那種文字，只會在「現象」上遊走，並且是片段的「現象」，龍應台太偷懶了、太閃躲了，她只用片段的「現象」引發悲情，而躲避用全面「原因」去追究悲憤。她寫王曉波的母親：

這個二十九歲的年輕女性，在一九五三年八月十八日執行槍決。曉波再見到媽媽，只是一罈骨灰。營長父親因爲「知匪不報」，判處七年徒刑。

十歲的男孩王曉波，在一九四九年以後的台灣，突然成爲孤兒。他帶著弟妹每天到菜市場去撿人家丟棄的菜葉子回家吃。有一次外婆一個人到蕃薯田裡去找剩下的蕃薯頭，被人家一腳踢翻在田裡。

多麼「傲慢與偏見」啊，什麼政權槍決了王曉波的母親，使他們全家淒慘至此，這個「原因」，爲什麼龍應台一個字都不追究？並且，要追究起來，其實是一幕連續劇，光從王曉波的成長史上，就可串出完整的「一九四九」故事、完整的兩代故事。王曉波在台大，追隨殷海光；可是殷海光被人迫害死了，他又倒向迫害殷海光的人，他直到我們對抗白色恐怖的硬仗打過以後，他才「遲來的勇敢」，叫出他母親的名字。王曉波今天仍是我的朋友和小弟，但我一直不諒解他做了「殷門叛徒」，認爲他從悲情轉到悲憤的過程，太遲太懦弱。但是，比起龍應台來，這位國民黨憲兵軍官的兒子比國民黨憲兵軍官的女兒正點得多，至少王曉波沒跟外國人跑，他是了不起的愛國者，雖然愛得醉眼醺醺的。

■龍應台寫王曉波時又帶出一個鄭宏銘：

我約了鄭宏銘，跟我一起去新竹北埔的濟化宮，那是一個山裡的廟，聽說供奉了三萬三百零四個牌位。有人從日本的靖國神社，把所有陣亡的台籍日本兵的名字，一個一個用手抄下來，帶回新竹，一個一個寫在牌位上，爲他們燃起一炷香。

鄭宏銘的母親找父親的骨灰，找了很多年，到八〇年代才聽說，隨著神靖丸沈到海底的骸骨，被安置在靖國神社裡。母親就奔往靖國神社。

龍應台又在寫「現象」，不寫「原因」。

□爲什麼不多寫一筆，追究一下日本人怎麼「靖國神社」了台灣人？爲什麼不把事件寫得完整一點，寫寫偉大的高金素梅如何帶隊「奔往靖國神社」，向日本鬼子「討回英靈」？爲什麼只窩窩囊囊的欲說還休？爲什麼不多一點悲憤、少一點悲情？「大江大海一九四九」啊，你會死去，但那位嫁到德國的女士，會使你死不瞑目。

龍應台在「兩個小男孩」一節中寫王曉波與鄭宏銘，但忘了使小男孩換掉開襠褲。她應該完整的寫出王曉波他們的下半生，不露小雞雞的下半生，才能彰顯出時代的悲劇。王曉波是這一悲劇的典型人物，在苦難中、掙扎中、迷失中、摸索中蠕動，如今是老雞雞了，爲人熱心勤勉、雞鳴不已。但龍應台都按下不表，此不足以知王曉波、亦不足以知「一九四九」也。

錢復的肉糜之言

■「一九四九」的大特色之一就是骨肉失散、生離死別，龍應台談「大江大海一九四九」，也談到生離死別，但她規避了一個生離死別中的奇象——國民黨方面硬性建構出來的生離死別。也就是說，經過幾十年後，本來可以鬆動了的條例，國民黨卻毫不放鬆，造成可以不再生離的，仍要繼續生離；可以不必死別的，仍要來生再見，這是什麼意思呢？

□一九八二年十一月，香港「明報月刊」登出「訪錢復．談三通」，有這樣的問答：

問：許多老人家從大陸出來，其中有不少國民黨的老幹部。現在政府不讓他們到台灣與家人團聚，這眞教人感慨。老頭子、老太太都快走不動了，來到台灣，能幹什麼事呢？

答：有些事是很令人奇怪的，舉個例子，我的兄弟（按：錢煦）的岳丈是國民黨老一輩的黨人，以前有名望，在台灣有很多老一輩的朋友。被共產黨關了幾十年，放出來了，現在在紐約。共產黨眞會洗腦，關了幾十年後，現在他還整天說共產黨的好話。也不知道怎麼的，他在牢裡就知道我的名字，現在還要見見我。於私方面，我應該去見見他。於公方面，我不好見他。所以從來沒見過。他還要到台灣來呢！來了以後我們怎麼辦？也不能不准他到處見人，他又要宣傳那一套，怎麼能讓他來呢？家人團聚也不一定要在台灣，去美國不也一樣方便嗎？

國民黨駐美地下大使的這段答話，眞使我們頓開茅塞，太精采了！我們沒想到：國民黨一大堆不「三通」的冠冕堂皇理由中，居然還有這種「黑理由」！我們對國民黨的眞面目，眞要刮目相看了！

■這種「黑理由」眞可惡！

□國民黨雖然「黑理由」如此，但是，流亡到台灣的外省人，又有幾家能夠「家人團聚也不一定要在台灣」呢？所謂「去美國不也一樣方便嗎？」其實是一種沒心肝說法。試問離開台灣要不要出境條件？這些條件，從國民黨肯放行到美國肯簽證，豈是人人達得到的？又試問前去美國要不要路費條件？「團聚」在美國要不要生存條件？這些條件，又豈是人人達得到的？錢復去美國做地下大使，可以公然全家放洋，包括他十七歲兒子——按照兵役制度不得出境的役男錢國維，這種非法「團聚」的特權，又怎麼說？錢復大言不慚的說這些混蛋話，其混蛋程度，和中國昏君在百姓沒飯吃時候反問「何不食肉糜？（為什麼不吃肉？）」有何不同？眞是大笑話了！

■這昏君你指的是晉惠帝，但別忘了昏君也有德政時候，像陳後主陳叔寶。他在位六年，總喜歡大赦天下，有十次之多。他深知司法黑暗，要靠大赦來救濟。除了這一德政外，陳後主最有氣派的，是他居然把失掉故土的人質（好像在台灣的外省人），「遣送回大陸」。他下詔說：「今舊土淪陷，復成異域」，我既沒有能力光復河山，但我不爲難你們，你們要回去，要跟骨肉團圓，我送你們回去，送你們到對岸敵人那裡去，並且「必令安達」，保證平安送到家。至於想留下來的，「亦隨其意」。這種氣派，豈不太令人欣賞了嗎？

□我愛昏君。

■他可是浙江人耶。

□我愛浙江人。

■正因爲去美國「團聚」不是像錢復所說那樣「方便」、正因爲中國人在中國土地上「團聚」本是天經地義，所以，我們對國民黨滿口忠孝倫理，所作所爲，卻讓人骨肉離散的行徑，不得不予以聲討。而聲討對象，要包括龍應台在內，因爲她無異回護國民黨壞政府。

張鐵石之死——不准看活爸爸

■一九七五年，共產黨放出了最後一批國民黨戰犯，放出以後，安排參觀、安排工作，如有人要去台灣的，也悉聽尊便。結果有王秉鉞等十人表示願來台灣，於四月十四日由「統戰部」送往香港，由「中國旅行社」在香港招待，等待辦理入台手續。可是，國民黨政府不准他們來，也就是說，不准他們與家人團聚。十人中有一名張鐵石，原是國民黨六十八軍政工頭子，在絕望之下，憤而自殺了，時年六十一歲。你怎麼說？

□他們之中的一人段克文，在「戰犯自述」裡，曾有這樣的陳詞，寫出他們這些國民黨「功狗」的心境：

我自己對國家對人民不曾犯過任何罪，我所以被囚了二十五年成了「戰犯」，唯一原因就是我曾是國民黨的一分子。從我的「自述」裡（沒有遺漏，沒有誇張），誰都理解這四分之一世紀的歲月不是好過的。我受盡苦難冒著危險最後走出大陸，赴台灣被拒，幸虧美國出於人道主義接納我的避難申請，否則，我肯定是與張鐵石一道去了。

但國民黨很「寬大」，同意張鐵石在台灣的兒子張潤佩到香港收屍，六月六日，張潤佩拿到「寬大」政府的出境證，領回了爸爸的屍體。

領回屍體一幕，得詳細說一下。

活人不要要死屍

張鐵石自殺後，群情大譁，國民黨自然不見諒於公論。這時香港方面通知張鐵石的兒子張潤佩，六月七日，張潤佩在台北表示：「是否來港辦理父親的後事，乃國家之事，要以國家利益爲前提。因此，他是否來港，要等待決定。」言談之間，顯然身不由己。到了六月十三日，張潤佩獲准來香港了，來的目的很奇怪，是來搶死屍。十三日晚深夜十一點，在數名神秘大漢陪同下，張鐵石之子張潤佩在星加坡酒店咖啡室舉行一個名爲記者招待會、實際上可說是向記者道歉會。張潤佩在會上除向記者道歉一番外，其他事情一概避答，並且被陪同的神秘大漢催促離去，使得記者招待會只舉行了一兩分鐘便告結束。

六月二十一日，張鐵石的屍體在歌連臣角火化，張潤佩先回台灣了，不能來香港；二十天後，七月十一日，張潤佩的朋友把骨灰運到台灣。張鐵石九十四歲的母親白髮望親等了二十六年；張鐵石自己黑髮亡魂等了二十六年；張鐵石的妻子、二子一女苦海餘生等了二十六年，最後，在結束生離的關口，他們反而遭到了死別！——來到台灣的，不是張鐵石的一個活人，而是張鐵石的一匣骨灰！張鐵石不死於戰場、不死於監獄、不死於二十六年的望眼欲穿、不死於二十六年的掙扎期待，反倒死於二十六年後追求一家團圓的絕望裡！

六月十六日，國民黨辦的「香港時報」社論說：

人人看到的事實是：共產黨不但要剝削生人，利用生人，而且還要利用死人，一直到這個生人或死人的最後一點剩餘價值，被剝削利用乾淨才肯罷手。

但，人民的眼睛到底是雪亮的，共產黨越是叫喊，人們就越是看清楚這是一齣統戰醜劇；同時也看清楚，正是毛共，才是阻撓與破壞十人回台的眞正罪魁禍首。

正因爲偉大的國民黨不要「利用死人」，所以，他們最後搶到了死屍，以防中共「利用」。於是，在死屍的宗教意義之外、在死屍的法律意義之外，國民黨爲「眞正罪魁禍首」，做了最離奇的舉證；爲人間不近人情，做了最冰涼的洗禮；更重要的，爲死屍的政治意義，做了最偉大的闡揚與教訓。我們中國人，在海峽兩岸的夾縫裡，不要忘記也不該忘記：我們怎樣在受難、怎樣在被作弄、怎樣在生離死別、怎樣在「不得親其親、不得子其子」的悲慘裡，爲他們生殉、爲自己默哀。——我們永不忘記！

龍應台呢？她是例外，她不會忘記，因爲她一開始就不記得了。

杜均衡之死——不准看死爸爸

■張鐵石之死可稱作「不准看活爸爸」，只許你兒子看死屍，不准看活人。在國民黨「不准看活爸爸」以後第八年，國民黨又日新月異的修補他們的家庭倫理道德了，——他們竟從「不准看活爸爸」，前進到連死爸爸都不准看了。這一新猷，就是台灣報紙封鎖的「杜九森事件」。你怎麼說？

□杜九森是國民黨大員杜均衡之子。杜均衡是四川省至樂縣人，畢業於上海中國公學大學部法科經濟系，本來在中學教書，抗戰開始，他加入國民黨三民主義青年團，任四川團部組訓組長，一九四五年時候，已經升任爲國民黨四川省黨部執行委員兼組織科長。一九四八年當選立法委員。一九六三年任財政部次長兼亞洲開發銀行副理事、國家建設計畫委員及中國銀行監察人等職務。一九六九年任台灣省政府委員兼財政廳長兼台灣土地開發公司董事長及台灣銀行常務董事。一九七二年又回任財政部次長並兼世界復興開發銀行副理事及中國農民銀行常務董事。這樣一位國民黨的「聚斂之臣」，不幸天不永其年，一九八三年七十五歲死去。不料這一死，有分教，死出禍事來了。

原來杜均衡在隨國民黨逃到台灣時，把元配「抗戰夫人」謝素雲和「抗戰兒子」杜九森棄於大陸，在台灣歷任要職，別娶了「戡亂夫人」鍾幼梅，並產下「戡亂子女」兩子三女，生活美滿，不在話下。不料在他離開大陸三十年後，謝素雲和杜九森在四川申請去香港，中共批准了。母子二人，就這樣以「萬里尋親」的心情，離開了大陸。到香港後，住在筲箕灣東大街，相依爲命，設法與杜均衡聯繫。杜均衡去香港看過他們一次，但是不肯把他們接過來，也許他不便接、也許不能接，總之，「萬里尋親」的結果，是痛苦與尷尬。——杜九森對爸爸的一片親情，顯然弄得進退維谷了！更進退維谷的，還在後頭呢！一九八三年九月十三日，杜均衡死了。杜九森從朋友口中得知了消息，決定到台灣看看爸爸最後一面。他探聽出九月二十九日公祭，他必須在公祭以前趕到，才能達到生離後的死別。他知道國民黨不讓他入境，他就花錢買了一張「中華民國護照」，並買了由香港飛往漢城的機票，盼趁飛機過台時，能夠蒙國民黨開恩，讓他這中國人，在中國領土上，看看爸爸的最後遺容，然後上機離開。

不料事與願違，國民黨是不喜歡這種「溫情主義」的，飛機過台時，國民黨任憑杜九森跪在地上苦苦哀求，就是不准這場生死會。杜九森沒辦法，在飛機場要求「庶母」和「弟妹」爲他擔保一下，可是他們反倒不承認他。杜九森氣不過，偷偷服下了事先準備的毒藥。國民黨發現不妙，強迫給他洗腸，並在他迷迷糊糊之中，把他架上到香港的飛機。九月三十日晚上八點三十分，一個昏迷不醒的旅客，被丟棄在香港機場候機室，大家好奇的圍觀著，一位好心腸的婦人找出一瓶藥油，把他救醒。他喃喃的說著「讓我見見父親最後一面吧！讓我見見……」的話，最後救護車來了，他被送上車，又回到「萬里尋親」的中站了。後來杜九森寫了一本書，詳述經過，他寄了一本給我，要我幫忙，我很慚愧，我無能爲力。

杜均衡的例子、杜九森的事件，十足說明了整天嘴巴上仁義道德、提倡家庭倫理的國民黨，在行爲上，怎樣使人不能團圓、怎樣使人不得見最後一面、怎樣使人「不准看活爸爸」、「不准看死爸爸」。只有「觀其行而察其言」，我們才能對一切恍然大悟。當然，如果這一切發生在錢復身上，都不成問題。——大家美國見！如果這一切發生在龍應台身上，也都不成問題：本姑娘的「一九四九」裡沒有你們，所以，「大江大海」容不下你們，你們只在陰溝裡，大家陰溝見！

吳處長的「內在美」

■龍應台書裡逃避的「一九四九」現象，還有很多千奇百怪吧？

□龍應台逃避了許多「大江大海」現象，其中之一就是：這批族群中，有許多人表面上效忠黨國、「與台灣共存亡」，骨子裡卻「內在美」（內人帶小孩全在美國）式的暗做移民打算。一個代表性的小故事，特別值得寫出。我出獄以後十多年，路遇當年抓我的蔣家鷹犬、警備總司令部保安處處長吳彰炯中將，那時他已退役，在富貴樓餐廳任總經理，他約我到他辦公室，做了他單方面「相逢一笑泯恩仇」式的長談。我最後打趣他，我說：「你們軍人有『五大信念』，所謂主義、領袖、國家、責任、榮譽。現在呢，你們革了幾十年的命，民族主義等被敵人實行了、領袖死了、國家變成千分之三了、責任扯不清了、榮譽也不好意思說了，全沒了，處長啊，你也老了，你輸了。」不料他眨眨眼睛，神秘的告訴我：「李先生，我沒輸，我移民到美國了，我子女都是博士，個個在美成家立業，李先生，我沒輸！」吳處長的話，對我眞是醍醐灌頂：眞的喲！這些鷹犬沒有輸。輸的是他們的「五大信念」，但誰信這些信念呢？五大、六大、一百大，管他媽的幾大！

■「內在美」以外，有些可是「全在美」，內人小孩以外，自己也跑了。像國民黨大員第四組主任謝然之，在台灣做盡壞事以後，全家都跑了。

□如果全家都跑了，跟台灣全不相干了，也算結帳清楚。怕的是還滴滴答答呢。碰到全民健保，他們就跑回來拿便宜藥、享受便宜醫療照顧了。

■舉個例吧。

□例不必遠求，還是吳處長。別忘了，他雖然「內在美」，卻是死在台灣病床上的。吳處長八十歲變成了漸凍人，靠健保公費，躺在台北秀傳醫院的病床上，全身除了眼珠外，那兒都不能動，但旁有護士二十四小時照顧，又有外勞爲他負責清潔整齊，頭髮都理得如見大賓。眞是臥床如見大賓。有一天，我李敖出現了，他一定想不到我來探望他。他眼珠轉向我，看到的，卻是一個雙手扠腰神氣活現對著他的李敖，爲什麼我要雙手扠腰呢，因爲當年他到押房來看我，就是雙手叉腰的，也神氣活現。我李敖今天來了，以其人之腰還其人之身。

■哈哈，你這叫什麼探病呢？你在報復、在示威吧？

□也有探病的成分，只是不怎麼百分之百而已。

■吳處長自己的故事、吳處長跟你的故事，多麼深長，可惜「大江大海」不知道。

□也許是不想知道吧？蔣介石鷹犬與黑獄亡魂間的恩怨情仇，那龍應台會面對嗎？龍應台沒有對黑獄亡魂的英雄做過任何一次訪問，這是寫「大江大海一九四九」應有的態度嗎？

開始大改特改歷史了

■「大江大海一九四九」的特色很多，「一九四九」後，國民黨文人有工夫大改特改歷史了，就是特色之一。拆穿他們竄改的伎倆，你的功力，無人可及。你往往小處著手，然後妙手成眞。蔣介石的辮子問題，就被你攪得天翻地覆。一九八六年十月二十日，國民黨大舉籌慶蔣介石百年冥誕前十天，你寫了「蔣介石研究」自序。在眾口一聲、馬屁隆隆的時代裡，你獨自一人、逆勢操作，眞夠得上「雖千萬人，吾寫書矣」。

□我從寫「胡適研究」到寫「蔣介石研究」，研究的對象雖然每下愈況，自己的成績卻扶搖直上。換句話說：被研究者的人格，跟我的文格適成反比。——我敢在刀光劍影和黑獄幢幢的壓力下研究蔣介石，這種文格，是何等勇氣！我敢在資料封鎖和眾口一聲的困難下研究蔣介石，這種文格，是何等突破！

■你就是不服這口氣。

□我李敖就是不服這口氣，我就是要站出來，一一拆穿蔣家的神話。雖然在情緒上，我對蔣介石深惡痛絕，——我是伍子胥；但在行文上，我卻有歷史家的謹嚴，全憑證據來「誅姦諛於既死，發潛德之幽光」，——我是沙爾非米尼（Gaetano Salvemini）。沙爾非米尼是義大利歷史家，他因反對大獨裁者墨索里尼（Benito Mussolini）的法西斯政權而入獄，但他日後下筆寫墨索里尼，卻憑證據來說話，教人心服口服。

■別人會服氣嗎？

□每個人都會罵人王八蛋，但我的可怕是我能證明誰是王八蛋。我不是空口說人王八蛋的，我有證據證明誰王八蛋，不服氣又怎樣？你不服氣，但你無法抹殺證據。看了證據，你必須心服口服。一讀再讀之下，將會發現其實李敖寫得很公道。——李敖並沒醜化蔣介石，他只是把美化了的拆穿罷了。

■你無須醜化豬八戒。

□對了，對豬八戒，你只須據實描寫他那副尊容即可，何須醜化？

■其醜 self-evidence，不言而喻的、不證自明的。

□因爲豬頭自己就是人證、自我人證。

■大概他們做假的手法太拙劣了吧，以至於被你拆穿了。

□的確有太拙劣之處。試看清朝男人要留辮子，這是何等大事，除了和尚，誰敢不留辮子，但蔣介石的黨羽卻公然說蔣介石在中國軍校，可以公然不留辮子，他可以特立獨行，而環境居然也允許他特立獨行。可能嗎？照「總統蔣公哀思錄」中「總統蔣公年表初稿」，蔣介石是民國前六年（一九〇六）三月，「以感痛國族陵夷，立志革命，乃自剪辮髮，託友寄家，以示決心」的，剪辮子後第二個月（四月），就「東渡日本」了。他在「東渡日本」後第二年（一九〇七），再回國進保定軍校。照董顯光「蔣總統傳」所說，「校中一切學生除蔣總統外皆有辮髮」，這一說法，歷來蔣介石傳記都是眾口一辭，直到一九八五年十一月出書的「蔣介石傳」（國民黨軍方黎明文化事業公司出版、德籍遠東問題專欄作家施德曼與弗德林史坦夫婦合著、國立編譯館主編、辛達謨博士譯），還都這樣一路宣傳、相沿不斷呢。但是，事實眞是如此嗎？眞的在嚴格的軍校管理中，人人有辮子，唯獨蔣介石可以「唯公無辮」（毛思誠「民國十五年以前之蔣介石先生」中語）而不受「制裁」嗎？這種逸出常識的說法，我們能相信嗎？

■這種說法，死掉的蔣介石知情嗎？

□蔣介石生前就這樣說了。董顯光的「蔣總統傳」可是蔣介石「欽定」的。董顯光做過蔣介石的新聞局局長。

■於是你的本領就來了，你推翻了這一沒辮子的神話。

□我找出直接證據，推翻這一神話。我找到當年的圖證——一張蔣介石與同學的合照照片，用放大鏡仔細查看照片中蔣介石的髮型，卻赫然是留辮子式的正面髮型，可見「唯公無辮」之說，根本是揑造的！除了圖證以外，還有文證。根據蔣介石當年的同學張群的回憶，所謂「唯公無辮」之說，也可推翻。據陳香梅「張岳公閒話往事」記錄，張群說：

到日本留學是我生命史中值得紀念的一章。因爲我不但在那兒認識了蔣先生，而且遇見了許多後來共倡革命的同志。我本來準備學步兵的，可是與蔣先生一見如故，於是不學步兵而學砲兵，以期與蔣先生朝夕相處，共同切磨。我們當年都是留髮（帶辮子）出國的。到了日本就把辮子剪掉，這也是從事革命的第一個表示。

據「蔣總統秘錄」中訪問張群記錄，當時「留日考試合格的學生，好像有六十人左右。能夠暢通日本話的人，由保定啓程直接前往日本；我們（包括蔣總統在內）雖然能夠閱讀日文，但因爲說得不好，暫且先到東北的陸軍部集合，然後由大連乘船前往神戶，換乘火車到達東京」，可見蔣介石他們當年一起「都是留髮（帶辮子）出國的」。出國時既然有辮子，則在保定軍校時，蔣介石必然有辮屬實。所以，蔣介石在民國前六年（一九〇六）就「自剪辮髮」之說，不是眞相、不是歷史，乃神話也！

革命先烈死不瞑目

■你用圖證和文證，雙殺了這一神話。

□對。我不但殺了這一神話，還殺了同類的沒辮子神話。蔣介石的黨羽一九八四年出版「國父圖像墨蹟集珍」，頁八八刊出皖浙起義時「徐錫麟烈士」照片，予以變造。除面目全非外，最駭人者，是將徐錫麟的髮型，變造爲西式分頭。事實上，徐錫麟一輩子沒留過西式分頭，且他行刺滿洲大吏恩銘時，職務是滿清政府的安徽警巡處會辦兼巡警學校校長，不留辮子，何能擔任斯職？於是，資料大王李敖又來了，我找出徐錫麟當年原照，一經比對，即知蔣介石的黨羽把徐錫麟臉部全部加描，眉清目秀描成粗眉大眼、細鼻薄唇變成寬鼻厚唇、辮子髮型變成西式分頭。乍看還以爲不是同一張照片，細核之下，卻發現原來兩張照片在衣領上完全相同，尤其左領在高低上、內領上、褶痕上，一模一樣，瞞得過外行人，但瞞不過李敖，當然也瞞不過徐錫麟，這位革命先烈死而有知，一定奇怪怎麼頭上給理了髮、變了髮型了？

■想來徐錫麟一定不甘心。

□不甘心的還在後頭。徐錫麟絕對想不到，蔣介石的孫子後來上了徐錫麟的孫女。原來蔣孝文的床頭人徐乃錦，竟是徐錫麟的孫女。你姓徐的革命，他姓蔣的坐享其成；不但享受你的直接革命成果，還享受到你的直系親屬呢。

■徐錫麟一定很窩囊。

□還有窩囊外一章呢。徐錫麟萬萬想不到，他的孫女徐乃錦，後來竟嫁給蔣介石的孫子蔣孝文，你性好革命吧，最後連個孫女都保不住啊，革命先烈死不瞑目。看來蔣介石也死不瞑目，本來滿清政府只准他一個人不留辮子的，怎麼徐錫麟也可以了？

■龍應台不懂這些吧？

□龍應台無需懂這麼多吧，她很乾脆，她爲國民黨買了一頂假髮。

蔣介石夫婦的後路

■龍應台書裡扯東扯西，爲什麼不探討一下「一九四九」的元兇蔣介石動向呢？那才眞有代表性呢。蔣介石後來對手下說，「一九四九」時，他本人打算死在南京，後來還是沒死。可見他本人也動搖了、也貪生怕死了。

□還有更精采的呢。周宏濤「蔣公與我」中，不但透露了蔣介石要在日本買房子、躲到日本去，並且他的老婆宋美齡也早失信心，勸老公離開台灣。「蔣公與我」明明有這麼一大段：

> 那陣子混亂裡，各種影響人心的傳言紛至沓來，包括蔣公準備離台的謠言。就在杜魯門形同放棄台灣的宣布同時，我從黃少谷那邊聽到一個消息說，蔣夫人已遣孔祥熙的女婿陳繼恩自美國經香港抵台來見蔣公，勸蔣公赴瑞士「休養」。這是何應欽夫人在港晤見陳繼恩時，陳自己講的；何夫人把這件事告訴了丈夫，何應欽向黃少谷求證，這才冒出傳言來了。陳繼恩是孔令儀的丈夫，孔令儀後來離婚後，再嫁駐美武官黃雄盛。

可見宋美齡早已要跑路，那時她已先在美國一年多了。並且，這不是單一事件。後來美國和「中華民國」斷交後，宋美齡又覺得苗頭不對。楊西崑親口告訴我，他到美國洽商「台灣關係法」，宋美齡叫楊西崑過去報告，告訴楊西崑說，你別回台灣了、台灣完了。楊西崑沒聽，宋美齡還向蔣經國告了楊西崑一狀。楊西崑在台北四季西餐廳二樓透露這一段秘密時，還心有餘怒。別以為蔣介石多會殉國吧，「一九四九」，他跑得可快呢；也別以為他會死守台灣的，他曾經想開小差，開到日本呢。周宏濤「蔣公與我」透露：

四月十七日上午，蔣公在溪口接見了駐日代表團團長朱世明，朱世明辭出後告訴我，蔣公除了指示接洽聘用日本教官事宜外，也談到自己出國的事，說是打算在適當的時機到日本小住，要他安排一下。

我沒想到蔣公眞的有出國考慮，對於蔣公指示朱世明安排赴日，我那時認為蔣公之所以有出國的念頭，可能是想到如果政府萬一和中共和談成功，形同投降，到時他就不便在國內居住了，要不然就可能是蔣公想親到日本共商反共大計，並且親邀日本教官來華協助練兵。

隔了一個多月，朱世明來函除報告了日本教官聘用等問題，也在信中特別提到，已在箱根為蔣公找了一處宅第，是前閑院宮親王故邸，價格約為一萬五千美金。我對照蔣公回覆李宗仁函的內容後，有這麼的想法——如果中華民國覆亡的話，這該是蔣公最後的退路了。不過，蔣公一直沒有要朱世明買下那棟住宅，以後也誓言大陸未光復前，絕不離開台灣。

蔣介石的動向，總是「一九四九」的關鍵大事吧，龍應台呢，碰都不碰這種問題。談「大江大海一九四九」，卻躲開不碰關鍵大事，還被當作好書，太奇怪了吧？

■還以爲蔣介石多「守死不去」的，總該聽聽這些內幕。蔣介石多有種，我們終於領教了。

冷眼看「媚美主義」

■你選立委的第一目的不是「對付美國」嗎？

□極少人知道我選立委的第一目的。第一目的是「對付美國」。國民黨僞政府的一貫特徵是「內鬥內行、外鬥外行」，外鬥之首，在鬥外國帝國主義，可是蔣介石搞的卻是「媚美主義」，結果且是「一路媚美卻又被美一夜不寐」，因爲美國老是出賣他、欺負他，還欺負他兒子，半夜三更叫醒他兒子說：我們斷交了。蔣氏父子的媚美賤骨頭行爲影響到李登輝、連戰、馬英九等留美走狗，也影響到國民黨分身政黨民進黨走狗，所以，儘管表面上政權輪替，但在「媚美主義」上，卻相沿不替。兩朝政權最大的不同是越媚越貴、越媚越沒保障，最後連戰下訂單的那筆軍購案到了陳水扁手裡，一跳變成六千一百零八億，卻又拿不出像樣理由。我到立法院，本來就要教訓「媚美主義」的，正好碰上六千一百零八億，我自然迎頭痛擊。今天有人拿連戰當香餑餑、當連爺爺、當兩岸穿線者，殊不知連戰是李登輝旗下第一「引美入室」的留美走狗，他的「媚美主義」、他的唯美是從，其實比陳水扁還下賤呢。馬英九也如此，陳水扁把連戰下訂單的軍購案拖了三年兩個月，才送立法院審議，留美走狗馬英九呢，下賤的馬英九一上台，就向美國主子交心了。這賤貨！這賤貨！龍應台不知道嗎？對美發賤是「大江大海」的頂級故事，龍應台為什麼不說？

脫底的下賤

形式上，蔣介石媚美，媚得比他的走狗們有點個性；實質上，因為他大權一把抓，所以媚得可以脫底呢。

■什麼脫底？

□就是脫得露出底牌。看看楊帝澤回憶錄「飲水思源」吧，透露司徒雷登養病時說出的一番話。司徒雷登說：

馬帥和我在馬帥離開中國、回國出任國務卿之前兩天，一同去謁見蔣委員長。蔣委員長……重申邀請馬帥以他個人最高顧問身分繼續其對中國的偉大服務。他以很大的誠意，表示願把他本人握有的一切權力付予馬帥，並保證給予最大程度的合作……馬帥極為感動，但覺得不能隨便說話，只能說他感謝給他的這份榮譽，和這麼一個大好機會，他並表示將做愼重的考慮。

看到了吧，脫底關頭，蔣介石媚美就媚得這麼賤，「把他本人握有的一切權力付予馬帥」！你能想像嗎？他的慣技，一走投無路，就把「一切權力」交給美國爸爸，那裡還有中國總統的尊嚴！

■這樣下賤，也就難怪洋大人總以總督口吻訓話了。胡頌平「朱家驊年譜」和陳立夫「我與馬歇爾將軍」文獻中，不謀而合的提到馬歇爾對國民黨大員說話時的「總督式口吻」、「殖民地總督式口吻」，眞是奴才所見略同啊。

□蔣介石的媚美下賤，一路流傳到他的徒子徒孫，包括民進黨，形成媚美政權，直到今天。龍應台的上司馬英九啊，你不會懂他，直到你把他當成美國人，你才懂，你的一切困惑才會迎刃而解。馬英九跑到美國，以國民黨主席身分，公開而肉麻的說：

就算兩岸於三十至五十年後達成和平協議，台灣仍然需要有力量的國防，需要與美國進行軍事合作。由於追求和平與繁榮的兩岸關係，便不會錯誤解讀和判斷與台灣有長期關係的美國朋友好意，讓美國進入它所不願意的矛盾當中。

龍應台啊，你知道你的馬老闆多賤嗎？

■最後，蔣介石總算落草在台灣，抬出「反攻大陸」的口號，拖了二十六年，終於壽終正寢了。

反攻大陸的殘夢

□「反攻大陸」是蔣介石政權被趕出大陸、流亡到台灣的最重要口號。首見於「一九四九」六月二十六日蔣介石「本黨革命的經過與成敗的因果關係」講話，在這次講話裡，他清楚明定「一年反攻，三年成功」的期限。可是，就在一年將盡之際，蔣介石改口說「三年反攻……三年成功」（一九五〇年三月十三日）了、又改口說「五年成功」（一九五〇年五月十六日）了。但五年過去了，還是反攻無望。拖到第九年（一九五九年五月十九日），在「掌握中興復國的機運」講話裡，做了最後的哀鳴，他說「再過十年」（指一九六九年），「超過了『十年生聚，十年教訓』的期限，還不能反攻復國的話，那就任何希望都要破滅了。」結果呢，十年又過去了，蔣介石自定希望破滅之期終於到來，他一籌莫展。六年以後，蔣介石有疾而終、「反攻大陸」無疾而終。這一騙人騙了二十六年的口號，雖然自蔣經國以下猶未放棄，但卻尸居餘氣而已。

「反攻大陸」只是一個夢，且是一個殘夢，它沒有可行性，雷震的「自由中國」早就拆穿了它，但是，說眞話的先知者被迫害，罪狀是你的眞話打破了別人的殘夢。

「不知道」三字，何以服天下？

我願幫國民黨回想一段歷史：當中華民國成立，「北洋軍閥」袁世凱做了第一任大總統時候，國民黨掌握了國會議長，由國民黨員林森做參議院議長。開會第一天，袁世凱全副武裝，走進議場，不料林森立刻拉下臉來，向袁世凱說：「參議院是代表民意的地方，不能在這個地方耀武揚威，請袁總統解下武裝入席！」袁世凱雖然是「北洋軍閥」，但他不敢「大軍壓境」，只好解下武裝，給國民黨留下光榮的記錄。很快的，七十年過去了，一九八二年到了，國民黨已從媳婦熬成了婆，國民黨不但掌握了國會議長，並且掌握了國會、掌握了政權、掌握了軍權、掌握了國防部長。國民黨的國防部長宋長志大將，面對國民黨掌握的國會，按說應該有優於袁世凱的風度了，可是，事實上，卻顯然沒有，他的態度是蠻橫的。例如在「反攻大陸」問題上，他竟公然向「自己人的國會」，悍然表示：「什麼時候我不知道，知道了也不告訴你們！」這種氣派，說他不是「耀武揚威」，實在也找不出更恰當的詞彙了。令人玩味的是，宋長志大將前半句未嘗不說了眞話，什麼時候「反攻大陸」，他眞的不知道啊。因爲驢年馬月的空中歲月，又有誰知道呢？別說宋長志了，連蔣介石自己也不知道啊，他如果知道了，還會把日期改來改去嗎？

「不知道」三字，何以服天下？

「中華民國」百年個屁！

最後，他們算封口了，不談「反攻大陸」了，也不談「三民主義統一中國」了，卻大談

「中華民國一百年」、國民黨創建中華民國了。

■世界上憂慮生態失衡，談「百年孤寂」；這島上倒好，談「百年牛屄」。

□「百年牛屄」是先從國民黨史吹起的。國民黨歷史自稱從興中會時起算的。但興中會並不等於是國民黨的前身，因爲那時候誰也不知道什麼叫「國民黨」，包括孫中山自己在內。檀香山興中會開會時、比京興中會開會時，所有參加者，誰也不是國民黨，他們的革命之功，又何能算在國民黨帳上？如今國民黨翻掌一撲，一律不由死人分說，把會吞下、把人吃光，天下滑稽之事，還有過於此嗎？何況，檀香山興中會的歷史，是可疑的。

■你是說檀香山興中會根本是假的？

□它的眞度，禁不住精密考證吧？不過，國民黨說有，我們先姑妄聽之。因爲有了又怎樣，

照樣是笑話。因爲國民黨吞下興中會、吃光興中會會員，由於這些會員好歹與孫中山有點來往，一吞一吃，看在孫中山的面子上，或許可扯上一點邊兒，但是若說到了同盟會時代，還要靠孫中山的面子而又要吞又要吃，那就更胡來了。因爲同盟會的成立，是靠當時許多其他革命團體的成員，其中日知會、華興會、光復會不但成員眾多，並且都是比興中會風光的大會，而興中會那時候，已五年之久，沒有革命動作了。當時開會時，六十多個代表中，孫中山僅僅認識十個人，興中會早已沒落了。

非但興中會、同盟會和今天的國民黨牛頭不對馬嘴，即使一九一二年的國民黨，也都無法硬加銜接。一九一二年的國民黨是同盟會和統一共和黨、國民共進會、國民公黨、共和實進會合併的產物，孫中山始終未嘗過問。今天的國民黨，正式名稱是中國國民黨，它在一九一九年成立時，照黨史會「國父年譜」所說，「加上中國二字者，所以別於元年之國民黨也」，顯然在和「元年之國民黨」劃清界限。「其性質則元年之國民黨爲五黨所合併者，今之中國國民黨則中華革命黨所遞嬗而來者也。」當年黨同伐異，界限惟恐其不分明；今天捏造歷史，壽命又惟恐其不延續，國民黨之可笑，竟一至於此！

至於中華革命黨，嚴格說來，它跟一九一二年的國民黨沒有銜接性。一九二四年孫中山在「政黨的精神在黨員全體不在領袖一人」演講裡，明說：「二次〔革命〕失敗，逃亡至日本的時候，我就想設法改組，但未成功……那時我沒有法子，只得我一個人肩起這革命的擔子，重新組織一個中華革命黨。」可見連孫中山自己，都認爲中華革命黨不是原有的國民黨「改組」的，而是「重新組織」的新東西，它們之間沒有銜接性，已很顯然。雖然今天國民黨的建黨，實在只不過是一九一九年的事、只不過只有九十二年，但國民黨爲了把革命功勞「一切籠爲己有」（章太炎語），就不得不把歷史拉長上溯，但縱使這樣，吹牛也有程度之不同。一九二三年發表的「中國國民黨改組宣言」，也只有是「吾黨組織，自革命同盟會以至中國國民黨」，雖然吹牛，也只吹到同盟會；如今國民黨在台灣，越吹越大，「走過從前」，興中會都難逃牛腹矣！牛哥哥國民黨何苦來啊，年輕一點，又有什麼不好嘛！

「中華民國」的假民主

■「百年牛屄」以外，龍應台之流口口聲聲台灣有民主，至少蔣介石死後，台灣有了民主。

□蔣介石的最大罪孽，不止「一九四九」那一大段的血腥統治，更在有空前絕後的對民主的結紮功夫，因此島上的民主，一路給掐死了，留下的，是種種假民主的怪相。最後演變到今天的，不是眞民主的主流，而是假民主的亂流，台灣沒有眞民主，但台灣有太多的假民主。一般淺人分不清，以爲台灣有了民主，並且可以向大陸炫耀，其實全不是這麼回事。龍應台開口閉口「一九四九」，但自「一九四九」以來，蔣介石有二十六年的機會搞民主，他不搞；他死後，蔣經國有十三年的機會搞民主，他不搞；他死後，又有二十年的機會搞民主，但國民黨民進黨卻給搞得中台二分、拳頭四向、金權縱貫、血肉橫飛。天天政治掛帥，人無寧日；日日宦海生波，舉世稱奇。我們多少年來一路追求眞民主的人，看到這種古之所無、今之罕有的假民主，能不痛心嗎？我們眼巴巴等死了老蔣、等死了小蔣，等走了李登輝、等爆了陳水扁，如今等出了假美國人馬英九，我們等得寒心了。

■你說蔣介石的最大作孽，不止於生前的禍國殃民，且在於死後的遺患。你這種見解，倒是發人所未發，龍應台書中根本不敢碰。

□蔣介石父子在台灣四十年中，由於自私、狹小、與僵化，他們造就出兩派頭腦不清的混人，一派是藍色的，一派是綠色的，表面有藍綠之分，其實混同一氣，在思想型模（Pattern）上系出同門。這就是今天的亂局。亂局又不止於顏色上的相持不下，且在於引發新的貽害：一、使這個島，在世界出局、還一再鬧出世界級的笑話；二、使這個島上的青年人，一潭死水。青年人本該是抗爭、改革、進步的動力，但是，島上的青年人淺薄、麻木而軟弱，他們任憑宰割、窩囊沒用、未老先衰。幾十年下來，就蔣家王朝而言，是及身而絕；

就蔣家走狗而言，留下幾條幸運家犬（如郝家、馬家、連家、吳家之類）；就國民黨而言，是空忙一場；就台獨而言，是假忙一場。蔣家王朝到台灣後，它的問題不在及身而絕，而在及身而不絕。它延續出兩股接班人：一股是綠色的；一股是藍色的。這綠藍兩股，爲了爭政權，固然小異其無趣，但在大方向上，卻是蔣介石的傳人。傳出了一個像民進黨的國民黨、和一個像國民黨的民進黨。但像來像去，更像蔣介石自己的反射。不是嗎？

「中華民國」的假國會

■既然民主是假民主，立法院這種假國會，有可能弄假成眞嗎？

□我看不會。假國會呈現出來的：

一、這是孫中山閉門造車造出來的不倫不類機構，再加上蔣介石調教出來的壞的外省人和壞的台灣人，共同加工翻造出來的怪胎。

二、這怪胎成長的所謂民主是假民主。

三、彰顯假民主的現象很多，最大的特色是，少數黨民進黨竟可用暴力阻止多數黨國民黨等投票，而國民黨等竟因之就範，眞是世界級的奇聞。國民黨是一個令你哭笑不得的黨，它的最大本領，是能培養出比它更壞的反對黨。

四、最令人哭笑不得的是，國民黨每逢選舉，它給你選它的理由竟是：你要不選我，它比我更壞。

五、這是個賢不肖雜處所在，絕大多數是不肖，偶有賢在，也就是說，偶有好人存在。但好人扶同為惡，形成好人做壞事局面，好也好得十分可憐。

六、從世界級（包括中國級）的標準看，他們全部昧於大勢、不識大體。眼裡只有台灣，但下手幹的，又害死了台灣。

七、部分成員跟美國的關係曖昧，不僅在美國國籍案上劈腿，甚至涉嫌ＣＩＡ，所以打著軍購愛台灣旗號，使台灣變成為美國利益服務的凱子島，假國會變成了輸美大國會。

八、最後，台灣根本不是眞國家，自然不會有眞國會。

九、國民黨、民進黨，雙方都是「列寧式政黨」、「列寧式政黨」會產生民主嗎？

「現在槍斃還來得及嗎？」

■假國會不能做出一點眞的正義之事嗎？

□正義？先看看我們的正義。自來獨裁者死後，他的大小走狗奴才，稍有良知或表現乖巧者，總要收拾人心，以為慰藉。自其小者觀之，要平反前朝冤獄，所有冤案、假案、錯案都要意思意思：，自其大者觀之，要把死去的主子拉下馬，像赫魯雪夫（Khrushchev）之於斯大林，即其著者。但是蔣介石的大小奴才什麼都不做，他們扶同爲惡又怙惡不悛，將錯就錯又一錯到底，甚至到今天還奉蔣介石之名而「阿門」之，想來實在太可恨、太可恨！因此我們特別點破鞭屍蔣介石的時代意義，不過時意義，以告天下。自李登輝、馬英九以下，都是我們要口誅筆伐的醜類，他們是蔣介石的守靈者、身後衛護者，他們的可惡，我們也一樣不會忘記。因此，揮鞭之餘，也會兼打他們，以正視聽。陳水扁他們也同屬醜類。古人說：「誅奸諛於既死，發潛德之幽光。」在誅及既死之餘，我們也不忽略活在世上的奸諛。——死的、活的，都跑不掉，這是我們的正義。

■假國會不平反這些冤案、假案、錯案嗎？

□白色恐怖時期，共有二萬九千四百零七件案件（二萬九千四百零七是他們自己承認的數字，天知道實際數字是多少），但假國會並沒立法平反任何一件。看看共產黨，共產黨平反了多少文革後的冤案、假案、錯案，而口口聲聲人權法治的海峽這邊，卻一件都不平反，憑什麼跟共產黨比？

■假國會畢竟立了法，送了每個政治犯一點錢。

□那是「補償」，不是「賠償」，「賠償」才是平反，「補償」不是。假國會掐死了平反之路，只送小錢，想就此了事。

■按照案情分多少嗎？

□有個上限，上限是六百萬，不能超過。所以坐牢坐了二十年、三十年的，也一律以六百萬爲上限；被槍斃了的，給家屬也只六百萬。

■你年資不夠，只拿了二百八十萬？

□很慚愧，比起被槍斃的或坐牢二十年、三十年的，我年資太淺了。一個笑話，我拿了二百八十萬支票回家，交給太太小屯，小屯手執支票、白眼一翻，冷冷的問：「現在槍斃還來得及嗎？」

龍應台程度不夠、心態可議

■二百八十萬啊，龍應台連「現象」都寫不出來呢。本來你說龍應台只寫「現象」、寫不出「原因」，難道她不知道「原因」嗎？看這一段：

一九四九年，像一隻突然出現在窗口的黑貓，帶著深不可測又無所謂的眼神，淡淡地望著你，就在那沒有花盆的、暗暗的窗台上，軟綿無聲地坐了下來，輪廓溶入黑夜，看不清楚後面是什麼。

後面，其實早有埋得極深的因。

可見龍應台明知「早有埋得極深的因」，但她寫不出來。原因是——

□原因是既不能也、又不爲也。不能，是程度不夠；不爲，是心態可議。心態可議的部分尤其可惡，因爲她理應寫出一點。

■程度不夠，還能寫出嗎？比如說，她沒看過這本書、這本史料，她根本涉及程度不夠，怎麼寫呢？

□看「大江大海一九四九」的腳注，她看過區區幾本當事人的專書，但她引證時卻故意漏掉關鍵的文字，這就心態可議了。你可以說你不知道這本書，但你既然在腳注裡提到了，你怎麼賴呢？龍應台用一頁又一頁，寫淮海戰役（徐蚌會戰），十幾頁下來，我們看不到一行大義與是非。她絕口不提共產黨是革命者、國民黨是反動者，她的板子照例是各打五十，但在字裡行間，卻加重一方的罪戾，龍應台只質問：「用什麼語言來描述被解放軍徵用去攻打國軍的農民呢？」但她從不質問國民黨軍中的農民是怎麼來的，龍應台甚至一再把解放軍與侵略中國的日本軍隊伯仲其間，她在暗示些什麼呢？打板的數目是一樣的，可是五十板的輕重疾徐可有了文章，她在暗示些什麼呢？

龍應台的「德國人史觀」

■最不搭調的，是在龍應台書中，常常冒出「德國人史觀」，行文穿插，耳漫汗漫之下，忽然日耳曼起來，實在怪異。

□龍應台的基本立場是怪異的，我們簡直看不出來她是中國人，事實上她是嗎？看她寫的：

那是一九四九年的前夕，從九月到十一月，不到兩個月的時間，國共兩邊合起來有幾十萬的士兵死在冰天雪地的荒野上，這是個什麼樣的景觀，飛力普？你說你聯想到二次大戰時德軍在蘇聯的戰場，我想大概很像……

「我想大概很像」，這是什麼話？德蘇之戰，是兩國交兵，是一國抵禦外侮；國共之戰，是國內揭竿革命，再怎麼打，也是中國人自己的事，難道中國人在打外國人嗎？不論勝敗，也沒有跟德國人有關係吧？有婚姻關係吧？但是龍應台喊出的「飛力普」是什麼人啊？是她與德國人產下的謬比不倫的兒子吧？

龍應台的基本立場是怪異的，她的史觀是德國人的，所以用來看中國，總是格格不入。她寫的千言萬語，但是氛圍卻中國不像中國，倒像一邊一國，縱使她有時說得婉轉，但撲鼻之感，總不可掩也。

肯定他，你就否定了你自己

龍應台提到被送進日本忠烈祠的台灣兵名字，她寫著：

我想到山中親自走一趟，看看這些年輕人的名字。他們是陳千武、蔡新宗、柯景星、彭明敏、李登輝的同齡少年，只是這三萬多人，沒有機會變老。

我總要接下去想一想，「彭明敏、李登輝」這些與死者的「同齡少年」，他們「有機會變老」了，他們的變老過程，是不是也該補一下呢，補了，「一九四九」才有個收尾啊。不然的話，斷尾的故事又算什麼「一九四九」呢？

龍應台最後寫道：

有幸能和我的同代人這樣攜手相惜，一起爲我們的上一代——在他們一一轉身默默離去之前，寫下「大江大海一九四九」，向他們致敬。

我好奇怪，也好好笑，你「致敬」什麼呢？多少該寫的英雄你逃避不寫、多少不值得寫的泡沫你卻信筆謬傳，多少人又被你槓上開花、窩囊加倍，你還要同他們「攜手相惜」，老天爺！「龍門一入深如海」，窩囊的死者，又何辜啊。

我曾奉勸彭明敏說：「當年老K提拔你，你不要做狗，你不幹，你跑了。結果李登輝做了狗。如今你從海外回來，居然肯定起李登輝這條狗來。別忘了肯定他，你就否定了你自己、否定了你自己當年不做狗的一番苦心，這說得過去嗎？我常常用嚴格的標準去檢定人，不單看他贊成什麼，也要看他反對什麼、點名出他反對什麼、列舉出他反對什麼。可憐的龍應台，她在老K的鬼島上，除了說風涼話，又顯示了什麼呢？指手畫腳說三道四前，你為出生地做了些什麼？就算受苦受難吧，你受了多少？被迫害、被打壓嗎？都沒有，你每天只吃一頓飯嗎？你失業過嗎？你蹲過黑牢嗎？你有一本書被禁過嗎？你捐過一塊錢給慰安婦嗎？你捐過一毛錢給紅衫軍嗎？你澆在紅衫軍頭上的涼水，比別的多吧？你奚落紅衫軍反扁無效，那你的效果呢？

「文化二毛子」

■義和團時代，有一種「二毛子」，也就是「假洋鬼子」，被中國人痛恨，那時候文化水平不高，只會痛恨而已，不會用「文明」方法拆穿。但是，「二毛子」這種字眼，倒滿傳神的。

□義和團時代的「二毛子」，不念什麼書，只是「主耶穌」一陣咒、占地建堂、迷惑鄉民而已；今天的「二毛子」就不同了，博士掛帥、革履登堂、念的是一大堆「中國崩潰論」，他們實際是「文化二毛子」，他們背後的基礎只是「毛子水」，雖然水水的，但打扮得洋貌岸然，口口聲聲是美式民主呢、美式全球化呢。並且，他們很溫和、很「文明」，絕不「橫眉冷對」。「橫眉冷對」那一代的，一輩子未見其罵日本人，其實也是「二毛子」之一，是「東洋二毛子」。但是「橫眉冷對」太落伍了、胃口太不現代化了，只好給革命狂欣賞。「文化二毛子」絕非革命狂，他們只是顛覆狂，你的辛苦，一概不表；你的毛病，我整天挑，你怎麼都不對。你是我媽又怎樣，你有梅毒。這就是「文化二毛子」，千言萬語，就是要顛覆你，因爲那樣才「文明」。

■他們不承認是顛覆。

□當然不承認。美國大兵強姦了中國女人，也不承認自己是強姦犯；日本大兵侵略了中國，也不承認「侵略中國」，而是「進出中國」。

■因爲他們很「文明」，所以，一旦你用「二毛子」字眼說他們，他們就「嫣然」道破：別理他，他是義和團，他會用「二毛子」這種字眼罵我們呢，他不「文明」。他們這樣一「嫣然」，你還敢用「二毛子」字眼嗎？

□爲什麼不敢？我覺得「二毛子」這三個字，眞是「深入不毛」。但我用這三個字可學問大了。出這本「大江大海騙了你」，不就是學問比賽嗎？你是「文化二毛子」，老子可是用文化打「文化二毛子」的專家呢。

■所以你放膽用「二毛子」這類字眼。

□放膽用、放手用。爲文化水平不足的前輩中國人揚揚眉、吐吐氣。

龍應台「錯用中文」

■龍應台的中文還好吧。

□要相對的說。大體上，龍應台的中文比一般「國民黨文人」好，甚至好很多，當然不如漢奸女張愛玲及其月經棉，但還是値得肯定。龍應台的文字毛病像得了哮喘病，有時沒頭沒尾的，這在她那本「目送」裡最明顯。還有一個致命的，就是「常識不足」和「錯用中文」。

從歐洲回台灣，先去探視一位長輩。他看起來頗爲疲累，問及緣由，長輩遂談起「攝護腺肥大」的種種苦惱。告別之後，匆匆赴好友殷允芃之約。趕到時，允芃已嫣然在座。見我形色匆忙，允芃關切地問：「怎麼看起來有點疲累？」

實在不知該怎麼回答——我覺得很好啊，可是既然看起來「疲累」，那——我不假思索對她說：「可能攝護腺肥大吧。」……

她是在等著看我解釋自己的「玩笑」。等了半天，發現我沒開玩笑的意思。於是她把身體趨前，那種尷尬的神情，好像在告訴一個男人他的褲襠拉鍊沒拉上，她小聲地說：「應台，嗯……女人沒有攝護腺。」……

我爲自己的無知覺得羞慚，很抬不起頭來——這故事要在台北的文壇江湖怎樣地流傳啊，一直到有一天，見到了好朋友J，他是個赫赫有名的、粉絲群龐大的作家兼畫家。J聽了眾人笑我的故事，很有義氣地拍拍我的肩膀說：「不要緊。我都到最近才知道，原來攝護腺不是長在脖子裡。」J，可是個雄赳赳氣昂昂的大男人。

龍應台的「常識不足」尚不嚴重，因爲自然有「常識不足」的「長在脖子裡」的雄性動物伴隨她、分擔她；但是，「錯用中文」卻令我們受不了。她說殷允芃「已嫣然在座」，天啊，中文「嫣然」兩個字，可以這樣用嗎？並且，好死不死的，竟又用在殷允芃身上、頭上或臉上，中文何辜啊？「嫣然」何辜啊？古人用「嫣然一笑」，從宋玉到蘇東坡，都是指名花傾城的，可是，殷老太太那副尊容要傾誰啊？「允芃嫣然」事件上，顯然的，龍應台非但「錯用中文」，又同時發生了「常識不足」問題。殷允芃畢生與「嫣然」無關，此乃常識啊。龍應台說：

當天，就在那中山北路的咖啡館裡，當我的馬其朵咖啡正在一個自色磁杯裡顫悠悠地被送過來的途中，台灣「天下雜誌」發行人殷允芃決心創辦「康健雜誌」。她的理由是，如果像龍應台這種人對於醫學常識都糟到這個程度，那麼顯然很多人都需要被她拯救。

我看，龍應台的殷允芃還是「拯救」她自己吧。辦什麼「康健雜誌」呢？先辦一本「整型專刊」吧。

龍應台的三階段

■龍應台從一九八四年出道以來，至今二十六年了，她的作爲，有段落可循嗎？

□大體來分，可有三階段。她剛出道的時候，「野火集」階段，本來只是「爲什麼不生氣但別生國民黨的氣」階段。她坐計程車，司機因跳過馬路上的大坑，大罵「操國民黨」。龍應台指摘：「這司機完全錯了」，「可以操養工處、操市政府」，但不能「操國民黨」，因爲馬路上的大坑，「與國民黨完全沒有關係」。這種對國民黨的開脫論，眞令我們大開眼界。國民黨是執政黨耶、國民黨是太上政府耶、養工處長大人即是大人國民黨耶，不「操國民黨」，「操」誰啊？即使你「操」到「養工處」、「市政府」，坐在那兒的公務員的「歐卡曾」(黑屁股）也是國民黨正字商標耶。龍應台如此解救國民黨的「歐卡曾」，眞是操海奇聞，國民黨眞爽死了！不但沒挨「操」，並且天上掉下來救「操」的禮物——龍應台，自願做打手，國民黨眞爽死了！龍應台日後吹牛，說她遭遇了白色恐怖，白色恐怖怎會發生在她身上呢？龍應台說她「承受著相當大的壓力，冒著出毛病的危險」，全是吹牛，國民黨疼你還不暇呢，何「危險」之有？如有點跌撞，只是國民黨內的「文學侍從之臣」因爭寵而怒目相向而已。以上所說，是第一階段，可叫「文學侍從保衛老K階段」。

■第一階段，「文學侍從保衛老K階段」。

□接著是第二階段。這一階段的龍應台，已暴露了文化在我、文明在我的本質。整體的印象是，不但「文化台獨」、並且「祖述漢奸」，她大捧特捧李春生這些親日貨色，實開自己又美式又德式奸情的先河。「請用文明先說服我」，但她的「文明」基調，是充滿奸情的，你無從說服她。這一階段的龍應台，主軸在拈出「文化台獨」滲進漢奸思路，攻擊中國不文明，但她隻字不提日本怎樣殘暴東方、德國怎樣殘暴西方、美國怎樣殘暴世界四方，不提殘暴的文明可以說服誰。這是第二階段，可叫「文化漢奸貶低中國階段」。

■第二階段，「文化漢奸貶低中國階段」。

□最後是第三階段，把「殘山剩水」當「大江大海」來顛倒是非、錯亂歷史。這第三階段，可叫「文化丐詞翻江倒海階段」，是更深入的幹法，只是這種深入，都被李敖給揪出來了。

龍應台完全罩不住這種大題目

■她本來只放放野火就算了，她不該膨脹自己，寫什麼「大江大海」，她完全罩不住這種大題目，尤其牽涉的資料、史料太多了，她的程度，一下子就洩了底了。

□第一階段的龍應台，她寫書所用的證據是單薄的，證據來自計程車司機，從計程車司機操人開始，站穩了腳以後，她開始膨脹，又文化又學術起來，進入第二階段。但是，由於程度不夠，她竟把李春生等文化漢奸當寶貝亂捧瞎捧，雖然著作日豐，但是敗象已露。最後，靠財閥等支持，她成立了「龍應台文化基金會」，除了廣邀美國主子演講外，又埋頭狂寫「大江大海一九四九」，結果，越求詳贍淵博、越求批共揚K，越洩了底，終於被我逮住，用一本「大江大海騙了你」一次斬絕。

■本來龍應台就近似滑頭的說道：

我沒有答案，可以就兩方面來看。一方面是當然沒有答案，因爲你如果講生態環境問題，我又不是專家，我怎麼可能提出答案來？我又不知道垃圾應怎麼焚化，那是專家的事情。如果講教育的問題，我要是當個大學校長的話，說不定做得更糟糕。講政治問題的話，我也不見得能夠處理。我絕對沒有答案，而且我根本不應該有答案。

龍應台這種不見答案論，在「大江大海一九四九」裡適用嗎？

□當然不適用，並且她所謂的「我根本不應該有答案」這一結論，也是根本不通的，因爲你表面上提出「講環保」「講垃圾焚化」等問題，你的答案其實都已明示在你的問題裡了，至於如何環保、如何焚化，不是答案本身，而是執行者遵循的技術問題，「那是專家的事情」。就如同你龍應台上了計程車，你的答案就是「去那裡」，如何去那裡，「那是專家的事情」、司機的事情。上了車，你不能對司機只問：「閣下歡迎我搭貴車嗎？」你必須少說廢話，講出你「去那裡」這一答案。

■在「大江大海一九四九」裡呢？

□龍應台更沒有搪塞的理由了。龍應台的障眼法是只談「現象」，一如她只提「問題」閃躲「答案」，但在「現象」裡，她早已埋伏下偏見和結論，也就是說，她把「答案」藏在問題裡了。在邏輯上，這叫「丐詞」（beg the question），是把前提藏在「問題」裡引君入彀。所以，整個的「大江大海一九四九」，即使表面上各打五十大板，但對國民黨卻輕輕放下。問題還不限於她的心態，而在她的程度，她完全罩不住這種大題目，結果單在資料、史料上，就先栽了。

龍應台不說客氣話，但說漂亮話；不說俏皮話，但說風涼話。我出這本書，重點不在跟龍應台糾纏她的漂亮話和風涼話，我沒興趣落墨在那些浮辭上面；我把重點落在務實的考據上，一點樸學、一點糾謬、一掌一摑血、一步一腳印，棒喝給龍應台，你的資料、史料基礎太薄弱了，「大江大海一九四九」這種大題目，你碰不得的、你太不自量力了。

不是革命者的篝火

■談談你的總感想吧。

□首先，我覺得龍應台偷走了一個好名詞——「野火」，使人們感覺到某種叛逆的快感，覺得這位放野火的在夥同我們叛逆了什麼，其實我們被騙了。根本不是野火，而是煙火。在黑夜裡，看看煙火是有快感的，但煙火不是星光、也不是螢火、更不是革命者的篝火。並且，相反的，龍應台的煙火秀，內容很貧乏、很守舊、很小心翼翼，她跟柏楊一樣，向上冒犯只敢冒犯到警察總監而已。她一本書都沒被查禁過，而李敖卻被查禁了九十六種書，這一比較，顯示了一切。

■爲什麼暢銷？

□一個重要的原因，都被忽略了。暢銷是龍應台取得了和她一樣喜歡說風涼話的「平均公民」（average citizen）的自況與認同。大明星范倫鐵諾（Valentino）死的時候，影迷們哭得死去活來，報章一版又一版滿版伺候，可是同一時間，哈佛大學校長死了，卻少人聞問，報章版面，豆腐乾一塊。一旦列等「演藝人員層級」，「平均公民」就會追隨著你加減乘除，當然扭不過麥可・傑克森（Michael Jackson），但是可以亦步一下；當然跳不過麥可・喬丹（Michael Jordan），但是可以亦趨一下，至少穿上你穿的T恤與球鞋。即使更假的，也無礙俗人崇拜，電影裡的「超人」飛簷走壁，眞實的他卻從馬背上摔下來，癱瘓至死。但是，無傷於「平均公民」崇拜，他們要的就是認爲你是「超人」，與君相隨。爲什麼不追隨哈佛大學校長呢？太難了。龍應台的成功，就在她把自己定位在「演藝人員」的標準，她邀你一起夢寐星夢，但不要求你做哈佛校長。她放的是煙火而已，卻叫你錯認爲野火，你感覺很爽，因爲你是叛逆少年，其實，這是那一門子叛逆呢，在龍應台帶領下，你只是順民、藍色的順民、綠色的順民，甚至是做了「文化漢奸」而不自知，甚至可以大罵義和團野蠻。問題是，義和團不是不可以罵，但只罵義和團野蠻，不罵英法聯軍燒圓明園、不罵八國聯軍中美國大兵第一個進中國皇城姦淫擄掠，你就上了當了。

你可以喜歡龍應台，因爲喜歡她最安全，書不會禁、人不會關、姿色平平，卻名利雙收，這不正是「平均公民」的嚮往嗎？誰要做哈佛校長？誰要做一入獄再入獄的被禁九十六種書的作者呢？她拉了「跟不上英雄的弱者們」一把，顯示說，別跟什麼英雄了，跟我吧，你可以跟我一樣，不必「人人可以爲堯舜」了，跟堯舜太累人了，何必像英雄們放火呢，只要把煙火當野火放放，就算功德了。爆竹不是火箭，但止於爆竹的、安於爆竹的，就火箭圓滿了。所以，「弱者們」喜歡她。

來段安可曲吧

■剛才聽你反問龍應台，很有趣，再詳細多問幾句吧。來段安可曲吧。

□問題是，對言論不自由的種種，你龍應台說的全對，但，親愛的，請告訴我，你做了些什麼？對抗或打敗言論不自由的惡勢力，你做了些什麼？你有一本書被禁嗎？你有印書時被搶走的經驗嗎？你有被抓到警察局的經驗嗎？你有看裝訂廠女工被扣留、爲你罰站的經驗嗎？你有因書被搶走而負債累累的經驗嗎？你有漏網之書也要切去封底才能上市的經驗嗎？你有遇到連擺書攤的老婆婆都拒絕代售的經驗嗎？……親愛的，你全沒有。在長夜漫漫中，「爲誰風露立中宵」的是我們，是作者、印刷者、裝訂者，是一起被抓到警察局的我們全體，龍應台在那裡？正在美國、德國納福吧？龍應台失業過嗎？龍應台坐牢過嗎？龍應台又司法又軍法又司法又軍法給連番整過嗎？沒有、沒有、統統沒有。龍應台最後卻來說風涼話，甚至冒充她是我們之一，儼然也是白色恐怖被害人，少噁心了吧。「請用文明來說服我」，好一個投機的文明啊！好一個公然插隊的文明啊！

嚮往「博大真人」

■最後了，該下結論了。

□龍應台「大江大海一九四九」的大毛病，我們終於挖出來了。她只會寫「前半截」，而且是「前半截」的「前半截」，所以看「現象」，也看不到完整的，「一九四九」的現象總有來龍去脈，但從龍應台的書裡，卻很少看到完整的龍脈。張玉法的少年「前半截」是可憐的，但可憐卻無補於他中年「後半截」的「斯德哥爾摩」，認賊作父，變成「斯得爸兒摸」，龍應台寫不出完整的被賊所陷又認賊作父的歷程，這就是說，龍應台的「一九四九」是藏頭縮尾的。

■你是說，寫「一九四九」必須完整寫出它的源流與流變，光寫片段的苦難是不夠的，反倒引起誤讀與錯覺？

□對。必須寫出被賊所陷又認賊作父的歷程、完整的歷程，從陷賊到從賊的完整歷程。當然也包括有沒有最後的覺悟，最後的覺悟是很重要的。「鷹犬將軍」宋希濂就是最好的覺悟例子。他最後人到了美國，與兒女團聚，完全自由，沒有了任何人質或牽掛，但他覺悟了，終於知道了誰是賊。

■在海峽這邊的島上，沒有這些人嗎？

□也有吧，但程度有差。

■因爲他們沒有寫「鷹犬將軍」這類書，坦白得不夠？

□覺悟並不以寫書爲唯一條件。但執迷不悟的，往往著書立說呢。

■像龍應台。

□龍應台「一九四九」還沒出生呢，她不算。她只是 nuts 中的後起之秀，結果好好笑，執迷不悟的，都寫不過她，比起 nuts 來，她一馬當先，至少追隨馬英九，直奔 nuts 而來，在文字上，她比馬英九還馬英九，是個上女廁所的馬英九。

■有人怪你用字遣詞，太不莊重了。

□請用莊重來說服我？

■龍應台寫了一本「請用文明來說服我」。

□Civilization is syphilization.（文明即梅毒。）龍應台的文明叫什麼文明，她顯示的，只是「和番派」的標準與僞善。

■「和番派」？你指嫁給美國人的陳香梅、聶華苓之流嗎？

□龍應台嫁給德國人。

■後來被德國老公給甩了。

□關鍵就在這裡。林語堂一個女兒被洋老公甩了，最後自殺了事。這位女士沒有回過頭來大放「野火」、怎麼看中國人都不順眼、整天以刻薄中國人爲能事、還引發許多不懂事的中國人三心兩意跟她起鬨，林語堂的女兒眞偉大，她不說一句話，也不罵中國人、也不嫌自己皮膚黃色，她一死了之。

■聽說她的英文是第一流的。

□第一流的。

■聽說她最後不喜歡講話，到商店買香煙，朝架上的香煙一指，一句話都不說。

□眞有點淒涼。

■她沒到陽明山來，住在蔣介石送給她爸爸的別墅嗎？

□她不屑如此吧。噢，林語堂就是另一個「一九四九」的主題，龍應台沒寫到。林語堂是現代中國唯一一個可以脫離「不入於楊、則入於墨」選擇的有名知識分子，但他一直搞魯迅罵他的「尖頭把戲」，最後鑽到蔣介石給他的別墅裡了。

■晚節不保嗎？

□此公晚節以前的節，似乎也不多。不過他不算說中國人的壞話、也不算諂媚洋人。並且，順便帶一句，林語堂的德文、英文、閩南話，都不是跑龍套的。

■聽來有點可惜，林語堂躬逢亂世，卻未能跳出他的時代，給「一九四九」做顆海外的流星。

□更可惜的是，在亂世已近尾聲的時候，也就是「一九四九」一甲子以後，有人不痛定思痛，卻還自掀傷口，以媚洋人與世俗、唐突眞相、錯亂史實，這樣子的知識分子，我們必須拆穿了。

■要什麼樣子的知識分子呢？

□在中國，不論在它的崑崙之頂或東方之濱，我們需要的，是一種高明光大的知識分子，是反暴君暴民的、是反政治掛帥金錢掛帥的，智足以拒非、勇足以抗暴，不媚俗也不媚外，作風磊落，獨行其是，古代智者嚮往的「博大眞人」，應該就是那種吧。

抓烏龜與抓兔子

■這本「李敖秘密談話錄」即將告一段落了。顧名思義，主軸乃針對龍應台「大江大海一九四九」而發，以拆穿「大江大海一九四九」爲主，其他龍應台的言行，只是順便帶一下。爲什麼鎖定「大江大海一九四九」呢？它與龍應台其他的書不一樣嗎？

□非常不一樣。龍應台其他的書，以「託諸空言」爲特色，因爲「託諸空言」，所以像個兔子，抓起來會溜，甚至有所謂討論上的爭執餘地；但「大江大海一九四九」則不然，它像個烏龜，可以手到擒來。

■烏龜比兔子好抓？

□其實不然。粗略來分，「抓兔子」是「玄學」工作，是哲學爭執；「抓烏龜」則是「漢學」工作，是史學硬功夫，事實查出來，一翻兩瞪眼，沒有爭執餘地，你輸了。龍應台過去著書，在以「玄學」阿世，天花亂墜下來，見仁見智，或有討論餘地。但這回她不自量力，「藝高人膽大」，玩起「漢學」來，並想用四百天速成，結果露出龍腳，被我逮住了。

■「漢學」不就是「乾嘉之學」嗎？

□是。「漢學」也叫「樸學」，顧名思義，它是扎扎實實的樸實考據之學，不是「託諸空言」

而是「見諸行事」的，談「大江大海」，你不能「野火」了、「文明」了、「目送」了、或什麼什麼了，你必須交出證據來，而這證據又不是「野火集」中聽人說的、聽計程車司機說的就已足，得靠眞功夫、眞的考據、眞如傅斯年描繪的：「上窮碧落下黃泉，動手動腳找東西。」換句話說，涉及「大江大海一九四九」的，現買現賣即溶速成是不行的，但龍應台這回卻自以爲行，所以，碰到李敖，她栽了。

■你李敖也栽了，牛刀是殺牛的，你竟用來殺雞。

□龍應台之流太囂張了，如果只是「野火集」層次，我還懶得理，現在鬧得不像話了，我只好牛刀小試一次。

■你爲什麼不用雞刀？

□我從來沒有雞刀。大師啊怎會有雞刀？

■過去林海音的老公何凡批評你，說你「傷人過重」，你的牛刀一出手，絕非小試。

□我記得何凡跟我說：「你李敖什麼意思？好像不把自己寫進警備總部就不算？」我回答他說：「你何凡什麼意思？你在『聯合報』獨霸一片天，專欄寫了二十年，二十年間，你沒把言論自由拓寬一點點，警備總部一篇文章都不查禁你，你不覺得臉紅嗎？」好了，何凡可眞不覺得，他還洋洋得意呢，眞是士林之恥！五十年過去了，新一代的何凡們，看來比何凡還何凡，他們更得意了、他們的手法更新了，一文之出、橫跨各報；一言之立，橫陳顚倒，這世界，成了說風涼話的「文化二毛子」奚落「醜陋的中國人」的世界、「中國崩潰論」的世界、「來生不做中國人」的世界，我李敖就是氣不過。我看到「一個高調以文章公開聲援台灣獨立建國的香港華人」鍾祖康，出版「來生不做中國人」，封面且印有「孫隆基、倪匡、金恆煒、金鐘、李敏勇、卜大中文化菁英一致推薦」的廣告，我眞氣不過。何必來生呢？有種今生就不做嘛，關鍵是金髮碧眼的肯收留你嗎？你的「華人」皮毛，還是委屈了你吧？做狗也得有人要啊。由於「華人與狗不得入內」以還、由於柏楊之流自賤醜陋以還，此調之彈久矣，但是最後證果的，卻應在龍應台身上。龍應台這位「華人」，也許沒有那麼露骨，但是，從「野火集」以來，她的調門越來越高。本來只是「野火集」層次，對我們這些英雄而言，「野火集」其實是一種攪局、一種搶戲，它把大事化小、把大題目化成雞毛蒜皮。所有的大牌演員都厭惡配角搞小動作，因爲小動作會攪局、搶戲。電影還好，最怕的是舞台劇，不像電影可以修剪，有人搶戲，你修不掉。對官方說來，「文字警察」也樂得有「野火集」吸收注意力、分散注意力、小化並轉移革命者的焦點，又何樂而不爲。現象惡化的是，龍應台的調門越來越高，她的眞面目也就越來越暴露了。她最新的暴露是在澳門大談「商人無祖國」形勢大好。其實，對今日的帝國而言，所謂全球化後的「商人無祖國」，其實是替他們的祖國建立另一種灘頭堡，一如歷史上的傳教士，傳教士乍看起來沒有祖國、只有天國，但是，「砲艦外交」保護的，就是無祖國的傳教士。龍應台已經妖妄到這種層次了、囂張得太不像話了。並且，流風所及，混蛋越來越多了，我只好「浪費」四十天，大開殺戒一下。

不成材的右翼

■你的總感想扯得太遠了，最後收收尾吧。

□龍應台暴得大名，有一個插曲，不失為她的利多，龍應台陰錯陽差，得到「不成材的右翼」的攻擊。從「野火集」開始，國民黨中「不成材的右翼」，大體是「青年日報」「青年戰士報」「中華日報」等發出的攻擊，並非全無道理，但是毛病出在他們只會做結論、不會做推論；只會罵王八蛋、不會用證據證明你王八蛋，所以結果適得其反，使龍應台得學李敖出版「文化論戰丹火錄」一樣，集合「不成材的右翼」的亂槍，代你宣傳，以為取笑。因為你們的亂槍毫無殺傷力，反倒襯出吾火熊熊。

這是一個有趣的怪現象，一件對事，不幸給不對的人撈去做了，由於「當事人不適格」，反倒砸鍋。例如中國統一聯盟，是何等好題目，可是給口沫橫飛的胡秋原撈過去做了，別人就不敢領教了；例如共產黨黨名登記，是何等好題目，可是給披頭散髮的王老養撈過去商標化了，別人就退避三舍了。依此類推，沒人否認范蘭欽是愛統一的，但你的文章出來，製造的恰恰是族群緊張關係；沒人否認黑社會是愛國的，但你的槍聲出來，不論是幹掉江南還是「江南草長、群鶯亂飛」，得到的後果都是負面的。有個笑話說，一個人自稱書法家，但書法奇劣。一日有人手搖白紙扇一柄，書法家搶過來就要寫字，那人立刻跪下來。書法家說：「不過寫幾個字而已，何必行此大禮？何必下跪相求？」那人哭著說：「我不是求你寫，我是求你別寫。」

■胡秋原是整天檢舉別人是「匪諜」之人，這種貨色，適合做兩岸統一的工作嗎？

□我也納悶。他曾公布了他給老賊錢納水的一封信，氣衝斗牛的說：

> 弟乃最後反共者，然不反則已，反必大反特反之。縱世界無一人反共，〔我〕一人亦必反之。……今後除反共外，無他事矣，有生之日即反共之年矣。

哈哈！這麼一位莫名其妙的反共大王，適合組織「中國統一聯盟」嗎？所以我才說，如果「不適格」的人帶頭亂來，會壞事的。王老養也一樣，該改名叫「養老王」就歇歇好了，別在台灣組織共產黨了。

■王老養認識嗎？

□我有一張他遞過來的名片，上印台灣共產黨主席等等頭銜，嚇了我一跳。

■看來龍應台正點得多。

□的確正點得多，雖然也是「當事人不適格」，她談文學批評就好了，搞什麼思想啊。看到她，我就聯想到我常使用的那包「文山糊」。

■你不用膠水等黏合劑？

□我只用手指抹漿糊，手指速度最快。

■不覺得落伍嗎？

□比摩登的人有效率，是誰落伍啊？

■漿糊是消耗品？

□漿糊放在手指上，是消耗品；放在腦袋裡，就是女作家了。

女作家的流變

■談到女作家，龍應台算是後來居上的吧？

□從寫批評文字上看，龍應台比起其他女流作家來得出色。但是你不能只做批評家。就像西比留斯（Sibelius）的老師安慰學生的話：全世界都是給創作者立銅像的，沒有給批評家立銅像的。作爲批評家，龍應台再出色也沒用，她沒有文學作品可言，當然其他女作家的文學作品也不足道。不過，在三毛走紅時節，她和其他女作家們，倒有一個共同優點，就是「不出其位」，三毛的範圍是自戀、海市蜃樓的荷西和撒哈拉；瓊瑤的範圍是戀老師、蒼白又蒼白；於梨華的範圍是戀別人漢子、一心想偷人養漢。……她們不談大道理、也不越位。但從聶華苓開始，卻談起大道理來，結果厚誣先賢、令人噁心。降至龍應台，則女人大談起思想來。傅斯年曾做諷世之言，譏笑女人不能搞歷史，龍應台冒出來，傅校長必然槓上開花，譏笑女人不能搞思想了。龍應台一手文字，勝過聶華苓百倍，但滿腦漿糊，與聶華苓相等。天可憐見，請放思想一馬吧。（附帶要說的是，小龍應台一歲的胡茵夢，遲暮發瘋，也酷談思想，但有兩點，我們不與計較：第一、她的文字晦澀、不知所云，大家看不懂；第二、她是美人兒，大家原諒她。）

上天疼醜類

林肯（Lincoln）說上帝一定疼面目平常之人，不然爲什麼造那麼多。龍應台的本領是她自己毫無姿色、「泯然眾人矣。」但她發而爲文，把雞毛蒜皮之事，寫得天花亂墜；把人間正義之事，轉移焦點、李化桃僵，一律歸罪在「不文明的中國人」頭上。於是吸引了眾人的認同，「小人物當如是也」、「小人物可取而代之」。龍應台使面目平常的小人物統統升等，自以爲也可討論大道理了。就這一點看，龍應台是一個標竿，她把標尺定位在古廟門檻上，再高你也可以邁過。她使她的讀者人人有了信心。但是這算什麼呢？以「醜陋的中國人」爲制高點，你就置身其外了嗎？痲醉讀者，把別人歸罪爲「醜陋的中國人」、「不文明的中國人」，只是拾柏楊的臭大便而已，當然，龍應台的文字高於柏楊一百倍，但又怎樣呢？你今生還是中國人，多倒胃啊。最後，龍應台化柏楊的大便爲自己的大便，她成功了，並從滿街野屎變成 TOTO 牌抽水馬桶的家屎，又怎樣呢？充其量，你是個坐在馬桶上的說風涼話的「文化二毛子」。「一毛天下亂，色變談三毛」，做二毛子也最安全呢。

「我有點心軟了」

■好啦，終於「浪費」了四十天，你完工了。

□用四十天完成這本書，龍應台啊，總算弄清楚了她，她是一個用銀紙包得美好的臭皮蛋、「金玉其外、敗絮其中」，完全不能談思想等大道理。但她不是沒有優點，她的文章，如不談大道理，有些小品寫得很不錯，「目送」裡有一篇「卡夫卡」，坦承她怕長蟲的故事，寫得眞好，她寫「千足蟲」馬陸，最後說：

無數隻的腳，無窮盡的奮鬥，一生的努力，只能走一點點的路。〔打死它〕我有點心軟了。

其實，這句話可改寫成：

一生的努力，只能走一點點路，並且還走得倒行逆施，小龍啊，拆穿你，我有點心軟了。

■這就是你這本書的「最後一課」吧？

□學生的「最後一課」，老師朝前走了。

■學生在那裡呢？

□學生在馬桶上。

國家圖書館出版品預行編目（CIP）資料

大江大海騙了你：李敖秘密談話錄／李敖作. -- 初版. -- 臺北市：李敖出版社, 2011.02
368 面；15X21 公分
ISBN 978-957-510-133-6(精裝)
1.言論集
078　　　100000766

大江大海騙了你 李敖秘密談話錄

作者	李敖
出版者	李敖出版社
發行人	黃菊文
總經銷	成陽出版股份有限公司 電話：(03)271-7085 傳真：(03)355-6521 地址：桃園市春日路 1492 之 8 號 4 樓
登記證	局版台業字第 3897 號
負責人	王自義（與本書有關的全部法律責任）
郵撥帳號	1900069-1 成陽出版股份有限公司
排版	天翼電腦排版印刷股份有限公司
印刷	成陽印刷股份有限公司 新北市土城區永豐路 195 巷 9 號 電話：(02)2265-1491
版權	保有一切版權
版次	二〇一一年二月初版 15 刷
版次	二〇一一年七月初版 28 刷
定價	精裝本新台幣 399 元

ISBN 978-957-510-133-6